VIE DE SAINT SÉVERIN

SOURCES CHRÉTIENNES

N° 374

EUGIPPE

VIE DE SAINT SÉVERIN

Introduction, texte latin, traduction
notes et index

par

Philippe RÉGERAT

*Ouvrage publié
avec le concours
du Centre National de la Recherche Scientifique
et de l'Institut autrichien de Paris*

LES ÉDITIONS DU CERF, 29, Bd de Latour-Maubourg, PARIS
1991

La publication de cet ouvrage a été préparée
avec le concours de l'Institut des Sources Chrétiennes
(U.A. 993 du Centre National de la Recherche Scientifique)

© *Les Éditions du Cerf*, 1991
ISBN 2-204-04460-1
ISSN 0750-1978

CONIVGI LIBERISQVE
CARISSIMIS

INTRODUCTION

I. EUGIPPE

Le nom d'Eugippe[1] est si intimement lié à la mémoire de Séverin que l'image du saint a fini par oblitérer complètement celle de son admirateur le plus fervent. En effet, si la vie de Séverin nous est relativement bien connue, grâce aux efforts méritoires d'Eugippe et de ses confrères, nous sommes plus mal renseignés sur la personnalité de son biographe. Nous en sommes mêmes réduits le plus souvent à des conjectures, tant les données que nous possédons sont fragmentaires[2]. Ainsi, nous ne savons rien de ses origines familiales et géographiques[3]. Jusqu'ici il

---

1. Le nom apparaît sous plusieurs formes dans les manuscrits : *Euepius, Eugepius, Eugipius, Eugippius, Eugyppius*. M. Büdinger, « *Eugipius*. Eine Untersuchung », *SB AWW*, 91 (1878), p. 795-796, estime que ces deux dernières variantes peuvent très bien être des corrections tardives dues à des copistes « hellénisants » du IXᵉ siècle. Nous avons cependant adopté la forme *Eugippius*, maintenant consacrée par l'usage à la suite de Cassiodore (*Inst.*, 23), Fulgence (*Ep.*, V) et Ferrand (*Ep.*, IV).

2. La meilleure esquisse biographique est celle de M. Pellegrino, « Il *commemoratorium vitae Sancti Severini* », *RSCI*, 12 (1958), p. 12-15, qui utilise de façon critique l'étude de M. Büdinger citée plus haut.

3. F. Kaphahn, *Zwischen Antike und Mittelater. Das Donau-Alpenland im Zeitalter St. Severins*, Munich 1947, p. 96, suppose, sans raison, qu'il était d'origine celte. Rien ne s'oppose, en revanche, à ce qu'il soit né dans le Norique de parents romains. L'hypothèse avancée par E. Vetter dans sa contribution à l'édition de R. Noll, *Eugippius*.

était admis par la majorité des chercheurs[4] qu'Eugippe
était né vers 460 et qu'il avait connu personnellement
Séverin dans sa jeunesse[5]. Mais cette thèse s'appuie sur
des arguments fragiles[6] ; une allusion très générale aux
rapports existant entre maîtres et disciples[7] ne suffit pas

Das Leben des heiligen Severin, Berlin 1963, p. 34 n. 2, et selon
laquelle Eugippe vécut dans sa jeunesse à Naples, repose sur un faux
sens. Dans le passage cité : _hinc ab ineunte aetate cognouerim_ (_Ep._
Eug., 7) _hinc_ n'a pas le sens originel de _ex eo loco_ mais celui de _de qua_
_re_ : cf. _TLL_ VI (1942), col. 2802 s., et F. LOTTER, _Severinus von Nori-_
cum, Stuttgart 1976, p. 27 n. 21.

4. A. BAUDRILLART, _Saint Séverin_, Paris 1908, p. 6 : « Eugippe était un
moine formé par saint Séverin lui-même. Il vécut sous sa direction
pendant plusieurs années ». Dans le même sens R. NOLL, _Eugippius_,
p. 13.

5. P. VÁCZY, « Eugippiana », _AUSB, sectio historica_, III (1961),
p. 41-51, a essayé de démontrer qu'Eugippe était né à _Quintanae_ (Künzing, Basse-Bavière) et qu'il était entré tout jeune dans l'entourage
immédiat de Séverin. Mais tout son raisonnement est fondé sur l'interprétation erronée du passage cité n. 3 (_Ep. Eug._ 7) ; _ab ineunte aetate_
ne signifie pas « depuis l'enfance » mais « depuis le début de l'âge mur ».
Cette tournure est pratiquement synonyme du terme d'_adulescentia_,
qui sert à désigner la tranche d'âge allant de 14 à 30 ans : cf. F. LOTTER,
Seuerinus, p. 28 n. 22. Quant à la surprenante connaissance des lieux
dont semble faire preuve Eugippe, notamment dans le cas de _Quinta-_
nae, elle peut très bien être le fait, non de l'auteur lui-même, mais de
l'un de ses informateurs.

6. Nous renvoyons ici aux analyses très pertinentes de E.K. WINTER,
Studien zum Severinproblem, Klosterneuburg 1958, p. 26-28. Le reste
de l'ouvrage est à lire avec la plus grande prudence : cf. A. AIGN,
« _Fauianis_ und der heilige Severin », _OBGM_, 3 (1959), p. 168-200 ; _id._,
OBGM, 6 (1962/1963), p. 5-77.

7. « C'est une chose de raconter ce qu'on a entendu dire, c'en est une
autre de livrer ce qu'on a vécu. Il est plus facile aux disciples (_a_
discipulis) d'exposer les vertus de leurs maîtres, celles-ci se révélant
plus fréquemment dans la compagnie de ceux qui les enseignent » (_Ep._
Pasch., 3). Le pluriel _a discipulis_ peut s'appliquer dans un sens strict
aux disciples directs de Séverin et dans un sens large à toute la communauté monastique, unie à son fondateur par des liens mystiques, comme
le souligne Eugippe : « pour que... la congrégation de frères qu'il s'était
acquise... restât, fidèle à son souvenir, unie par le seul lien d'une
communauté sainte » (_VS_, 40,6).

à établir avec certitude la présence d'Eugippe au monastère de *Fauianae* du vivant même de Séverin. Il est d'ailleurs intéressant de noter que nulle part Eugippe ne cherche à se faire passer pour un témoin oculaire des faits et gestes du saint. Le seul passage qui puisse être invoqué en sens contraire est douteux ; en effet, au ch. 43, qui relate la mort de Séverin, la leçon *hoc uersiculo nobis uix respondentibus,* qui attesterait la présence de l'auteur parmi les assistants, ne se trouve que dans les manuscrits de la classe I et il faut lui préférer la *lectio difficilior* de la classe II, qui, elle, semble exclure Eugippe du cercle des moines présents autour du lit de mort[8].

Il est donc vraisemblable qu'Eugippe est entré au monastère après la mort de Séverin. Quel âge pouvait-il avoir quand il rejoignit la communauté de *Fauianae* ? Deux précisions contenues dans la lettre à Paschase peuvent nous donner une indication à ce sujet. Eugippe déclare en effet qu'il possède des renseignements sur Séverin depuis le début de sa jeunesse, c'est-à-dire depuis l'âge de quatorze ans environ[9]. Dans un autre passage il reconnaît avoir appris certains détails sur l'origine de Séverin (et seulement ceux-là) du vivant même du saint (*Ep. Eug.,* 10). Il résulte de ces données qu'il avait une quinzaine d'années au moment de la mort de Séverin, ce qui placerait sa date de naissance vers 467[10].

Sa vie se confond ensuite avec celle de la communauté monastique fondée par Séverin dans le Norique[11]. Il as-

---

8. Sur les familles de manuscrits : cf. *infra* p. 47.

9. Cf. *supra* n. 5.

10. Cf. F. LOTTER, *Severinus*, p. 32.

11. Il n'y a aucune raison de supposer avec F. PRINZ, *Frühes Mönchtum in Frankenreich,* Munich 1965, p. 332 n. 4, qu'Eugippe ait pu quitter son monastère pour faire un séjour à Lérins. Cette hypothèse repose sur l'interprétation abusive d'un passage de la préface où

sista personnellement à l'exhumation du corps du saint
en 488 et quitta alors la province danubienne avec une
partie de la population romanisée. Après une première
halte au *Mons Feleter* (S. Leo), la communauté s'établit
définitivement au *castellum Lucullanum,* près de Naples, sous le pontificat de Gélase (492-496). Eugippe
devait jouir d'une certaine autorité morale sur ses confrères, puisqu'il fut appelé quelques années plus tard à
succéder au prêtre Marcianus à la tête de la congrégation.
La date de son élection n'est pas connue, mais il était déjà
le supérieur de sa communauté quand il rédigea en 511 la
Vie de saint Séverin. Une lettre du diacre Ferrand de
Carthage[12], datant de 533, nous apprend qu'il était encore
en vie cette année-là. Après cette date nous perdons sa
trace ; il a dû mourir peu de temps après, déjà avancé en
âge. De fait, Cassiodore, qui dit l'avoir connu personnellement, parle de lui au passé dans ses *Institutiones,*
rédigées en 543/544[13].

Eugippe déclare qu'il a composé son anthologie augustinienne « sur les
exhortations de mon seigneur (*domino meo*) Marinus ainsi que d'autres
saints frères » (*Excerpta, CSEL* 9/1, p. 1). Mais il n'est pas du tout
assuré qu'il s'agisse là du Marinus qui fut abbé de Lérins à la fin du Ve
siècle et, à supposer que les deux personnages soient identiques, le titre
de « mon seigneur » ne prouve nullement que Marinus ait été le supérieur
direct d'Eugippe, étant donné l'usage qui était fait de cette expression
dans la littérature épistolaire de l'époque. Sur ce point, cf. le compte
rendu du livre de Prinz par A. HÄUSSLING dans *ALW,* 11 (1969), p. 368.

12. FERRAND, *Ep.* IV (éd. A. Mai, *Scriptorum veterum nova collectio*
III, Rome 1828, *pars* 2, p. 163-185 ; *PLS* 4, col. 22-36). Nous avons
conservé une autre lettre de Ferrand à Eugippe où il décrit la vie du
monastère de *Lucullanum* et annonce l'envoi d'une cloche pour appeler
les moines à la prière : *Ep.* 11 (éd. A. Reifferscheid, *Anecdota Casinen-
sia,* Breslau 1871/72, p. 6-7 ; *PLS* 4, col. 38).

13. CASSIODORE, *Inst.,* 23.

Le milieu

Nous pouvons mieux juger de sa personnalité et de son œuvre par les témoignages de ses contemporains ou de ses héritiers spirituels. Eugippe était en effet en relations avec plusieurs personnages influents dans les milieux ecclésiastiques du VI⁰ siècle. Parmi ses correspondants il faut faire une place à part à l'évêque Fulgence de Ruspe, qui, dans une de ses lettres, nous révèle toute l'importance du centre de culture religieuse que fut le monastère de *Lucullanum* à cette époque[14]. Fulgence, du fond de son exil en Sardaigne, demanda à Eugippe la copie d'œuvres dont il avait besoin pour organiser son propre centre d'études[15]. L'atelier de copistes auquel Fulgence fait allusion supposait une bibliothèque bien fournie, sans doute rassemblée à l'initiative d'Eugippe. S'il est difficile, voire impossible, de reconstituer la bibliothèque du monastère, il ne semble pas que les ouvrages profanes y aient été particulièrement nombreux. Cassiodore qualifie en effet l'abbé de *Lucullanum* d'« homme qui, s'il n'a pas été jusqu'ici formé à la littérature profane, était très imprégné de la lecture des divines Écritures (*scripturarum diuinarum lectione*) »[16]. L'intérêt exclusif d'Eugippe pour la littérature religieuse apparaît encore plus nettement si l'on considère les titres des manuscrits provenant de la bibliothèque du monastère[17] : un manuscrit des

---

14. Cf. M. FUIANO, *La cultura a Napoli nell'Alto Medioevo*, Naples 1961, p. 17-18 et P. RICHÉ, *Éducation et culture dans l'Occident barbare*, 3⁰ éd., Paris 1972, p. 173.

15. « Je te prie de faire copier par tes serviteurs sur vos manuscrits les livres dont nous avons besoin », FULGENCE, *Ep.* V (*PL* 65, col. 348 ; *CCL* 91, p. 240). On trouve dans le même volume du *CSL* des fragments d'une autre lettre adressée par Fulgence à Eugippe (p. 870-873).

16. CASSIODORE, *Inst.*, 23. Il faut entendre par « lecture des divines Écritures » la science de l'exégèse.

17. Sur le *scriptorium* du monastère, cf. M.M. GORMAN, « Chapter Headings for *De Genesi ad litteram* », *REAug*, 26 (1980), p. 99-104.

lettres de saint Augustin[18] et un exemplaire des Évangiles, attribué à saint Jérôme et révisé par un lecteur de la bibliothèque en 558. Cet exemplaire nous est connu par une note du *Codex Epternacensis*[19]. Nous avons encore deux autres témoignages de l'attention que portait Eugippe aux questions théologiques. Le premier est la demande qu'il adressa au moine scythe Denys le Petit de traduire pour lui en latin une œuvre de Grégoire de Nysse : περὶ κατασκενῆς ἀνθρῶπου[20]. Ce traité sur l'histoire de la Création est le seul à avoir été transmis au monde latin en traduction ; il venait en effet compléter les homélies de Basile sur l'*Hexaêméron* et surtout les défendre contre toute espèce de malentendu[21]. Mais la curiosité de l'abbé de Lucullanum ne se limitait pas à l'exégèse ; interrogé par un noble goth sur les différences entre la foi arienne et la foi catholique et sans doute conscient de ses lacunes dans le domaine du dogme, il se retourna

---

18. En 560 un certain Facistus (ou Faustus ?) fit une copie d'un épistolaire de saint Augustin d'après un manuscrit conservé à la bibliothèque du monastère : cf. Paris, B.N., *Nouv. acq. lat. 1443* (*Cluniacensis*), IXe s.

19. Paris, B.N., *lat. 9389,* VIIIe s. Cf. E.A. Lowe, *Codices latini Antiquiores*, t. IV, Oxford 1947, p. XIII ; *ibid.*, t. V, Oxford 1950, n° 578. Cette note, datée de 558 et recopiée telle quelle avec le texte évangélique dans le manuscrit du VIIIe siècle, est attribuée à Cassiodore par dom J. Chapman, *Notes on the Early History of the Gospels*, Oxford 1908, p. 23 s. et *id.*, « Cassiodorus and the Echternach Gospels », *RBén.*, 28 (1911), p. 283-296. Sur ce point cf. dom M. Cappuyns, *art.* « Cassiodore », *DHGE* 11 (1949), col. 1384 et *art.* « Eugippius », *DHGE* 15 (1963), col. 1377-1378.

20. La lettre-préface à Eugippe et la traduction de Denys sont reproduites dans *PL* 67, col. 345-408 et *CSL* 85, p. 31-34 (préface uniquement). Sur l'activité de Denys comme traducteur, cf. M. Mähler, « Denys le Petit traducteur » dans H. Van Cranenburgh, *La Vie latine de saint Pachôme traduite du grec par Denys le Petit* (*Subsidia Hagiographica* 46), Bruxelles 1969, p. 28-48.

21. L'*Hexaêméron* de Basile (*SC* 26bis, 2e éd.) avait déjà été traduit en latin par Eustathe (*PL* 53, col. 867-966). Cf. P. Courcelle, *Les lettres grecques en Occident* (*BEFAR* 159), 2e éd., Paris 1948, p. 315-316.

vers le diacre Ferrand de Carthage, qui lui envoya sous forme de lettre un petit traité dogmatique, précédé d'un récit des derniers jours de l'évêque Fulgence de Ruspe[22].

L'œuvre

Ainsi, en constituant sa bibliothèque, Eugippe était soucieux de la formation chrétienne de ses moines et de ses amis lettrés. On retrouve la marque de ces préoccupations dans une œuvre écrite qui comprend, outre la Vie de saint Séverin, une anthologie des œuvres de saint Augustin et une Règle monastique. Le recueil intitulé *Excerpta ex operibus sancti Augustini*[23] est un ouvrage de compilation dédié à la vierge Proba[24]. Il se compose de 338 chapitres[25] tirés des œuvres de saint Augustin et groupés selon un ordre thématique assez lâche. Avec ce florilège, Eugippe entendait rendre service à tous ceux qui ne possédaient pas dans leur bibliothèque les œuvres de ce Père de l'Église[25bis]. Cassiodore, qui avait en sa possession un exemplaire des *Excerpta,* en recommandait vivement la lecture à ses moines[26]. Et cette compilation répondait à un réel besoin si l'on en juge par le grand nombre de copies répandues dans tout l'Occident[27].

---

22. Des fragments de cette lettre ont été publiés sous le titre *De essentia trinitatis vel de duabus Christi naturis* dans *PL* 67, col. 908-910. Le texte complet est reproduit sous le titre *Epistula dogmatica adversus Arrianos aliosque haereticos* dans *PLS* 4, col. 22-36. La lettre date de 533 : cf. *supra* n. 12.

23. Éd. P. Knoell, *CSEL* 9, 1, p. 5-1100.

24. Eug., *Epistula ad Probam, CSEL* 9, 1, p. 1-4.

25. Le chiffre de 338 chapitres est attesté par les deux manuscrits les plus sûrs : cf. P. Siniscalco, « Il numero primitivo degli *Excerpta* di Eugippius » *REAug.* 10 (1964), p. 331-342.

25bis. Eug., *Excerpta : praefatio* (*CSEL* 9, 1, p. 3).

26. Cass., *Inst.* 23.

27. Cf. M.M. Gorman, « The Manuscript Tradition of Eugippius, *Ex-*

Enfin, nous savons par Isidore de Séville qu'Eugippe laissa à ses moines une Règle avant de mourir[28]. Ce document, qui serait donc le dernier écrit de l'abbé de *Lucullanum*, était considéré jusqu'ici comme perdu. Mais dom A. de Vogüé croit pouvoir, avec de bonnes raisons, identifier cette Règle perdue avec la Règle monastique anonyme que contient le manuscrit de la Bibliothèque Nationale *lat. 12634*[29]. La Règle conservée dans ce manuscrit est en fait un florilège de textes des Pères, qui s'ouvre par la *Regula Augustini* (*Ordo monasterii* et *Praeceptum*)[30]. Comme le souligne fort justement dom A. de Vogüé, « cet hommage rendu à Augustin s'expliquerait bien de la part d'un augustinien aussi convaincu que l'était Eugippe »[31].

---

cerpta ex operibus sancti Augustini », *RBén.*, 92 (1982), p. 7-32 ; 229-265.

28. ISIDORE, *De viris illustribus*, 26 (*PL* 83, col. 1097). Sur la valeur des renseignements fournis par Isidore, cf. C. CODOÑER MERINO, *El « de viris illustribus » de Isidoro de Sevilla. Estudio y edicion critica* (*Theses et studia philologica salmanticensia* 12), Salamanque 1964, p. 69-70 (texte d'Isidore p. 141).

29. A. DE VOGÜÉ, « La Règle d'Eugippe retrouvée ? », *RAM*, 47 (1971), p. 233-266. La règle-centon, Paris, B.N., *lat. 12634* ou « florilège E » formerait, avec la Règle du Maître et la Règle de saint Benoît, la « famille italienne » ou encore la « cinquième génération » des Règles monastiques latines. Cf. A. DE VOGÜÉ, « Saint Benoît en son temps : règles italiennes ou règles provençales au VIᵉ siècle », dans *Regulae Benedicti Studia*, t. 1, Hildesheim 1972, p. 169.

30. *Eugippii Regula* (éd. A. de Vogüé - F. Villegas, *CSEL* 87, Vienne 1976, XXVII - 115 p.). L'attribution de ce florilège à Eugippe est « possible, voire plausible », estime E. MANNING dans un compte rendu de *Scriptorium*, 33 (1979), p. 344.

31. A. DE VOGÜÉ, *art. cit.*, *RAM*, 47 (1971), p. 234.

II. LA *VITA SEVERINI*

La genèse de l'œuvre

La vie de Séverin a été composée en 511 en Italie au monastère de *Castellum Lucullanum*. Nous pouvons suivre la genèse de l'œuvre à la lecture de la correspondance échangée entre Eugippe et le diacre Paschase. C'est la vie du moine Bassus, rédigée sous forme de lettre par un laïc noble, qui donna à Eugippe l'idée de révéler à ses contemporains les miracles accomplis par Séverin avec l'aide de Dieu. Quand l'auteur de la lettre eut connaissance du projet, il offrit ses services à Eugippe et lui demanda les renseignements nécessaires pour écrire la Vie de Séverin. Eugippe se mit donc à l'ouvrage et composa un mémoire, tout en regrettant qu'on dût faire appel à un laïc pour la circonstance. Il craignait en effet que l'auteur, uniquement formé aux disciplines de la littérature profane, n'écrivît en un style incompréhensible pour le plus grand nombre et n'obscurcît par son éloquence les miracles « qui étaient demeurés jusque-là cachés dans le silence de la nuit ». C'est pourquoi il préféra s'adresser à Paschase, en le priant d'achever ce qu'il n'avait fait qu'esquisser[1]. Dans sa réponse, le diacre rejette poliment la demande d'Eugippe en faisant valoir qu'il n'a rien à ajouter à son travail[1bis].

---

1. *Ep. Eug.*, 1-4.
1bis. *Ep. Pasch.*, 3.

Cet échange de correspondance pose un certain nombre de questions. On peut se demander en particulier ce qui a pu motiver le revirement d'Eugippe et la préférence accordée à Paschase. Commençons par écarter avec W. Bulst[2] des raisons futiles telles que le ressentiment du clerc contre le laïc ou la jalousie du disciple de Séverin à l'égard de l'admirateur du moine Bassus. Il y avait de bonnes raisons pour choisir le diacre romain plutôt qu'un laïc noble spécialisé dans la fabrication littéraire des Vies de saints. Paschase était en effet un théologien connu, auteur d'un ouvrage intitulé *De spiritu sancto*[3], un maître de l'éloquence et un écrivain de renom. Mais en quoi la rhétorique, condamnable chez le laïc noble, était-elle chez Paschase digne de tous les éloges ? Il faut essayer de résoudre cette contradiction apparente en analysant de près l'argumentation d'Eugippe.

Dans un premier temps, l'auteur manifeste son dédain pour la littérature profane en invoquant l'ignorance où se trouve le plus grand nombre ; il s'agit là d'une déclaration à peine voilée en faveur du *sermo simplex*, qui tend de plus en plus à s'imposer comme idéal stylistique dans les milieux ecclésiastiques de l'époque[4]. Certes, cette attitude n'est pas exempte d'une certaine fausse modestie quand

---

2. W. BULST, « Eugippius und die Legende des heiligen Severin. Hagiographie und Historie », *Die Welt als Geschichte*, 10 (1950), p. 20.

3. GREG., *Dial.*, IV, 42 (*PL* 77, col. 396 ; éd. A. de Vogüé, *SC* 265, Paris 1980, p. 150-153).

4. L'opposition entre l'éloquence classique et celle des Apôtres s'exprime dans une antithèse fort imagée à partir du IVe siècle, celle des *oratores* (orateurs) et des *piscatores* (pêcheurs) : cf. H. HAGENDAHL, « *Piscatorie et non Aristotelice*. Zu einem Schlagwort bei den Kirchenvätern », dans *Studia B. Karlgren dedicata*, Stockholm 1959, p. 184-193 et H. BEUMANN, « Gregor von Tours und der *sermo rusticus* », dans *Spiegel der Geschichte, Festgabe für M. Braubach*, Münster 1964, p. 69-98 et en part. p. 75-81 (réimpr. dans H. BEUMANN, *Wissenschaft vom Mittelalter. Ausgewählte Aufsätze*, Cologne/Vienne 1972, p. 41-70) à qui nous empruntons l'essentiel de cette analyse.

Eugippe dénie d'avance à son œuvre toute qualité littéraire[5]. Mais les protestations d'incompétence d'Eugippe
ne sont pas seulement un *argumentum* dans le cadre de
la *captatio beneuolentiae*, elles correspondent à un refus
de la rhétorique traditionnelle, qualifiée avec une intention polémique évidente d'*obscura disertitudo*.

Mais alors pourquoi avoir demandé à Paschase de
revoir ce « mémoire » ? Certains chercheurs ont mis en
doute la sincérité de cette démarche[6] et souligné le caractère conventionnel de cet échange de lettres ; la requête
adressée à Paschase n'aurait eu pour but que de faire
légitimer l'œuvre sur le plan littéraire. Il est de fait
qu'Eugippe, par la modestie de ses propos, respecte — au
moins en apparence — les règles du jeu et cherche à
ménager les lecteurs attachés à la rhétorique traditionnelle ; mais, en vérité, ce qu'il sollicite de Paschase, c'est
moins un compliment que l'approbation d'une entreprise
qui porte en elle la condamnation de la « littérature
séculière ». Le *topos* de modestie se trouve ainsi détourné
de sa fonction initiale et mis au service d'un projet litté-

---

5. « Doit-on croire que j'aie écrit ce que je souhaite, là où on ne trouve
aucune construction révélant une formation littéraire ni aucun ornement caractéristique de la distinction du style ? » *Ep. Eug.*, 4. Le terme
de « fausse modestie » n'implique aucun jugement de valeur. E. AUER-
BACH, *Literatursprache und Publikum in der lateinischen Spätantike und im Mittelalter*, Berne 1958, p. 78, a bien montré ce que cette
topique devait à la fois à la convention littéraire et à la sincérité des
individus. En tout état de cause, le *topos* doit être non pas isolé comme
un élément au sens connu d'avance, mais replacé dans un contexte qui
seul peut lui donner toute sa valeur d'actualité ; en d'autres termes, il
est un signe d'allégeance à la tradition et en même temps un moyen
d'expression personnelle. Cf. H. BEUMANN, « *Topos* und Gedankengefüge
bei Einhard », *AKG*, 33 (1951), p. 349 (réimpr. dans H. BEUMANN, *Ideen-
geschichtliche Studien zu Einhard und anderen Geschichtsschrei-
bern des frühen Mittelalters*, Darmstadt 1962, p. 14).

6. W. WATTENBACH-W. LEVISON, *Deutschlands Geschichtsquellen im
Mittelalter*, t. 1 : *Vorzeit und Karolinger*, Weimar 1952, p. 49.

raire qui vise avant tout « ceux qui sont ignorants des études libérales » (*Ep. Eug.*, 2), parmi lesquels se rangent les moines de *Lucullanum*. Ce refus de la rhétorique a essentiellement des raisons religieuses ; Eugippe dit lui-même de son œuvre : « elle n'a pour fondement que la seule foi » (*Ep. Eug.*, 5), et Paschase lui répond en écho : « inspiré par des grâces divines, tu sais quelle utilité présentent les hauts faits des saints quand il s'agit de cultiver l'esprit des gens de bien » (*Ep. Pasch.*, 4). La vraie foi et l'inspiration divine dispensent de recourir aux artifices de la rhétorique[7].

Résumons : si Eugippe a pris le parti de la simplicité, c'est pour assurer une plus large diffusion à une œuvre reposant uniquement sur la foi[8]. C'est le caractère édifiant de l'ouvrage qui détermine le choix du style et non les goûts supposés du public « cultivé ». Ce souci d'adaptation rigoureuse de l'expression littéraire à des fins religieuses ne saurait surprendre chez un fidèle disciple d'Augustin, pour qui toute parole humaine devait demeurer au service de la Parole de Dieu[9].

---

7. Sur le *sermo humilis* et sa justification dans la littérature chrétienne à la fin de l'Antiquité, cf. E. Auerbach, « *sermo humilis* » dans *Literatursprache...*, p. 35-49 ; G. Strunk, *Kunst und Glaube in der lateinischen Heiligenlegende. Zu ihrem Selbstverständnis in den Prologen* (*Medium Aevum, Philologische Studien*, 12), Munich 1970, p. 15-26.

8. F. Prinz, *op. cit.*, p. 474, observe que, tout comme Constance, l'auteur de la *Vita Germani*, Eugippe cherche, au-delà du cercle étroit des lettrés, à atteindre un public beaucoup plus vaste et à agir ainsi en profondeur dans le peuple chrétien en proposant l'exemple de la vie de Séverin.

9. Les choix d'Eugippe sont conformes en tout point aux principes généraux énoncés par Augustin dans le livre IV du *De doctrina christiana*, où il reprend les théories classiques des trois fins de l'éloquence (*docere, delectare, flectere*) et des trois styles (*genera dicendi*) correspondants : « être éloquent c'est pouvoir traiter de petits sujets en style simple, de moyens sujets en style tempéré et de grands sujets en

Mais, si Eugippe attendait de Paschase un jugement sur le style de son écrit, ou plutôt une approbation de son propos initial (le *sermo simplex*), souhaitait-il réellement que son correspondant apportât des compléments à l'ouvrage soumis à son appréciation ? C'est du moins ce que pourrait laisser croire la mission confiée à *Deogratias* ; le porteur de la lettre devait en effet informer Paschase des miracles survenus au cours de la translation des reliques et sur la tombe du saint (*Ep. Eug.*, 6). Faut-il voir pour autant dans l'œuvre qui nous est parvenue un simple aide-mémoire, un recueil de notes, comme le propose W. Bulst[10] ? Ce serait méconnaître un autre aspect de cette affectation de modestie qui commande à l'auteur de minimiser l'importance de son travail en présentant l'ouvrage comme un canevas ou une ébauche[11]. En fait, la Vie de Séverin, dans la version communiquée à Paschase, est une œuvre achevée qui est, tout au plus, susceptible de quelques retouches de détail mais non d'un remaniement d'ensemble, comme feint de le croire Eugippe. A cet égard, la lettre de Paschase répondait sans doute pleinement à l'attente d'Eugippe ; le diacre romain accorde en effet volontiers à son correspondant qu'il a composé sous une forme brève une œuvre que l'Église tout entière peut lire avec profit (*Ep. Pasch.*, 1). L'auteur ayant exposé les faits avec une grande simplicité, il n'y a

---

style sublime » (AUG., *De doctr. christ.*, IV, 17, 34, *BA,* 1ère série, t. 11, *Le magistère chrétien*, p. 480-481 ; citation de CIC., *De oratore*, 29, 101). Sur ce sujet cf. H. MARROU, *Saint Augustin et la fin de la culture antique*, 4e éd., Paris 1958, p. 514-531 et J. FONTAINE, « Aspects et problèmes de la prose d'art latine au IIIe siècle », dans les *Lezioni A. Rostagni*, t. 4, Turin 1968, p. 15-43, en particulier p. 32-39.

10. W. BULST, *art. cit.*, p. 19, suivi, quoiqu'avec des réserves, par M. PELLEGRINO, *art. cit.*, p. 1.

11. Cf. T. JANSON, *Latin Prose Prefaces. Studies in Literary Conventions*, Stockholm 1964, p. 151 s.

rien à ajouter à son travail (*Ep. Pasch.*, 3). Mais le
« mémoire » d'Eugippe n'est pas seulement une œuvre
achevée, c'est aussi une Vie au plein sens du terme : « tu
as présenté avec beaucoup de véracité la vie et le caractère de Séverin », reconnaît Paschase dans sa réponse
(*Ep. Pasch.*, 2). D'ailleurs Eugippe est parfaitement
conscient des exigences propres au genre littéraire qu'est
devenue la Vie ; il déclare par exemple que, selon l'usage,
une biographie doit commencer par mentionner la « patrie » du héros ; malheureusement, il ne peut fournir
aucune information sur ce point (*Ep. Eug.*, 7)[12]. Peut-être
est-ce là un artifice qui permet à l'auteur de commencer
son récit avec l'arrivée de Séverin dans le Norique, sans
s'attarder sur des détails jugés secondaires[13] ? En tout
cas, il est à noter que les quelques renseignements relatifs
aux origines de Séverin se trouvent tous dans la lettre à
Paschase ; celle-ci sert donc à la fois de lettre de dédicace,
de préface au lecteur et de chapitre introductif à la
biographie du saint.

La composition

L'analyse de la *Vita Severini* révèle encore mieux
l'état d'achèvement du texte d'Eugippe ; l'ouvrage, pré-

---

12. F. Prinz, *op. cit.*, p. 323, souligne à ce propos le parallèle entre la
Vie de Séverin et les Vies d'Honorat et d'Hilaire ; dans les trois cas
l'origine du saint est inconnue et les auteurs, saisis de scrupules à l'idée
de manquer aux règles du genre, s'empressent de justifier cette lacune
dans leur information par des arguments d'ordre ascétique. Cf. *Ep.
Eug.*, 9 : « Qu'importe à un serviteur de Dieu d'indiquer son lieu de
naissance et sa race, quand il peut éviter plus facilement, en les taisant,
de succomber à la vantardise... ? ».

13. La *Vita* commence là où Séverin lui-même voyait sans doute
l'« événement fondateur » de sa vie ; peu importait le passé, seule
comptait la mission dont il se disait investi : « sache que Dieu... m'a
donné à moi aussi pour mission de secourir ces hommes dans les dangers
qu'ils traversent » (*Ep. Eug.*, 9).

senté comme un simple « mémoire », n'en est pas moins rédigé avec le plus grand soin sur le plan littéraire. Ainsi, il est précédé de *capitula*[14] ou têtes de chapitres qui résument le contenu de chacune des sections. Un tel sommaire eût été inutile si le texte devait faire l'objet d'une refonte totale ; il était au contraire très précieux si l'œuvre était destinée à une publication immédiate ; il offrait en effet une première vue d'ensemble de la geste de Séverin et facilitait le choix des lectures, pour une communauté monastique, par exemple. Voilà pour la présentation matérielle, qui n'a d'ailleurs rien d'exceptionnel pour l'époque[15].

La composition du récit obéit au même souci d'unité et de cohérence[16], et seule une lecture rapide et superficielle peut donner l'impression que la sélection des matériaux, la distribution des épisodes et la méthode d'exposition sont le fruit du hasard ou de l'arbitraire. Les premiers éditeurs de l'œuvre[17] avaient déjà remarqué que l'auteur avait regroupé ses informations en fonction de critères

14. Il ne peut faire de doute qu'Eugippe a rédigé lui-même les *capitula* pour les placer en tête du texte ; la meilleure preuve en est l'expression utilisée à ce propos à la fin de la lettre à Paschase : « le mémoire précédé d'un sommaire » (*Ep. Eug.*, 11).

15. Une œuvre aussi élaborée que la *Cité de Dieu* comporte aussi de tels titres qui remontent vraisemblablement à l'auteur lui-même : cf. H.-I. MARROU, « La division en chapitres des livres de la *Cité de Dieu* », dans *Mélanges J. de Ghellinck*, t. 1, Gembloux 1951, p. 237-238 (réimpr. dans H.-I. MARROU, *Patristique et Humanisme. Mélanges*, Paris 1976, p. 255).

16. Nous suivons ici l'étude détaillée de H. BALDERMANN, « Die *Vita Severini* des Eugippius », *Wiener Studien* 74 (1961), p. 142-155 (1ère partie, citée en abrégé sous la forme : H. BALDERMANN I) ; *ibid.*, 77 (1964), p. 162-175 (2e partie, citée en abrégé sous la forme : H. BALDERMANN II).

17. H. SAUPPE, *Eugipii Vita sancti Severini*, MG AA I/2, Berlin 1877, p. XVI : « Eugipium omnia temporum ordine servato narrasse concludimus ».

chronologiques. En gros, c'est la « vie publique » de Séverin, depuis sa première intervention à *Asturae* jusqu'à sa
mort au monastère de *Fauianae,* qui forme la trame du
récit. Certes, il ne faut pas se laisser abuser par cet ordre
apparent ; la chronologie reste en effet très relative[18],
dans la mesure où les points de repère « historiques » sont
extrêmement rares. Ils se limitent en fait à une allusion à
la mort d'Attila au ch. 1, et à une datation partielle de la
mort de Séverin au ch. 43 : si Eugippe indique bien l'heure
où le saint entre en agonie (« au milieu de la nuit ») et le
jour où il s'endort dans le Seigneur (« le sixième jour
avant les ides de janvier », *VS,* 43, 9), il omet tout simplement de préciser l'année ! C'est seulement par recou-
pement que nous pouvons arriver à dater exactement
l'événement[19]. Avec la même indifférence pour les précisions de date, Eugippe place le transfert du corps du saint
au *castellum Lucullanum* sous le pontificat de Gélase, ce
qui laisse tout de même une marge d'incertitude de quatre
ans (492-496) ! Pour le reste, il faut se contenter d'indications assez vagues que seules des sources parallèles
permettent d'exploiter ; ainsi, au ch. 7, Odoacre est encore un jeune chef skire inconnu ; au ch. 12, il exerce déjà
le pouvoir en Italie après avoir détrôné Romulus Augustule. En dehors de ces données fragmentaires, les chapitres sont le plus souvent liés entre eux par des locutions
ou des adverbes copulatifs tels que *post haec* (*VS,* 6, 1 ;
26, 1), *per idem tempus* (*VS,* 4, 1 ; 20, 1), *eodem tempore* (*VS,* 3, 1 ; 27, 1), *isdem temporibus* (*VS,* 32, 1)

---

18. Cf. Th. Mᴏᴍᴍsᴇɴ, *Eugippii Vita sancti Severini, MG SRG* 26,
Berlin 1898, p. V.

19. Th. Mᴏᴍᴍsᴇɴ, *op. cit.,* p. VII, a démontré que Séverin était mort
en 482. On sait en effet que l'évacuation de la population du Norique
riverain eut lieu en 488 ; or Eugippe place lui-même cet événement dans
la sixième année après la mort de Séverin (*VS,* 44, 6).

etc... A ce propos M. Van Uytfanghe a bien montré que cet
enchaînement d'épisodes datés les uns par rapport aux
autres était caractéristique de la composition des Évangiles, et qu'il s'expliquait par une absence de chronologie
absolue[20].

A côté de cette organisation du récit dans le temps, il
faut signaler la distribution des épisodes dans l'espace[21] ;
la vie de Séverin peut alors se lire comme un voyage à
travers le Norique riverain et la partie orientale de la
Rhétie seconde. L'itinéraire suivi par l'auteur conduit le
saint des villes frontalières du Norique oriental (*Asturae*
et *Comagenae,* ch. 1 et 2) à *Fauianae,* le centre de son
action et de sa prédication (ch. 3 et 4 ; c'est également à
Fauianae qu'ont lieu les premiers contacts avec les
Barbares, ch. 5 à 8, et les interventions en faveur des
captifs, ch. 9-10) ; puis il le mène dans la vallée de la
Salzach (*Cucullae*/Kuchl, ch. 11-12 ; *Iuuauum*/Salz-
bourg, ch. 13-14) et le long du Danube jusqu'en Rhétie
(ch. 15 à 27) pour le ramener finalement avec les populations évacuées (ch. 28 à 31) à son point de départ :
Fauianae (ch. 32 à 42). A ces trois étapes essentielles,
il faut ajouter — en annexe, pour ainsi dire — l'exode de
la population provinciale du Norique riverain et le transfert du corps de Séverin en Italie (ch. 44-45). Cette
articulation du récit autour de trois « missions » successi-
ves n'est pas sans rappeler certains traits caractéristiques de la structure des Évangiles ; on sait en effet que le
ministère public du Christ est en gros réparti en trois

---

20. M. Van Uytfanghe, « Éléments évangéliques dans la structure et
la composition de la *Vie de saint Séverin* d'Eugippe », *Sacris Erudiri,*
21 (1972/73), p. 152. J. Fontaine relève également l'influence de l'Écriture dans le mélange, aux articulations du récit, de précisions de lieu et
d'imprécisions chronologiques : Sulp. Sév., *Vie de saint Martin, SC* 133,
p. 67.

21. Cf. H. Baldermann I, p. 150-151.

unités géographiques : Galilée, Samarie et Judée. Est-ce là
« coïncidence ou inspiration réelle »[22] ?

Cependant, ni les critères chronologiques ni les critères
géographiques ne suffisent à rendre compte des choix de
l'auteur au moment de la rédaction de l'ouvrage ; l'essentiel en effet n'est pas le déroulement linéaire d'une existence dans le temps et dans l'espace, mais la répétition
d'un fait caractéristique à l'intérieur d'un cadre donné[23].
A cet égard, les quatre premiers chapitres forment une
unité-type : ils ont le même cadre géographique (les
confins nord-est du Norique riverain), le même cadre
chronologique (assez lâche, il est vrai : les années qui
suivent la mort d'Attila) et surtout le même thème hagiographique : celui du prophète méconnu puis reconnu par
les siens. Le récit s'ordonne ainsi autour de quelques
centres d'intérêt qui permettent d'illustrer l'activité bien-
faisante du saint à l'aide d'exemples dont le nombre
semble extensible à volonté.

On voit que le principe directeur d'une telle « biographie » n'est pas le progrès continu du héros vers un idéal
supérieur à travers les épreuves d'une existence mouvementée, mais bien l'accumulation d'épisodes choisis pour
prouver une élection divine. Séverin, en effet, n'est pas un
mortel ordinaire, il est un « homme de Dieu » (*uir Dei*)
dont la vie ne fait que manifester le déploiement ininter-
rompu de la grâce en sa personne.

22. La question est posée par M. VAN UYTFANGHE, *art. cit.*, p. 154 et
il faut se garder de rien affirmer, car il peut s'agir tout simplement de
la réalité historique. D'ailleurs, il est permis de penser à d'autres
parallèles : les trois missions de saint Paul, par exemple.

23. Cf. H. BALDERMANN, I, p. 150-151.

Les sources

Pour composer son ouvrage Eugippe a puisé à deux sources bien différentes ; pour la période qui couvre les dernières années du monastère *Fauianae* il a utilisé ses souvenirs personnels, par exemple lorsqu'il relate l'ex-humation du corps de Séverin ou le départ des habitants du Norique riverain pour l'Italie (ch. 44). Pour le reste, il est tributaire des récits de ses confrères les plus âgés[24] : « j'ai composé un mémoire rempli d'indications recueillies dans les récits que nous connaissons bien et qui nous sont faits quotidiennement par les anciens » (*Ep. Eug.*, 2). A deux reprises il va jusqu'à citer nommément ses informa-teurs, comme s'il craignait qu'on pût mettre en doute la véracité de ses dires[25]. Enfin, il n'est pas exclu qu'il ait eu à sa disposition des notes prises au jour le jour par

---

24. Nous hésitons à employer ici le terme de « tradition orale », du moins au sens où l'entendent aujourd'hui anthropologues et ethnolo-gues ; celle-ci demande en effet à être située dans l'espace et dans le temps, et surtout à être analysée dans ses différentes composantes individuelles et collectives. On sait que le passage de la réalité historique (ici les faits et gestes de Séverin en Norique) à l'œuvre hagiographique suppose une élaboration progressive où entrent en jeu — on n'ose dire en concurrence — l'imagination populaire, la mémoire collective, les réminiscences littéraires, antiques ou bibliques, bref tout un processus de stylisation que J. Fontaine a bien mis en lumière dans son introduc-tion à la *Vie de saint Martin* de Sulpice Sévère, *SC* 133, p. 186-188. Quelle est la place des anciens de la communauté dans ce processus ? Il serait pour le moins imprudent de voir en eux les dépositaires d'une tradition déjà constituée, dûment authentifiée et close sur elle-même en attendant d'être fixée par écrit pour passer à la postérité. Le témoi-gnage des moines les plus âgés est important — voire capital —, puis-qu'il transmet à la jeune génération le souvenir des origines, mais il n'est qu'un élément parmi d'autres dans un corpus séverinien où Eugippe puise selon les besoins de la cause qu'il cherche à défendre.

25. « Du reste nous en avons eu connaissance par la relation stupé-fiante que nous en fit Marcianus, qui fut par la suite notre prêtre et qui habitait cette localité » (*VS*, 11, 2) ; « quant à moi je le tiens du sous-diacre Marcus et du portier Maternus » (*VS*, 16, 6).

certains moines ; il rapporte en effet au ch. 37 que des moines consignèrent par écrit les propos de Séverin (*VS*, 37, 1). Autant d'indices qui peuvent être considérés comme une garantie d'authenticité historique. Veut-on encore souligner l'amour de la vérité et la scrupuleuse honnêteté intellectuelle qui animent le narrateur ? Il suffit pour cela de relever ce passage de la lettre à Paschase où il avoue sans fard les lacunes de son information : « sur ce point je dois avouer que je ne possède aucun document sûr » (*Ep. Eug.*, 7). Un auteur moins « consciencieux » qu'Eugippe n'eût point reculé devant l'affabulation pour masquer son ignorance sur un point aussi important que l'origine du saint. Enfin, une foule de détails concrets dans le cours du récit trahissent une connaissance personnelle et approfondie du Norique riverain, de ses paysages et de ses habitants. Faut-il pour autant se ranger sans réserve à l'avis de Paschase lorsque celui-ci déclare dans sa réponse à Eugippe : « tu as présenté avec beaucoup de véracité (*uerius*) la vie et le caractère du bienheureux Séverin » (*Ep. Pasch.*, 2) ? Ni la familiarité de l'auteur avec son sujet ni sa probité intellectuelle indéniable ne sauraient nous dispenser d'une réflexion sur la valeur historique du texte.

Passons rapidement sur les troubles de mémoire qui ont pu affecter aussi bien l'auteur que ses informateurs bénévoles : certains détails ont dû s'estomper dans l'esprit des témoins, d'autres se décaler dans l'espace et dans le temps, d'autres enfin se brouiller ou s'obscurcir complètement ; il s'agit là de phénomènes bien connus et inhérents à toute tradition orale. Mais il ne faut pas perdre de vue que la *Vie de Séverin* est avant tout une œuvre hagiographique, issue d'une communauté monastique et conçue à des fins d'édification. Les faits de la biographie séverinienne sont donc soumis à une double distorsion ; pour parler en d'autres termes, les données historiques de la vie du saint ne nous parviennent pas à l'état brut ; elles passent par un double filtre, celui de la subjectivité d'un auteur, qui idéalise les êtres et les choses dans une vision « spiritualisée » du monde[26], et celui du souvenir qui interprète les faits à travers les catégories d'une mentalité collective. Ces constatations doivent nous inciter à une grande prudence dans l'utilisation d'un texte qui n'est que très accessoirement « historique », les événements étant toujours vus « en perspective » et jamais envisagés pour eux-mêmes comme dans une narration de type annalistique.

Le genre

Quelles étaient les intentions d'Eugippe lorsqu'il se mit au travail ? Rapporter « les miracles opérés à travers le bienheureux Séverin par la puissance de Dieu » (*Ep. Eug.*, 1), et Paschase ne s'y trompe pas quand il déclare dans sa réponse : « tu as présenté... la vie et le caractère du bienheureux Séverin et tu as transmis à la postérité le souvenir des miracles... que la puissance de Dieu a opérés par son intermédiaire » (*Ep. Pasch.*, 2). Le lecteur est donc prévenu : dans l'ouvrage de l'abbé de *Lucullanum* il trouvera moins une biographie complète qu'un récit des miracles accomplis par le saint. Et ici apparaît bien l'ambiguïté du terme de *Vita* ou de Vie, souvent appliqué sans discernement au texte d'Eugippe ; ce terme est en

---

26. Cette vision « spiritualisée » du monde n'est qu'un aspect de la « mentalité symbolique » propre à l'homme de l'Antiquité tardive, qui interprète spontanément toute rencontre, tout spectacle comme un *signum*. Cette spiritualisation intervient le plus généralement au second degré, comme une « surdétermination » d'une symbolique préexistante : cf. M. MESLIN, *Pour une science des religions*, Paris 1973, p. 197-221, en particulier p. 211-219.

effet loin de correspondre à un genre défini une fois pour toutes avec des règles contraignantes et des modèles reconnus[27]. Il recouvre en fait des traditions fort diverses qui se mêlent dans des proportions inégales chez les différents auteurs. On sait que, pour l'essentiel, la littérature hagiographique s'alimente à deux sources : la Bible et la culture antique ; aussi peut-on distinguer pour les commodités de l'exposé[28] entre une tendance arétalogique, constamment nourrie par les Évangiles, les Actes des Apôtres et les Apocryphes[29], et une tendance rhétorique, largement tributaire de l'éloge (*encomion*) et de la biographie impériale[30]. Si l'on adopte cette typologie sommaire, il est clair que l'ouvrage d'Eugippe se rattache à la première tradition[31] par la place qu'il accorde au miracle

---

27. J. Fontaine, *op. cit.*, *SC* 133, p. 60, parle à propos de la *Vie de saint Martin*, d'une « ascendance littéraire compliquée ». C. Mohrmann, dans l'introduction générale à la collection *Vita dei Santi*, t. 1, *Vita di Antonio*, 2ᵉ éd., Milan 1974, p. X, est encore plus sceptique, puisqu'elle estime que la recherche des « sources » et des « modèles » en ce domaine est bien souvent « oiseuse ».

28. Sur ce sujet on trouvera un développement nourri de références aux textes dans F. Lotter, *op. cit.*, p. 43-59, ou, sous une forme plus concise, *id.*, « Zu Form und Intention der *Vita Henrici IV* » dans *Festschrift H. Beumann*, Sigmaringen 1977, p. 293-302.

29. Cette tendance est illustrée en Occident par les Vies d'anachorètes composées par Jérôme, par la *Vie de saint Martin* de Sulpice Sévère et la *Vie de saint Germain* de Constance de Lyon.

30. Ce type est représenté par la *Vie de saint Ambroise* de Paulin de Milan, la *Vie de saint Augustin* de Possidius et la *Vie de saint Fulgence* de Ferrand de Carthage comme par les Vies des évêques Honorat et Hilaire d'Arles. Cf. M. Heinzelmann, « Neue Aspekte der biographischen und hagiographischen Literatur in der lateinischen Welt (1.-6. Jh.) », *Francia*, 1 (1971), p. 27-44, qui insiste sur la continuité entre l'éloge funèbre des anciens magistrats et les Vies de saints évêques.

31. Cf. M. Pellegrino, *art. cit.*, p. 7, qui range la *Vie de Séverin* dans le genre arétalogique et entend par ce terme une narration comprenant, outre des épisodes miraculeux, des éléments annexes de type parénétique tels que prédications, homélies et maximes de perfection morale. Sur le plan formel, A. Quacquarelli regroupe sous le nom d'éthopée

dans la présentation de la personnalité du saint[31bis], et il n'est même pas impossible de voir dans le refus opposé au laïc noble anonyme (*Ep. Eug.*, 2) la trace d'une polémique latente contre les tenants de la tradition rhétorique[32].

Les fonctions

Récit de miracles et discours de vertus, l'ouvrage d'Eugippe remplit une triple fonction. La première, la plus évidente, est de type pédagogique ; le modèle de sainteté proposé par l'auteur a valeur universelle : il doit susciter chez le lecteur la ferveur sans laquelle il n'est pas d'imitation possible. Paschase le reconnaît lui-même dans sa réponse (*Ep. Pasch.*, 4). La seconde fonction, rarement explicitée celle-là, est d'ordre historique : Eugippe contribue en effet à fixer définitivement la tradition d'une communauté monastique encore jeune (et récemment transplantée en Italie) en maintenant vivant le souvenir des origines et en consignant par écrit l'enseignement du père fondateur. C'est sans doute là qu'il faut chercher le sens du long discours prêté à Séverin au ch. 43 et qui constitue comme le testament spirituel de l'homme de Dieu. Enfin, l'ouvrage assure une fonction de propagande

---

(αἰθοποïα) tous les éléments qui servent à faire le portrait moral de Séverin, notamment les discours qui lui sont prêtés par Eugippe. L'un des procédés favoris de cette éthopée est la *sententia* qui, sous une forme volontairement brève, présente au lecteur une vérité de foi ou une règle de vie ; cf. A. QUACQUARELLI, « La *Vita sancti Severini* di Eugippio : etopeia e sentenze », *Vetera Christianorum*, 13 (1976), p. 229-253, en particulier 236-252 (réimpr. dans *AAAd*, 9 (1976), p. 347-376).

31bis. D. HOSTER, *Die Form der frühesten lateinischen Heiligenviten von der Vita Cypriani bis zur Vita Ambrosii*, Cologne (diss.) 1963, p. 153, va jusqu'à parler, dans le cas de la *Vie de Séverin*, de dissolution du cadre biographique.

32. Cf. F. LOTTER, *op. cit.*, p. 43.

en ce qu'il cherche à gagner au saint de nouveaux dévots et à encourager le culte de ses reliques. Eugippe rappelle en effet fort opportunément, à la fin de son récit, qu'un monastère a été élevé sur le tombeau de Séverin et qu'un grand nombre de malades et de possédés ont été guéris grâce à l'intercession du serviteur de Dieu (*VS*, 46, 6). A cet égard la *Vie de Séverin* peut être rangée dans la littérature de pélerinage [33], un genre qui devait connaître un grand succès au Moyen Âge.

Située au confluent de plusieurs courants littéraires et répondant aux besoins de publics divers, la *Vie de Séverin* apparaît comme un récit de forme biographique mis au service d'une théologie de la grâce et d'un nouvel idéal de sainteté.

La langue et le style

Le jugement que porte Eugippe sur la langue et le style de son œuvre est d'une sévérité sans appel (*Ep. Eug.*, 4). Certains critiques modernes ont repris les appréciations peu flatteuses que l'auteur émettait sur son travail, sans les assortir de la moindre réserve ; la langue est « tout à fait simple et sans ornement » assure l'un[34], « tout à fait simple, presque sans ornement » corrige l'autre[35], le texte est écrit « sur un ton sans prétention, populaire » décide un troisième[36]. Assurément, ces critiques ont eu tort de prendre les déclarations d'Eugippe pour argent comptant, car la forme chez lui est loin d'être négligée, et la répudiation de la littérature profane sait s'accommoder

---

33. Cf. H. BALDERMANN II, p. 170.

34. W. WATTENBACH, *op. cit.*, 8ᵉ éd., Berlin 1893, p. 46.

35. K. LEIMBACH, s.v. « Eugippius », *PRE* 5 (1898), col. 591.

36. M. SCHUSTER, *Eugippius. Leben des heiligen Severin*, Vienne 1946, p. 19.

d'une utilisation discrète mais sûre de la rhétorique classique[37]. A cet égard, une lecture attentive de l'œuvre permet de mesurer tout le poids des habitudes acquises au contact des meilleurs auteurs[38]. On a déjà relevé dans la correspondance entre Eugippe et Paschase un jeu subtil fondé sur l'échange des compliments[39], les protestations mutuelles d'incompétence[40], les objections fictives[41] ainsi que le balancement régulier de longues périodes ornées de toutes les figures et de tous les tropes du répertoire classique[42]. Certes, Eugippe ne faisait que se conformer

---

37. On trouve les premiers éléments d'une étude stylistique de l'œuvre d'Eugippe dans les articles de C.C. Mierow, « Adverbial usage in Eugippius », *Classical Philology*, 8 (1913), p. 436-444 ; « Some Noticeable Characteristics of the Style of Eugippius », *ibid.*, 21 (1926), p. 327-332. Mais l'analyse la plus complète et la plus détaillée à ce jour nous a été fournie par E.M. Ruprechtsberger dans son article « Betrachtungen zum Stil und Sprache des Eugippius », *Römisches Österreich*, 4 (1976), p. 227-299.

38. Il est impossible de retenir l'hypothèse avancée par F. Kaphahn, *op. cit.*, p. 98 : « Eugippius ne semble pas avoir fréquenté d'établissement d'enseignement ». L'étude stylistique du texte montre à l'évidence que l'auteur avait suivi les cours d'un rhéteur et qu'il possédait à fond toutes les techniques du discours.

39. « Mais je ne vais pas m'enquérir plus avant de la pauvre lueur de cette lampe, alors que tu brilles pour ainsi dire comme le soleil : simplement, ne laisse pas s'obscurcir à mes yeux les rayons de ton expérience (*peritiae tuae*) sous les nuages de quelques excuse (*Ep. Eug.*, 3) ; « comme tu nous mesures à l'aune de ton talent oratoire (*peritiae tuae*) » (*Ep. Pasch.*, 1).

40. « Je n'ai fait qu'à peine préparer à ton intention de précieux matériaux, les assemblant très grossièrement » (*Ep. Eug.*, 4) ; « nous avons cru que nos efforts ne pouvaient rien ajouter à votre travail » (*Ep. Pasch.*, 3).

41. « Je t'en supplie, ne me rabroue pas de paroles si rudes » (*Ep. Eug.*, 3).

42. On retiendra en particulier la comparaison développée tout au long du paragraphe 4 de la lettre à Paschase : « qui cherche un architecte pour construire une maison prépare soigneusement les matériaux nécessaires ; (...) moi aussi, de la même façon, je n'ai fait qu'à peine préparer à ton intention de précieux matériaux » (*Ep. Eug.*, 4). Pour le commentaire stylistique de cette lettre cf. E.M. Ruprechtsberger, *art. cit.*, p. 229-238.

aux lois du genre épistolaire en déployant dans cette
dédicace toutes les ressources de son art. Mais le soin qu'il
a apporté à la composition et à la rédaction de la *Vie*
elle-même montre à quel point il était soucieux de respecter les canons esthétiques de son temps. Pour s'en
convaincre il suffira d'examiner quelques échantillons
caractéristiques de son texte.

Le récit s'ouvre par une présentation rapide du cadre
historique et géographique : « à l'époque où mourut Attila, le roi des Huns, les deux provinces de Pannonie et les
autres pays riverains du Danube étaient en plein bouleversement par suite de l'incertitude de la situation » (*VS,*
1, 1). Ces précisions de lieu et de temps une fois données,
le personnage principal peut entrer en scène ; il est
d'ailleurs tout de suite désigné à l'attention du lecteur par
sa qualité de « très saint serviteur de Dieu » et par l'originalité de son genre de vie : « il s'acquittait par des œuvres
pies du genre de vie très louable qu'il avait choisi » (*VS,*
1, 1). Avec le deuxième paragraphe l'auteur passe au
récit d'un événement particulier[43] : « un jour il se rendit à
l'église comme il en avait l'habitude » (*VS,* 1, 2). Séverin
s'adresse à la foule rassemblée à l'église et lui annonce
qu'elle ne pourra empêcher une attaque imminente de
l'ennemi que par des prières, des jeûnes et des œuvres de
miséricorde. Mais les assistants restent sourds à ces
appels au repentir ; Séverin retourne alors chez son hôte,
lui prédit le jour et l'heure de l'assaut et quitte la ville en
lançant une prophétie de malheur : « je me hâte (...) de
quitter cette ville rebelle et vouée à une fin prochaine »
(*VS,* 1, 2).

---

43. Ce passage correspond à un changement de perspective chez le
narrateur ; à une entrée en matière « panoramique », s'étendant sur une
durée indéterminée, succède une « présentation scénique » ramassée
dans le temps et riche en détails concrets. Sur ces catégories du récit cf.
E. LÄMMERT, *Bauformen des Erzählens,* 6ᵉ éd., Stuttgart 1975, p. 86-87.

L'action se déplace ensuite vers la localité voisine de
Comagenae où le saint renouvelle ses appels à la pénitence devant une population désespérant de son salut
(*VS*, 1, 4). Les doutes et les hésitations sont dissipés par
l'arrivée du vieillard qui avait hébergé Séverin à *Asturae*
et qui apporte la nouvelle du sac de la ville à l'heure
prédite par l'homme de Dieu. Le premier chapitre se clôt
sur un témoignage rendu aux mérites du saint : « Il (= le
vieillard) lui dit qu'il devait à ses mérites d'avoir échappé
au désastre subi par les autres habitants de la ville » (*VS*,
1, 5).

Le récit des premières apparitions en public de Séverin
frappe par sa clarté, sa sobriété et sa concision. Eugippe
se contente de donner les quelques détails indispensables
à la compréhension des événements, s'abstient de toute
appréciation personnelle sur les faits rapportés et, tout
en ménageant quelques effets dramatiques (désobéissance et châtiment des habitants d'*Asturae*), va droit à
l'essentiel, qui est la vérification des prophéties du saint[44].
Le mouvement du texte est rythmé par d'amples périodes
soigneusement agencées. La narration est interrompue
par deux fois par des constructions au style direct ; ainsi,
au paragraphe 3, l'auteur donne la parole à Séverin
lui-même, comme pour souligner la gravité de ses prédictions (*VS*, 1, 3 ; cf. *supra*)[45] ; de même, au paragraphe 5,
pour mieux exprimer la curiosité inquiète des gardes

---

44. Nous suivons ici les analyses de H. BALDERMANN, *Die Vita Severini als literarisches Genos und als historische Quelle*, thèse de
doctorat (dactylographiée), Hambourg 1955 (citée en abrégé sous la
forme suivante : H. BALDERMANN, *Diss.*), p. 41-48.

45. Il est évident qu'Eugippe ne rapporte pas les paroles réellement
prononcées par Séverin ; la citation fictive sert uniquement à introduire
un élément de variété dans la forme du récit. Dans d'autres cas les
discours de Séverin ont une fonction parénétique plus nette, notamment
dans les récits de miracle (*VS*, 6, 2 ; 14, 3).

postés aux portes de *Comagenae,* il leur attribue cette
question pressante, adressée au vieillard venu d'*Asturae* : « Ne crois-tu pas que c'est justement l'homme qui,
malgré notre situation désespérée, nous a promis l'aide de
Dieu ? » (*VS,* 1, 5). Ce procédé stylistique est souvent
utilisé par Eugippe dans la suite du texte[46] ; il prend même
à l'occasion la forme du dialogue, comme au ch. 14, où
Séverin est mis en présence d'une femme à demi morte. Le
saint interroge d'abord les proches : « Que voulez-vous
que je fasse au juste ? » ; les assistants répondent en
chœur : « Que par tes prières ce corps inanimé soit rendu
à la vie » ; l'homme de Dieu se dérobe : « Pourquoi exiger
des hauts faits d'un homme de rien ? », mais les fidèles
insistent : « Nous croyons que si tu pries elle renaîtra à la
vie » (*VS,* 14, 2). Séverin se met alors en prière, la femme
se relève et l'épisode se clôt sur une courte homélie
précisant quelques vérités de foi[47].

Si nous passons maintenant des structures aux ornements de l'énoncé, nous observons dans ce premier chapitre quelques particularités qui se retrouvent tout au long
de la *Vie*[48]. La première est le goût prononcé d'Eugippe
pour les formules binaires : *utraque Pannonia ceteraque
confinia Danuuii ; iuxta euangelicam apostolicamque doctrinam, omni pietate et castitate praeditus*
(*VS,* 1, 1) ; *diem et horam... excidii* (*VS,* 1, 3) ; *ingre-*

---

46. On trouve des discours de Séverin au style direct dans les chapitres suivants : *VS,* 3, 2 ; 4, 3-4.11 ; 5, 2-3 ; 6, 2-3 ; 7 ; 8, 3 ; 10, 1-2 ; 12,
2.7 ; 14, 3 ; 15, 2 ; 16, 2-5 ; 18, 2 ; 21, 1 ; 22, 1-3 ; 23, 1 ; 24, 2 ; 27, 2-3 ;
28, 3.5 ; 29, 2 ; 30, 2-3 ; 31, 3.5 ; 32, 2 ; 35, 2 ; 37, 1 ; 38, 1-2 ; 40, 2-3.4-5 ;
41, 2 ; 42, 1-3 ; 43, 2-7.

47. Nous avons ici un dialogue avec le peuple, ce qui représente un
cas assez exceptionnel, les interlocuteurs habituels du saint étant des
puissants : officiers romains ou princes barbares (*VS,* 4, 2-3 ; 8, 2-3),
prêtres (*VS,* 31, 3-4 ; 40, 2-3 ; 42, 1-2), plus rarement des « prêtres et
d'autres habitants » (c'est-à-dire le peuple) comme au ch. 12, 1-2.

48. Cf. H. BALDERMANN, *Diss.,* p. 42-43.

*diendi aut egrediendi... licentia ; nec interrogatus est
nec repulsus* (*VS*, 1, 4) ; *habitu uerboque* (*VS*, 1, 5). Ces
tournures permettent d'étendre la portée d'une constatation (*utraque Pannonia ceteraque confinia Danuuii*),
d'apporter une précision matérielle (*diem et horam*) ou
d'opposer deux termes antithétiques (*ingrediendi aut
egrediendi*) ; l'effet rythmique d'une telle disposition est
encore renforcé par les impressions sonores dues à la
répétition de la même désinence (*homoioteleuton : pietate et castitate*) ou du même cas (*homoioptoton : diem
et horam*). Les formules trinaires ne sont pas non plus
absentes de ce premier chapitre : *presbyteris, clero uel
ciuibus* (*VS*, 1, 2) ; *orationibus et ieiuniis ac misericordiae fructibus* (*VS*, 1, 2 avec extension du troisième
terme*) ; *ieiunio et orationibus atque elemosynis* (*VS*,
1, 4) ; ces tournures sont également soulignées par le
procédé de l'*homoioptoton*.

Dans l'ordre des mots on relève la fréquente disjonction
de termes habituellement réunis, figure connue sous le
nom d'*hyperbaton* (ou hyperbate) en grec, de *traiectio*
en latin : *rebus turbabantur ambiguis* pour *rebus ambiguis turbabantur ; paruo, quod dicitur Asturis,
oppido,* pour *paruo oppido, quod dicitur Asturis* etc.[49],
et une tendance à l'antéposition du génitif : *dei famulus*
pour *famulus dei, tota mentis humilitate* pour *tota
humilitate mentis* etc...

Enfin, on ne peut pas ne pas remarquer le rythme
imprimé à chaque fin de phrase par une savante alternance de syllabes toniques et de syllabes atones. Ces
clausules rythmiques ne sont pas le fait du hasard ; elles
sont la preuve qu'Eugippe appliquait scrupuleusement les

---

49. E.M. RUPRECHTSBERGER, *art. cit., Römisches Österreich*, 4 (1976),
p. 294 n. 73, en compte plus de 100 dans tout le texte.

principes du *cursus*[50]. On sait que dans la prose d'art latine les cadences fondées sur la quantité ont été progressivement remplacées à partir du IVe siècle par un système reposant sur l'accentuation ; ainsi, entre les syllabes accentuées des deux derniers mots de la phrase s'intercalent deux, quatre ou plus rarement trois syllabes non-accentuées. Les professeurs de rhétorique distinguaient dans le *cursus* trois formes principales qui correspondent au schéma suivant[51] :

> *cursus uelox* $\stackrel{\prime}{=} \cup - / - - \stackrel{\prime}{=} -$
> *cursus planus* $\stackrel{\prime}{=} - / - \stackrel{\prime}{=} -$
> *cursus tardus* $\stackrel{\prime}{=} - / - \stackrel{\prime}{=} \cup -$

On retrouve précisément ces trois formes à la fin des trois premières phrases du premier chapitre :

turbabantur ambiguis : $\stackrel{\prime}{=} - / - \stackrel{\prime}{=} \cup -$ (*cursus tardus*)
operibus adimplebat : $\stackrel{\prime}{=} \cup - / - - \stackrel{\prime}{=} -$ (*cursus uelox*)
processit ex more : $\stackrel{\prime}{=} - / - \stackrel{\prime}{=} -$ (*cursus planus*)

Dans toute la *Vita* il n'est pas une seule fin de phrase qui échappe aux règles strictes du *cursus*[52].

Les qualités littéraires dont témoigne ce premier chapitre nous autorisent certes à souscrire au jugement porté par Paschase sur l'œuvre d'Eugippe : « tu as exposé avec une grande simplicité et développé avec une grande

---

50. Le premier érudit à avoir relevé l'usage du *cursus* chez Eugippe est W. MEYER, dans une recension publiée par les *Göttingische gelehrte Anzeigen*, 1 (1883), p. 21, et reproduite dans les *Gesammelte Schriften zur mittellateinischen Rhythmik*, t. 2, Berlin 1905, p. 264 s. P. VON WINTERFELD a repris la question dans son étude « Die Handschriften des Eugippius und der rhythmische Satzschluß », *RhM*, 58 (1903), p. 363-370.

51. Sur le *cursus*, cf. K. LANGOSCH, *Lateinisches Mittelalter. Einleitung in Sprache und Literatur*, 3e éd. augm., Darmstadt 1975, p. 64-65.

52. Cf. W. BULST, *art. cit.*, p. 22 ; H. BALDERMANN, *Diss.*, p. 49-58.

aisance ce que tu me demandais de raconter » (*Ep. Pasch.*, 3). Mais cette simplicité dans la langue et cette aisance dans l'exposé sont le résultat d'un effort très conscient et ne sauraient en aucun cas être interprétées comme le signe d'une indifférence aux problèmes de forme ; bien au contraire, la construction des phrases, les ornements du discours et l'usage constant du *cursus* permettent de ranger sans hésiter la *Vie de Séverin* dans la catégorie de la prose d'art. Les caractères stylistiques que nous avons dégagés sont par ailleurs conformes à la définition que donne Augustin du « genre simple » (*genus submissum*) : « Notre docteur et orateur doit donc parler en ce style simple de telle manière qu'il se fasse écouter non seulement avec intelligence, mais encore avec plaisir et docilité[53] ».

Il est vrai que le genre simple, qui domine la *Vita,* n'est pas exclusif d'autres « genres » ; la conclusion du ch. 11 en forme d'hymne offre un bon exemple de « genre tempéré »[54], et le testament spirituel de Séverin au ch. 43, 2-7 s'élève jusqu'aux sommets du « genre sublime » [55]. Les trois « genres » coexistent donc dans la même œuvre, accordés aux trois fins traditionnelles de tout discours persuasif : porter à l'imitation, provoquer l'admiration et donner de l'agrément. Mais seules l'imitation et l'admiration donnent toute sa noblesse et sa dignité à l'agrément (*delectatio*), qui, loin de « divertir » le lecteur ou l'auditeur, doit le mener vers Dieu. Si Eugippe se doit de respecter les impératifs esthétiques qu'imposent à son récit une édification et une pastorale efficaces, il ne peut perdre de vue que sa parole, comme toute parole hu-

---

53. Aug, *De doctr. christ.,* IV, 26, 56, *BA,* t. 11, p. 529. Cf. H. Baldermann, *Diss.,* p. 60-61.

54. Cf. Aug., *De doctr. christ.,* IV, 26, 57, *BA,* t. 11, p. 529-531.

55. Cf. H. Baldermann, *Diss.,* p. 64-67.

maine, est au service de la Parole de Dieu. L'Écriture
reste, en définitive, le modèle qui, plus que tout autre,
inspire son entreprise littéraire.

L'influence de la Bible

Il n'est pas une page de la *Vita* qui ne porte la marque de la
Bible. Pour comprendre cette influence déterminante de l'Histoire Sainte sur l'histoire d'un saint particulier, il faut d'abord
rappeler qu'Eugippe était, aux dires de Cassiodore, un bon
connaisseur de l'Écriture[56] et qu'il vivait dans un milieu monastique nourri par la lecture et la récitation continuelles de la Bible
et des Pères[57]. Cette imprégnation culturelle était encore renforcée par le caractère sacré que l'autorité divine (*auctoritas
diuina*) conférait aux textes scripturaires ; la Bible offrait ainsi
à l'hagiographe un véritable trésor où il pouvait puiser à loisir
des exemples, des images et des expressions stéréotypées, bref
tout un arsenal littéraire qui remplaçait peu à peu celui de la
tradition antique[58].

Certes, l'imitation des modèles bibliques n'était pas toujours
délibérée ni même consciente ; des sondages rapides dans la
littérature hagiographique de l'Antiquité tardive montrent que
les emprunts aux Livres Saints vont de la citation explicite d'un
passage aisément repérable à l'écho lointain d'une lecture à demi
oubliée en passant par l'emploi presque automatique de termes
ou de tournures depuis longtemps entrés dans l'usage. A cet
égard la *Vita Seuerini* offre au philologue un vaste champ de
recherches encore peu exploré jusqu'ici ; une lecture attentive
du texte suffit à fournir les premiers éléments d'un recensement,
mais seule l'édition d'un *index uerborum* permettrait de pous-

---

56. CASS., *Inst.* 23. Cf. *supra* n. 16, ch. 1.
57. Cf. J. LECLERCQ, *Initiation aux auteurs monastiques du Moyen
Âge*, 2ᵉ éd., Paris 1963, p. 70-86 ; P. RICHÉ, *op. cit.*, p. 154-160.
58. Cf. J. LECLERCQ, « L'Écriture Sainte dans l'hagiographie monastique du Haut Moyen Âge », dans *La Bibbia nell'alto Medioevo*, *SSCI*,
t. 10, Spolète 1963, p. 110-112.

ser plus loin les investigations et de dresser un inventaire complet et systématique des emprunts à la Bible. Dans le cadre de cette introduction nous nous contenterons donc de relever les allusions les plus évidentes et de proposer quelques principes de classement en vue d'une étude ultérieure[59].

Dans l'œuvre d'Eugippe il est possible de distinguer à partir de critères purement formels trois niveaux de référence à la Bible.

Le premier niveau de cette stratification correspond aux emprunts directs et incontestables, c'est-à-dire aux passages plus ou moins longs que l'auteur a délibérément intégrés au texte et que le lecteur identifie immédiatement comme étant d'origine biblique. Ces emprunts sont en fait de véritables citations, fort précieuses pour qui veut connaître les méthodes de travail d'un hagiographe. Il existe en effet plusieurs façons d'insérer dans la trame du récit des lieux tirés de l'Écriture[60]. La citation peut être explicite, c'est-à-dire privée d'un lien syntaxique direct avec le reste de la phrase, comme au ch. 4 : *nam deo praeeunte debilis quisque fortissimus apparebit* : « *dominus pro uobis pugnabit et uos tacebitis* » (*VS*, 4, 3)[61], ou bien implicite, c'est-à-dire incorporée à un membre de phrase, comme au ch. 43 : *mittens uos ad exempla maiorum, quorum intuentes exitum conuersationis imitamini fidem* (*VS*, 43, 2)[62] ; elle peut être textuelle, comme au ch. 36 : *quia traditi sunt huiusmodi homines* « *satanae in interitum carnis* », *sicut docet beatus apostolus*, « *ut spiritus saluus sit in die*

---

59. Nous devons à notre collègue et ami M. Van Uytfanghe, de l'Université de Gand, de précieuses remarques méthodologiques sur ce point. Nous avons également consulté les articles de H. SILVESTRE, « Notes sur la *Vita Evracli* », *RHE*, 44 (1949), p. 48-57 et P. TOMBEUR, « Réminiscences bibliques dans la chronique de Raoul de Saint-Trond », *ALMA*, 30 (1960), p. 161-176.

60. On trouvera dans un tableau placé en annexe une liste des citations bibliques avec quelques-unes de leurs caractéristiques sur le plan formel.

61. Le verset est tiré de *Ex.* 14, 14.

62. La citation de *Hébr.* 13, 7 est rattachée à la construction participiale par le pronom relatif *quorum*.

domini Iesu » (*VS*, 36, 2)[63], ou tout au moins quasi-textuelle, comme au ch. 28 : *imitatus fidelis seruus dominum suum, qui non ministrari uenerat, sed potius ministrare* (*VS*, 28, 3)[64], elle peut, au contraire, avoir été intentionnellement abrégée[64bis] ou amplifiée, comme au ch. 43 : *ut oculos cordis uestri deus inluminet eosque, sicut optauit beatus Heliseus, aperiat* (*VS*, 43, 4)[65] ; enfin, elle peut être pourvue d'une référence précise, comme au ch. 30 : *Iacobo apostolo protestante* : « *multum* », inquit, « *ualet oratio iusti assidua* » (*VS*, 30, 5)[66], ou très vague, comme au ch. 5 : « *maledictus* », *inquit scriptura,* « *qui confidit in homine et ponit carnem brachium suum et a domino recedit cor eius* » (*VS*, 5, 2)[67] ; elle est même parfois dépourvue de toute référence à un livre de l'Écriture. Nous ne tiendrons pas compte des cas assez fréquents où l'auteur a visiblement remanié un verset pour l'intégrer à une phrase ou bien tronqué un passage pour n'en retenir que ce qui l'intéressait immédiatement. De plus, nous ne devons pas perdre de vue que l'hagiographe cite souvent la Bible de mémoire ou d'après un autre auteur. Mais ces réserves une fois faites sur la valeur de nos observations, il n'en demeure pas moins que certaines citations ne correspondent pas au texte de la *Vulgate*. Il faut donc supposer qu'elles sont les témoins d'anciennes versions latines qui circulaient encore en Occident au début du VIe siècle[68]

---

63. La citation est extraite de *I Cor.* 5, 5.

64. Le passage est tiré de *Matth.* 20, 28 : *sicut Filius hominis non uenit ministrari sed ministrare ;* moyennant quelques modifications mineures (suppression des mots *Filius hominis,* changement de temps du verbe *uenire*) la citation est intégrée à la construction participiale commençant par *imitatus.*

64bis. Nous indiquons dans l'apparat scripturaire les différentes coupures pratiquées dans les citations.

65. Cf. *IV Rois* 6, 17 : *cumque orasset Heliseus ait : Domine aperi oculos eius ut uideat.* L'addition de *cordis uestri* à *oculos* constitue à la fois une amplification et une exégèse du texte biblique.

66. Citation de *Jac.* 5, 16. Pour les autres exemples de citation nous renvoyons au tableau en annexe et à l'apparat scripturaire.

67. Citation de *Jér.* 17, 5.

68. Ainsi, le texte de l'épître aux Philippiens cité au ch. 1, 2 : *palmam supernae uocationis (...) sequeretur* (*Phil.* 4, 14) correspond à l'une

et qui étaient en particulier véhiculées par la liturgie. D'ailleurs, les monastères avaient souvent un texte mixte, composé à partir de plusieurs versions existantes[69].

A côté des citations, mais toujours à ce premier niveau de référence, nous trouvons les renvois évidents au texte biblique, telle la comparaison établie au ch. 40 entre l'Exode du peuple d'Israël et le prochain départ des provinciaux du Norique (*VS*, 40, 4 ; cf. *Ex.* 6, 13), ou encore au ch. 43 l'exemple du patriarche Jacob convoquant ses fils au moment de mourir (*VS*, 43, 2 ; cf. *Gen.* 49). L'allusion peut même être à double détente quand elle renvoie aussi bien au Nouveau Testament qu'à l'Ancien ; ainsi, l'exemple de la femme de Loth, invoqué par Séverin au ch. 9, est déjà placé dans la bouche du Christ par l'évangéliste Luc (*VS*, 9, 4 ; cf. *Lc* 17, 32 et *Gen.* 19, 26).

Avec le second niveau nous quittons le domaine des citations et des renvois univoques pour entrer dans celui des réminiscences ; nous entendons par là les allusions plus ou moins claires que le lecteur attentif peut, au prix d'un certain effort, reconnaître et « localiser » dans la Bible. Les tournures et expressions de ce niveau intermédiaire ne constituent pas des emprunts directs aux Livres Saints ; elles n'en sont pas moins utilisées consciemment par l'auteur dans une intention bien précise et comportent toujours une ressemblance avec l'original sur le plan du contenu. Parmi ces réminiscences relevons à titre d'exemple la définition donnée du genre de vie de Séverin au ch. 1 : *omni pietate et castitate praeditus,* définition manifestement inspirée de la première épître à Timothée[70], et, au ch. 8, l'énumération des trois vertus cardinales : *fide, spe et caritate crescente* (*VS*, 8, 5), également d'origine paulinienne (*I Cor.* 13, 13). La lettre à Paschase porte aussi la trace de ces réminiscences ; le jeu de

---

des versions de la *Vetus Latina* (cf. *Vetus Latina,* hrsg. von den Mönchen der Erzabtei Beuron, t. 24/2, p. 209).

69. Cf. B. FISCHER, « Bibelausgaben des frühen Mittelalters » dans *La Bibbia nell'alto Medioevo, SSCI,* t. 10, Spolète 1963, p. 532.

70. I Tim. 2, 2 : *ut quietam et tranquillam uitam agamus in omni pietate et castitate.* Les réminiscences sont signalées dans l'apparat scripturaire avec la mention cf.

mots *iactantiam, utpote sinistram, qua nesciente* (*Ep. Eug.*, 9) est un écho du texte évangélique sur l'aumône (*Matth.* 6, 3) ; quant à la remarque sur la langue parlée par Séverin : *loquela tamen ipsius manifestabat hominem omnino Latinum* (*Ep. Eug.*, 10), elle rappelle incontestablement un verset de Matthieu à propos du triple reniement de Pierre (*Matth.* 6, 3)[71].

A un niveau plus humble encore et avec un faible degré de référence au texte original nous trouvons des syntagmes et des combinaisons de mots (*iuncturae uerborum*) qui reviennent souvent dans la Bible mais qui n'ont pas nécessairement le caractère d'un emprunt volontaire et conscient ; ils peuvent très bien être le fait du hasard ou être passés depuis longtemps dans l'usage du latin des chrétiens. Ainsi, quand Eugippe emploie au ch. 12 l'expression *desideriis carnalibus inquinati*, il reprend (sans doute inconsciemment) des termes qui figurent dans la première épître de Pierre : *carissimi, obsecro vos* (...) *abstinere a carnalibus desideriis* et dans l'épître aux Hébreux : *inquinatos sanctificat ad emundationem carnis* (*1 Pierre* 2, 11 ; *Hébr.* 9, 13)[72] ; de même, aux ch. 2 et 27, les expressions *armis caelestibus* et *non materialibus armis* rappellent-elles une terminologie paulinienne bien connue[73].

Nous laisserons volontairement de côté une dernière catégories d'emprunts, celle des *vocabula*, c'est-à-dire des termes que l'auteur a choisis de préférence à d'autres pour leur résonance biblique.

Mais l'influence de la Bible ne se limite pas aux emprunts conscients ou inconscients qu'a pu faire Eugippe au texte de l'Écriture ; elle est également perceptible au plan de la morphologie et de la syntaxe. Depuis les travaux de H. Rönsch nous connaissons mieux les particularités linguistiques des traduc-

---

71. Nous devons cette indication à notre collègue de Gand M. Van Uytfanghe.

72. Cf. M. Van Uytfanghe, « La Bible dans la Vie de saint Séverin d'Eugippius » *Latomus*, 33 (1974), p. 343 n. 189.

73. *Arma militiae nostrae* (*II Cor.* 10, 4) ; *arma iustitiae* (*Rom.* 6, 13) ; *arma Dei* (*Eph.* 6, 11) ; cf. M. Van Uytfanghe, *art. cit.*, *Latomus*, p. 326 n. 25.

tions latines de la Bible et nous retrouvons la plupart de ces caractéristiques dans la *Vita Seuerini*[74]. H. Baldermann a souligné, par exemple, la fréquence des suffixes en *-culum*, *-itas*, *io* (plus de cent exemples !) et *-tor*[75] et la préférence systématiquement accordée aux verbes composés sur les verbes simples, par exemple *aduenire* pour *uenire*[76]. Parmi les propriétés syntaxiques communes à la *Vetus Latina*, à la *Vulgate* et à notre texte relevons, entre autres[77] :

— la confusion entre les formes *quo* et *ubi* au complément de lieu : *cave, ne hodie digrediaris alicubi* (*VS*, 10, 1),

— le non-respect des différences de mode ; ainsi, l'indicatif est-il employé dans les propositions-objet à la place de l'infinitif : *putas non ipse est ?* (*VS*, 1, 5) ; *putasne possum inuenire hominem...?* (*VS*, 9, 2),

— la substitution de formes verbales longues à des formes courtes ; ainsi le plus-que-parfait remplace-t-il souvent l'imparfait : *ciuitatem nomine Fauianis saeua fames oppresserat* (au lieu de *opprimebat*) (*VS*, 3, 1),

— la substitution de subordonnées introduites par *quod* et *quia* à des propositions infinitives après des *uerba dicendi* : *perlato sibi quod turba latronum aliquos captiuasset ex Rugis* (*VS*, 5, 3) ; *confido... quia necessitate compelletur explere quod praua uoluntate despexit* (*VS*, 8, 3).

D'autres particularités, sans être propres à Eugippe, sont assez caractéristiques de son style et de l'évolution du latin tardif en général ; mentionnons par exemple :

---

74. H. Rönsch, *Itala und Vulgata. Das Sprachidiom der urchristlichen Itala und der katholischen Vulgata*, Marburg 1875, 3ᵉ éd., Munich 1965. Un latiniste a pu caractériser le latin biblique en ces termes : « les traductions latines de la Bible présentent de nombreux exemples d'une langue semi-littéraire venue pour l'essentiel de la tradition orale » (W. Süss, « Das Problem der lateinischen Bibelsprache », *Historische Vierteljahresschrift*, 27 (1932), p. 1-39, citation p. 36). Le latin biblique n'est certes qu'une des composantes du latin tardif, mais les modèles bibliques ont pu jouer un rôle important chez Eugippe.

75. H. Baldermann, *Diss.*, p. 71-72.

76. *VS*, 1, 1 ; 11, 2 ; 19, 1 ; 31, 3 ; cf. H. Baldermann, *Diss.*, p. 72-73.

77. Cf. H. Baldermann, *Diss.*, p. 74-76.

— l'emploi fréquent d'adverbes se terminant en *-us* : *intrinsecus* (*VS*, 1, 4 ; 2, 1) ; *diuinitus* (*VS*, 2, 2 ; 9, 4 ; 11, 3-5 ; 33, 1) ; *penitus* (*VS*, 4, 10 ; 18, 2 ; 29, 2 ; 30, 2 ; 43, 8) etc...

— la préférence accordée à la forme comparative de l'adverbe[78] : *citius* (*VS*, 1, 3 ; 32, 2) ; *saepius* (*VS*, 4, 7 ; 19, 1 ; 30, 3 ; 38, 2) ; *quantocius* (*VS*, 8, 1 ; 10, 2 ; 27, 3 ; 42, 1),

— l'usage systématique du locatif pour les noms de lieux, indépendamment de leur fonction grammaticale dans la phrase[79] : *ad habitatores praeterea oppidi, quod Iouiaco uocabatur* (*VS*, 24, 1) ; *monasterium suum iuxta muros oppidi Fauianis* (*VS*, 22, 4) ; *mansores oppidi Quintanensis... in Batauis oppidum migrauerunt* (*VS*, 27, 1).

L'histoire du texte

Le texte d'Eugippe, indépendamment de la tradition manuscrite, est attesté de bonne heure par des citations anciennes ; ainsi certains passages relatifs à Odoacre (ch. 7 et 32) sont-ils repris mot pour mot par l'Anonyme de Valois[80]. Au VIIᵉ siècle, Isidore de Séville mentionne la *Vita Seuirini* parmi les œuvres de l'abbé de *Lucullanum*[81]. Au VIIIᵉ siècle, Paul Diacre utilise plusieurs chapitres de la *Vita* dans son *Historia Romana*[82] et son *Historia Langobardorum*[83]. Vers la même époque est com-

---

78. Cf. C.C. Mierow, *art. cit.*, *Classical Philology*, 21 (1926), p. 327s.

79. Dans la traduction comme dans l'introduction nous avons substitué partout le nominatif à ce locatif « figé ».

80. Excerpta Valesiana, *pars post.* 45-48 (éd. J. Moreau, 2ᵉ éd. revue par V. Velkov, coll. Teubner, Leipzig 1968, p. 13-14).

81. Isidore, *De uiris illustribus*, 26 : Eugippius (...) *Claruit post consulatum Importuni Iunioris, Anastasio imperatore regnante.* L'indication *post consulatum Importuni Iunioris* ne peut se rapporter qu'à la lettre d'Eugippe à Paschase (*Ep. Eug.* 1). Cf. C. Codoñer Merino, *op. cit.*, p. 52, 70 et 141.

82. Paul Diacre, *Historia Romana*, 15, 8 (*MG AA* 2, p. 183).

83. Paul Diacre, *Historia Langobardorum*, 1, 19 (*MG SRL*, p. 57) utilise les ch. 40 et 44 de la *Vita*.

posé à Naples un hymne à saint Séverin, entièrement compilé à partir de l'œuvre d'Eugippe[84] ; toujours à Naples, l'auteur de la seconde partie des *Gesta episcoporum Neapolitanorum* (VIIIᵉ-IXᵉ s.) exploite, lui aussi, des données fournies par Eugippe et Paul Diacre[85]. Enfin, en 791, le rédacteur des prétendues *Annales Einhardi* montre qu'il connaissait sans doute le récit d'Eugippe puisqu'il mentionne dans son texte le toponyme de *Comagenae,* alors disparu depuis longtemps[86].

Le premier manuscrit — historiquement daté — de la *Vie de Séverin* est un exemplaire, aujourd'hui perdu, légué en 903 par le chorévêque Madalwin à l'évêque Burchard de Passau[87] ; le texte, adroitement utilisé par l'évêque Pilgrim (971-991), servit à justifier les prétentions de Passau à la succession de *Lauriacum*/Lorch comme métropole ecclésiastique des pays danubiens[88]. A

---

84. Il existe deux recensions de cet hymne, conservées par deux manuscrits du XIᵉ s. : Paris, B.N., *lat. 1092* (inc. : *Gloriam Christi canentes*) et *Vaticanus 7172* (inc. : *Canticum laudis domino canentes*) ; cf. G. M. DREVES, « *Hymnarius Severinianus.* Das Hymnar der Abtei S. Severin in Neapel », *Analecta Hymnica Medii Aevi,* 14a (1893), p. 47s. Sauppe (*MG AA* 1, 2, p. XIX-XX), Knoell (*CSEL* 9, 2, p. 71s.) et Mommsen (*MS SRG* 26, p. VIII-IX) ont publié la seconde recension en annexe à la *Vita Seuerini* ainsi que Bulst (*Editiones Heidelbergenses* 10, p. 54, avec apparat critique) et Bieler (*Fathers of the Church* 55, p. 104-108 avec traduction anglaise). Cf. R. ZINNHOBLER, « Der hl. Severin in der Dichtung », *Severin-Katalog* 1982, p. 57.

85. *Gesta episcoporum Neapolitanorum,* pars prima (*MG SRL,* p. 402 ; 424). À ces passages il faut ajouter la *Translatio sancti Severini auctore Johanne Diacono* (*MG SRL,* p. 452-459), qui utilise aussi des données de la *Vita.*

86. *Annales regni Francorum 741-829, qui dicuntur Annales Laurissenses maiores et Einhardi, MG SRG* 6, p. 89 : *iuxta Comagenis* (près de la cité de *Comagenae*) — *in Cumeoberg.*

87. *Codices traditionum ecclesiae Pataviensis, olim Laureacensis* dans *Monumenta Boica,* t. 28, 2, Munich 1829, p. 201 et G. BECKER, *Catalogi bibliothecarum antiqui,* t. 1, Bonn 1885, p. 61.

88. Cf. I. ZIBERMAYR, *op. cit.,* p. 394 s. ; A. LHOTSKY, *Quellenkunde zur mittelalterlichen Geschichte Österreichs, MIÖG* Erg.-Bd. 19, Vienne 1963, p. 167-169.

partir de Passau l'ouvrage se répandit peu à peu dans les monastères autrichiens et au XIIe siècle il n'en était pas un qui n'eût son exemplaire de la *Vita*[89]. A cette époque Eugippe fut de nouveau mis à contribution pour « prouver », cette fois, que *Fauianae* devait être identifié avec *Vienis*/Vienne[90] et conforter ainsi les ambitions dynastiques des Babenberg. En ce sens, on a pu écrire que la *Vie de saint Séverin* était un de ces livres qui « avaient fait l'histoire »[91].

Les manuscrits

Nous possédons un certain nombre de manuscrits s'échelonnant du Xe au XVe siècle. Ils ont été répartis par Mommsen en quatre familles[92].

Une première famille comprend quatre manuscrits d'égale valeur :

L Rome, *Lateranus 79*, Xe s., fol. 29-40.

K Subiaco, *Sublacensis 2*, XIe s.

C Monte Cassino, *Casinas 145*, XIe s.

G Vatican, *Vaticanus 1197*, XIe s., fol. 189-205.

A cette famille que Mommsen désigne sous le nom de classe I se rattachent encore d'autres manuscrits, qui sont en fait des copies d'un des exemplaires mentionnés ci-dessus.

---

89. Cf. A. LHOTSKY, *op. cit.*, p. 140.

90. L'évêque Otto de Freising, frère du duc d'Autriche Henri II Jasomirgott, fut l'un des premiers à proposer cette identification, pour le moins problématique, au XIIe siècle : *Gesta Friderici* (a. 1157/58) 1, 32 (*MG SS* 20, p. 370).

91. La formule est d'A. LHOTSKY, *Österreichische Historiographie*, Munich 1962, p. 15 : « Es gibt *Bücher, die Geschichte machen*, und dazu gehört jene Lebensbeschreibung des heiligen Severin ».

92. Cf. MOMMSEN, *MG SRG* 26, p. IV ; XI-XXIV. Dans l'article de K. REHBERGER, « Die Handschriften der *Vita Severini* », *Severin-Katalog* 1982, p. 21-39, les manuscrits sont regroupés selon des critères géographiques (Italie, Europe moins la Bavière et l'Autriche, Autriche et Bavière) et pour la famille austro-bavaroise rangés dans l'ordre alphabétique (p. 28-35).

Une deuxième famille, qui présente un certain nombre de variantes par rapport à la première, rassemble quatre manuscrits importants pour l'établissement du texte :

T Turin, Biblioteca Nazionale, *F IV 25*, xe s., fol. 1-24.

N Rome, Biblioteca Vallicelliana, *XII*, xiie s., fol. 74-108.

A Milan, Biblioteca Ambrosiana, *D 525 inf.*, xie s.

M Milan, Biblioteca Ambrosiana, *I 61 inf.*, xie/xiie s., fol. 46-60.

Cette deuxième famille est répertoriée par Mommsen sous le nom de classe II.

Une troisième classe, affectée par le savant allemand de la lettre S, regroupe des manuscrits conservés en Italie, comme ceux des deux premières classes ; elle n'offre guère d'intérêt pour l'établissement du texte et n'est pas prise en considération dans l'édition de Vetter et Noll. Il en est de même pour la classe R qui réunit sous ce sigle des manuscrits appartenant ou ayant appartenu à des monastères ou des églises de Bavière et d'Autriche[93]. Dans cette classe Vetter a cependant utilisé pour son travail les manuscrits suivants[94] :

R^v Vienne, Österreichische Nationalbibliothek, *Vindobonensis n. 416*, xi/xiie s.

R^w Melk, Stiftsbibliothek, *n. 310*, fol. 47-59.

R^{43} Vienne, Öst. Nationalbibliothek, *ser. nov. 3608*, xii/xiiie s.

Les rapports entre classes I et II

Le problème que pose l'établissement du texte est celui des rapports entres classes I et II. Sauppe, dans la pre-

---

93. Signalons que dans cette classe le manuscrit **R**^{S} Vienne, Österreichische Nationalbibliothek, *n. 1064*, xiie s., fol. 61^r-80^r a fait l'objet d'une reproduction en fac-similé, augmentée de copieuses annexes : F. Unterkircher, *Vita sancti Severini. Faksimile-Ausgabe des Textes im Codex 1064 der Österreichischen National bibliothek fol. 61^r-80^r mit Transkription und Übersetzung*, 2 vol., Graz 1982.

94. E. Vetter, « Handschriftliche Grundlage und Textgestaltung » dans R. Noll, *Eugippius. Das Leben des heiligen Severin*, p. 30 et 39.

mière édition « scientifique » de la *Vita,* suit le manuscrit le plus ancien de la classe I, le *Lateranus L* ; malheureusement, ce texte n'est pas exempt de fautes ni de corrections tout à fait arbitraires[95]. Knoell, dans l'édition du *Corpus* de Vienne, donne au contraire la préférence à la classe II, ce qui lui vaut des reproches souvent injustes de la part de Mommsen[96]. Le savant allemand voyait en effet dans la classe I la source la plus sûre pour l'établissement du texte, sans prendre garde qu'il adoptait parfois les leçons de manuscrits de la classe II. En outre, Winterfeld, dans son étude sur les clausules rythmiques chez Eugippe, a montré que le *cursus* donnait souvent raison à Knoell contre Mommsen. Que faut-il retenir de cette controverse savante ? Vetter, après un nouvel examen de la question[97], estime qu'il n'y a pas à choisir d'entrée de jeu une classe plutôt qu'une autre et qu'il faut procéder avec éclectisme, presque cas par cas, en retenant des critères tantôt métriques, tantôt stylistiques. Ainsi, à titre d'exemple, au ch. 43, 2 Mommsen adopte la leçon de la classe I : *nos uero infimi ac tepidi tantaeque impares pietati* et renvoie pour se justifier à un passage du ch. 40, 5 : *ego indignus et infimus.* Mais *infimi ac tepidi* (‑ ⏑ ⏑, ⏑ ‑ ⏑ ⏑) n'est pas une cadence habituelle, alors que *infirmi ac tepidi* (⏑ ‑ ⏑, ⏑ ‑ ⏑ ⏑) correspond au *cursus tardus.* De plus, si *infimus* associé à *indignus* donne plus de force aux protestations de modestie de Séverin, *infirmus* (= faible) accolé à *tepidus* (= tiède) s'accorde mieux au contexte de la phrase. Deux raisons donc de préférer la leçon de la classe II à celle de la classe I, malgré Mommsen[98].

---

95. Cf. E. VETTER, dans R. NOLL, *op. cit.,* p. 30 *infra.*
96. Th. MOMMSEN, *op. cit.,* p. XXVI.
97. E. VETTER, dans R. NOLL, *op. cit.,* p. 30-33.
98. Nous empruntons cet exemple à E. VETTER dans R. NOLL, *op. cit.,* p. 32.

Reste à déterminer laquelle de ces deux classes est la plus ancienne.

Pour en décider il peut être intéressant de confronter certains passages où les différences entre les deux textes ne portent que sur des synonymes :

Classe I	Classe II
VS, 8, 1 : *retrahebat*	*reuocabat*
VS, 8, 4 : *petitura*	*poscens*
VS, 16, 6 : *subdiaconi*	*diaconi*
VS, 21, 2 : *coegerunt*	*elegerunt*
VS, 24, 2 : *praesagio*	*nuntio*
VS, 24, 3 : *uastantes*	*uexantes*
VS, 27, 2 : *instruxerunt aciem*	*construxerunt aciem*
VS, 43, 4 : *examinatione*	*examine*
Ep. Pasch. 5 : *apertissima fide*	*aperta fide*

Une telle comparaison, aussi rapide soit-elle, suffit à montrer qu'il ne s'agit pas de variantes dues à la fantaisie d'un copiste mais bien d'améliorations répondant à des soucis de précision matérielle (*VS*, 16, 6 : *subdiaconi* au lieu de *diaconi*) ou d'élégance stylistique ; et à qui attribuer ces modifications sinon à l'auteur lui-même ? Les manuscrits de la classe I représenteraient donc un second état du texte, une version revue et corrigée de la main d'Eugippe. A ces retouches de détail s'ajoutent quelques remaniements plus importants opérés par l'auteur ou par des copistes peu scrupuleux. On constate par exemple que le ch. 46 a été augmenté de deux paragraphes dans la seconde mouture du texte et que ces ajouts correspondent à deux miracles survenus pendant le transfert des

reliques de Séverin à Naples. Pour expliquer cette « ral-
longe », il faut bien supposer qu'Eugippe a remis la main
à son ouvrage à la suite du refus poli opposé par Paschase
à l'invitation qui lui était faite de réviser les « notes » et
d'y inclure les miracles rapportés par Deogratias. Dans
un autre passage, au contraire, Eugippe a retranché du
texte initial une précision qu'il a sans doute jugée inutile
ou peu claire :

Classe I	Classe II
Ep. Eug. : de qua me fa- *teor nullum euidens ha-* *bere documentum.*	*de qua licet me fateor nul-* *lum euidens habere do-* *cumentum, tamen hinc ab* *ineunte aetate cognoue-* *rim, non tacebo.*
Nam cum multi...	*Cum multi igitur...*

Quant aux allusions compliquées faites aux rivalités
entre les fils d'Attila au ch. 1 : *rebus... ambiguis. + ac*
primum inter filios eius de optinendo regno magna
sunt exorta certamina, qui morbo dominationis in-
flati materiam suis sceleris aestimarunt patris inte-
ritum + (classe II), elles sont sans doute l'œuvre d'un
copiste désireux d'étaler ses connaissances historiques[99].
Au ch. 46, en revanche, par suite d'un *homoioteleuton*
(*daemonibus-langoribus*) le copiste de la classe I a
supprimé une partie du texte :

---

99. Il y a dans la première moitié de la phrase un écho de la *Chroni-*
que de Prosper d'Aquitaine, c. 1370 (*MGAA*, 9/1, p. 482) ; cf. E. VETTER,
dans R. NOLL, *op. cit.*, p. 35. Pour des raisons d'ordre stylistique F. LOT-
TER, *op. cit.*, p. 68-69, estime, quant à lui, que cette version est due à
Eugippe lui-même et qu'elle a été supprimée dans la rédaction dont
témoignent les manuscrits de la classe I.

Classe I	**Classe II**
cuius... daemonibus	*cuius meritis multi obsessi a daemonibus sunt curati et diuersis obstricti langoribus receperunt ac recipiunt... sanitatem*
receperunt... sanitatem	

Les deux versions qui circulaient du texte d'Eugippe ont ensuite connu le sort commun à tous les manuscrits du Moyen Âge : elles ont été recopiées avec plus ou moins de soin et d'intelligence, et aucune des deux classes ne peut prétendre à une bien hypothétique « pureté » originelle.

Les éditions et les traductions

L'*editio princeps* du texte est due au chartreux colonais Laurent Surius[100] et est fondée, selon Mommsen[101] sur un manuscrit de la classe S, disparu depuis lors. Cette première édition est souvent très défectueuse, tout comme celle de l'humaniste M. Welser, publiée à Augsbourg en 1595[102]. Le texte établi par Jean Bolland est déjà

---

100. LAURENTIUS SURIUS, *De probatis Sanctorum historiis*, t. 1, 1re éd., Cologne 1570, p. 153-161 (texte incomplet) ; 5e éd., Cologne 1618, p. 11-121 (texte complet).

101. Th. MOMMSEN, *op. cit.*, p. XXV.

102. *Historia s. Severini ab Eugippio ante annos MC circiter scripta* etc... d'après un manuscrit conservé à Saint-Emmeram (aujourd'hui Munich, Staatsbibliothek, *14031*, XIe s., fol. 26-35). Il y manque la lettre d'Eugippe à Paschase. Le premier éditeur à avoir publié cette lettre est H. CANISIUS dans les *Antiquae lectiones*, t. 6, Ingolstadt 1604, p. 455-457. La réponse de Paschase avait déjà été éditée par C. BARONIUS dans les *Annales ecclesiasticae*, t. 6, Rome 1595, a. 496.

beaucoup plus sûr[103] : il résulte en effet du collationne-
ment des éditions précédentes et de manuscrits inédits ;
c'est cette version qui a été reproduite sans changement
dans la *Patrologie Latine* de J.P. Migne[104].

Il est à noter que le texte d'Eugippe ne fut pas édité en
Autriche avant le début du XVIIIe siècle. Un premier projet,
dû au baron Job Hartmann von Enenkel et à son collaborateur Hieronymus Megiser au début du XVIIe siècle ne vit
jamais le jour ; de ce projet il ne reste qu'un texte établi
en 1625 et conservé à la bibliothèque du monastère de
Schlierbach (Haute-Autriche)[105]. Le premier éditeur autrichien de la *Vita* fut le savant bibliothécaire de l'abbaye
de Melk, H. Pez, qui publia dans ses *Scriptores rerum
Austriacarum* un texte fondé essentiellement sur un
manuscrit de Melk[106].

Les travaux scientifiques modernes commencent avec
H. Sauppe, qui procura une édition de la *Vita* pour le
Corpus de Berlin[107]. Quelques années plus tard, en 1886,
P. Knoell donnait une nouvelle édition du texte pour le
Corpus de Vienne[108]. Enfin, en 1898, l'illustre Th. Momm-
sen ne dédaignait pas de présenter une version améliorée

---

103. *ASS*, 8. Jan., t. 1, 1re éd., Anvers 1643, p. 484-497 (avec un
commentaire) ; réimpr. *ASS*, t. 1, Paris 1863, p. 483-499.

104. *PL* 62, col. 1167-1200 ; la lettre de Paschase figure au début du
volume, col. 39-40.

105. Schlierbach, Stiftsbibliothek, *27*, 1625, fol. 1-14. On ne sait pas
exactement sur quel manuscrit est fondé ce texte : cf. K. REHBERGER, *art.
cit.*, *Severin-Katalog* p. 28-34.

106. *Scriptores rerum Austriacarum*, t. 1, Leipzig 1721, p. 64-93.
Ce texte a été reproduit par A. MUCHAR dans son ouvrage *Das römische
Noricum*, t. 2, Graz 1826, p. 152-239.

107. *Eugippii Vita sancti Severini*, ed. H. Sauppe, *MG AA* 1, 2,
Berlin 1877, réimpr. 1961.

108. *Eugippii Vita sancti Severini*, ed. P. Knoell, *CSEL* 9, 2, Vienne
1886. Cette édition est critiquée non sans quelque injustice par
Th. Mommsen dans les deux articles intitulés « Eugippiana », *Hermes*, 32
(1897), p. 454-488 et *ibid.*, 33 (1898), p. 160-167.

de la *Vita* « à l'usage des écoles »[109]. Cette édition a fait autorité pendant plus d'un demi-siècle ; elle a été en effet reproduite tant dans les manuels scolaires[110] que dans les collections bilingues[111] ; elle a été reprise pour la dernière fois en 1948 dans les *Editiones Heidelbergenses*[112], malheureusement sous une forme incomplète, puisqu'il y manque l'introduction et l'apparat critique. Il a fallu attendre 1963 pour que paraisse une nouvelle édition critique due au philologue autrichien E. Vetter[113] ; c'est cette édition que nous avons suivie, en nous réservant de signaler par une note les rares passages où nous nous en écartons. Pour ce qui est de la division du texte en chapitres et paragraphes, nous nous sommes conformés à l'usage introduit par H. Sauppe en 1877.

109. *Eugippii vita Severini,* ed. Th. Mommsen, *SRG in usum scholarum ex MGH recusi,* t. 26, Berlin 1898, réimpr. 1978.

110. P. Becker, *Eugippius. Vita sancti Severini,* Aschendorffs Lesehefte zu Aschendorffs Sammlung lat. u. gr. Klassiker, Münster 1935.

111. Par exemple Eugippius, *Leben des heiligen Severin,* übersetzt und erläutert von M. Schuster, Vienne 1946 ; traduction allemande reproduite dans le recueil collectif *Beiträge zur Heimatkunde von Niederbayern,* Landshut 1967, p. 93-131, avec une introduction de G. Spitzlberger, p. 82-93. Il manque malheureusement à cette réédition les *capitula* (le sommaire) et la correspondance entre Eugippe et Paschase. Autre édition, pratiquement contemporaine de celle de Schuster : Eugippius, *Das Leben des heiligen Severin, lateinisch und deutsch.* Übersetzung, Kommentar und Anhang von R. Noll, Linz 1947.

112. Th. Mommsen, *Eugippii Commemoratorium vitae sancti Severini, Editiones Heidelbergenses* 10, Heidelberg 1948. Cette réédition est attribuée à W. Bulst par R. Noll, « Neuere Literatur zur *Vita Severini* », *MIÖG,* 59 (1951), p. 444. Le titre de *commemoratorium* (= mémoire) donné à cet opuscule est tiré de la lettre à Paschase (*Ep. Eug.* 2 ; 3) ; cf. W. Bulst, *art. cit., WaG,* 10 (1950), p. 19.

113. Eugippius, *Das Leben des heiligen Severin,* Einführung, Übersetzung und Erläuterungen von R. Noll, *Schriften und Quellen der Alten Welt,* t. 11, Berlin 1963 ; on trouvera p. 27-35 une étude d'E. Vetter sur la tradition manuscrite et un exposé sur les principes adoptés pour l'établissement du texte.

III. SÉVERIN ET SON TEMPS

Brève histoire du Norique romain[1]

La vie de Séverin a pour cadre le Norique, qui correspond en gros au territoire de l'Autriche moderne (moins
le Tyrol et le Vorarlberg). Érigé en province impériale par
Claude, le Norique était administré par un procurateur de
rang équestre. Ses frontières étaient constituées à l'ouest
par l'Inn[2], au nord par le Danube, au nord-est par le
Wienerwald ; à l'est le tracé suivait la ligne de partage des
eaux jusqu'aux sources de la Mürz, prenait ensuite la
direction du sud-est, longeant la Lafnitz jusqu'au
confluent avec la Raab, bifurquait enfin vers le sud-ouest,
traversant la Mur et la Drave pour atteindre la Save à
l'ouest de *Neuiodunum* (Dernovo, près de Krško/Gurk-
feld a.d. Save) ; au sud la limite était marquée par la Save,

---

1. Sur l'histoire du Norique cf. G. ALFÖLDY, *Noricum*, Londres 1974
(bibliographie p. 352-381) ; G. WINKLER, « Noricum und Rom », *ANRW*,
II/6, Berlin-New York 1977, p. 183-262 (avec une bibliographie exhaus-
tive de 24 p.). Dans le catalogue de l'exposition *Severin zwischen
Römerzeit und Völkerwanderung*, Linz 1982, l'article de H. UBL, « Österreich in Römerzeit », p. 99-109 (bibliographie p. 109-112), rendra les
plus grands services au lecteur en quête d'une première orientation.
2. La frontière suivait le cours de l'Inn jusqu'à la hauteur de Rosen-
heim puis mordait largement sur la rive gauche du fleuve avant d'atteindre le Danube à Passau : cf. G. ULBERT, « Zur Grenze zwischen den
Provinzen Norikum und Raetien am Inn », *BVGBl.*, 36 (1971),
p. 101-123.

puis les Savinjske Alpe, la chaîne des Karawanken, les Alpes carniques et une ligne courant sur les crêtes des Dolomites jusqu'à la hauteur de Brixen/Bressanone ; de là elle remontait vers le nord-est et franchissait les Alpes du Zillertal pour rejoindre l'Inn en amont de Kufstein[3].

A la différence des provinces voisines le Norique ne reçut qu'une mince couverture de troupes sur ses frontières. Il y avait à cela plusieurs raisons : les populations locales n'avaient jamais manifesté d'hostilité ouverte à l'égard de Rome et la province était protégée contre les risques d'invasion par toute une série d'obstacles naturels échelonnés du nord au sud avec les massifs forestiers du Mühlviertel et du Waldviertel, puis le Danube et ses rapides et enfin la barrière montagneuse des Alpes. Le Norique était également couvert sur son flanc nord-est par l'implantation en Pannonie des camps légionnaires de *Carnuntum* (Bad Deutsch-Altenburg) et *Vindobona* (Vienne), qui bloquaient les voies de pénétration vers le sud. On se borna donc à organiser sur le front danubien quelques points d'appui confiés à des cohortes et à des ailes de cavalerie d'une grande mobilité tactique.

Les effets de ce dispositif défensif peuvent se mesurer à la longue période de paix et de prospérité que connut alors le Norique. La stabilité politique ne fit qu'accélérer un processus de romanisation qui avait commencé bien avant l'entrée des soldats romains dans le pays. Les vieilles *ciuitates* rurales se transformèrent rapidement au contact de la civilisation urbaine venue d'Italie et dès 45, sous l'empereur Claude, étaient créées les premiers municipes de la province. Cinquante ans plus tard le Norique faisait déjà figure d'avant-poste et de glacis protecteur pour l'Italie.

---

3. Cf. carte p. 323.

Le choc que provoqua la guerre des Marcomans vers la fin du IIe siècle n'en fut que plus brutal et les traces qu'il laissa furent longues à s'effacer. Les événements avaient surtout montré l'urgence d'un renforcement du potentiel militaire de la province. Aussi une légion fut-elle envoyée sur le Danube pour épauler les formations d'auxiliaires. Vers 175/176 la *legio II Italica* prit ses quartiers à *Lauriacum* (Lorch, près de la ville d'Enns, en Haute-Autriche)[4] et son commandant, un légat de rang prétorien, reçut en même temps le gouvernement de la province. La ville de *Lauriacum*, dont l'importance s'était ainsi considérablement accrue, fut érigée en municipe par Caracalla[5].

A la fin du IIIe siècle, dans le cadre de la réforme administrative entreprise par Dioclétien, le Norique fut divisé en deux provinces de part et d'autre de la chaîne des Tauern : le *Noricum ripense* (Norique riverain) au nord avec *Ouilaua* (Wels, en Haute-Autriche) comme capitale, et le *Noricum mediterraneum* (Norique méditerranéen) au sud avec *Virunum* (dans le Zollfeld, près de Klagenfurt, en Carinthie) comme chef-lieu administratif[6]. Enfin, pour renforcer le *limes* danubien, une légion supplémentaire fut envoyée dans le pays : la *legio* I *Noricorum*[7].

Les IVe et Ve siècles voient la désintégration progressive des structures de l'Empire romain. Dans ce processus

---

4. Sur l'histoire de la *legio II Italica* : cf. G. WINKLER, « Die Legio II Italica. Geschichte und Denkmäler », *JOÖMV*, 116 (1971), p. 85-138.

5. Sur *Lauriacum* en général : cf. G. WINKLER, *s.v.* « Lauriacum », *PW*, Suppl. 14 (1974), col. 221-225 ; H. VETTERS, « Lauriacum », *ANRW*, II/6, Berlin-New York 1977, p. 355-379.

6. Les deux nouvelles provinces étaient gouvernées par des *praesides* de rang équestre et rattachées au diocèse d'*Illyricum*.

7. Les effectifs de cette légion étaient répartis entre (*Ad*) *Iuuense* (Wallsee ?) et *Fauianae* (Mautern) : cf. G. WINKLER, « Lorch zur Römerzeit », dans *Severin Katalog*, Linz 1982, p. 143.

complexe il est difficile de faire la part respective de l'appauvrissement économique, de l'affaiblissement militaire et de migrations de population impossibles à contrôler[8]. A la mort de Théodose en 395 la pression des Barbares s'accentua sur le Moyen-Danube ; les Quades et les Marcomans franchirent le *limes*, envahirent le Bassin de Vienne et poussèrent jusqu'à l'Adriatique sans rencontrer de résistance notable. La Pannonie échappait pratiquement à l'emprise du pouvoir central et c'était désormais tout le flanc est du Nordique qui était à découvert. Les Vandales et les Alains furent les premiers à s'engager dans la brèche ainsi ouverte ; en 401 ils remontèrent le Danube pour se répandre ensuite en Rhétie. Ils furent suivis en 406 par une nouvelle horde de Vandales et d'Alains auxquels s'étaient joints des Suèves et des « Pannoniens »[9].

Quand, un quart de siècle plus tard, la Pannonie première fut cédée aux Huns par Aetius[10], le Norique se trouva placé dans le voisinage immédiat du puissant « empire des steppes ». L'expédition d'Attila en Occident emprunta la route du Danube à l'aller comme au retour, accumulant les ruines sur son passage[11]. La mort d'Attila

---

8. Sur toute cette période nous renvoyons à l'exposé de H. WOLFRAM, qui pose très clairement les problèmes de l'ethnogenèse à la fin de l'Antiquité : « Die Geschichte Österreichs vor der Entstehung Österreichs », *AAWW*, 117 (1980), p. 108-123, en part. p. 112-116.

9. Cf. E. STEIN, *Histoire du Bas-Empire*, t. 1, Paris 1959, p. 250. C'est Jérôme qui mentionne dans une lettre les « ennemis pannoniens » parmi les envahisseurs barbares : JÉR., *ep.* 123, 16 (*PL* 22, col. 1057) ; il faut sans doute entendre par là des habitants romanisés des Pannonies : cf. É. DEMOUGEOT, *De l'unité à la division de l'Empire romain* (395-410), Paris 1951, p. 381.

10. PRISCOS (éd. C. Müller, FHG IV, Paris 1885), p. 89 = *Excerpta de legationibus* (éd. C. de Boor, Berlin 1903), p. 140. Cf. A. ALFÖLDI, *Der Untergang der Römerherrschaft in Pannonien*, t. 2, Berlin 1926, p. 90 et A. MÓCSY, *s.v.* « Pannonia », *PW*, Suppl. 9 (1962), col. 582.

11. Le camp militaire et la ville civile de *Lauriacum* furent détruits

en 453 fut suivie de la « libération » des peuples germaniques, impatients de secouer le joug de la domination
hunnique[12]. Les migrations de population reprirent alors
avec une nouvelle intensité dans les pays danubiens ; sur
des territoires qui restaient théoriquement sous la souve-
raineté de l'Empire romain, des « royaumes » germaniques aux frontières mouvantes se faisaient et se défai-
saient sans qu'aucune force ne soit en mesure de s'imposer durablement. C'est cette dernière phase de l'histoire
du Norique romain qui forme l'arrière-plan de la Vie de
Séverin.

La fin de la domination romaine

Que restait-il au juste de la puissance romaine dans le
Norique riverain au milieu du ve siècle ? La frontière
danubienne ne méritait sans doute plus ce nom ; depuis
longtemps perméable à toutes les infiltrations, elle avait
été privée de ses troupes de manœuvre par Stilicon[13]. Le
retrait des unités mobiles[14] obligeait à recourir à des
fédérés « barbares » pour combler les vides. Si ces nouvelles formations ont pu maintenir un temps la fiction d'une
présence militaire romaine et perpétuer certaines repré-

lors du raid d'Attila, comme l'ont montré les travaux de H. VETTERS :
art. cit., ANRW, II/6, 1977, p. 376 (avec références bibliographiques).

12. La bataille finale eut lieu sur la rivière Nedao. Ce cours d'eau n'a
pas encore pu être localisé avec précision par les historiens modernes.
D'après l'hypothèse la plus récente il s'agirait de la Leitha : cf. W. STEIN-
HAUSER, « Der Name Leitha und die Hunnen », JLNÖ, 36 (1964), p. 844.

13. Cf. S. MAZZARINO, Stilicone, Rome 1942, p. 128.

14. Nous ne disposons pas de renseignements précis sur la date de ce
retrait, mais il est possible que le transfert des unités mobiles ait
commencé dès 395 lors du premier séjour de Stilicon dans cette région
et qu'il se soit poursuivi en 401 pour répondre à des nécessités urgentes :
cf. G. WIRTH, « Anmerkungen zur Vita des Severin von Noricum », Quaderni Catanesi, 1 (1979), p. 229 n. 20.

sentations traditionnelles fixées dans la *Notitia dignitatum*[15], leur efficacité tactique était plus que douteuse[16].

Après l'effondrement de l'empire hunnique le gouvernement impérial a dû prendre des mesures pour garder le contrôle d'une situation qui risquait de lui échapper totalement. Mais, là encore, il ne faut pas s'exagérer les résultats d'une telle entreprise, car l'insuffisance des moyens mis en œuvre ne permettait sûrement pas à un pouvoir faible et mal assuré de mener une action à long terme. Les renseignements fragmentaires que nous livre la *Vita Seuerini* sont le plus souvent d'une interprétation délicate ; le risque est donc grand de généraliser à partir d'exemples isolés et de dresser le constat de carence de l'armée romaine[17] ou, au contraire, de brosser un tableau idéal des défenses du *limes*[18]. Si Eugippe n'est guère prodigue de détails sur le recrutement et la composition des unités qu'il mentionne au cours de son récit, il ne faudrait pas croire pour autant que les troupes stationnées sur la frontière danubienne comptaient uniquement des Barbares dans leurs rangs ; l'épisode de *Comagenae* montre bien que les fédérés coexistaient avec des soldats romains, puisqu'ils forcent ceux-ci à leur ouvrir les portes avant de prendre la fuite (*VS*, 2, 1). La population ne semble d'ailleurs pas avoir eu une confiance excessive dans la protection qu'offraient ces Barbares (*VS*, 1, 4). A côté des fédérés il y avait aussi des soldats affectés à la garde du *limes* (*VS*, 20, 1) et tout porte à

---

15. Les corps de troupe stationnés dans le Norique sont énumérés au ch. XXXIV, 31-46 (*Notitia dignitatum omnium tam civilium quam militarium*, ed. O. SEECK, Berlin 1876, réimpr. Francfort 1962, p. 197).

16. Sur cette évolution cf. G. WIRTH, *art. cit.*, *loc. cit.*, p. 230 n. 22.

17. C'est le cas, notamment, de G. ALFÖLDY, *op. cit.*, p. 213.

18. Cf. F. LOTTER, *Severinus*, p. 206 et 269.

croire que ces derniers étaient pour la plupart originaires de la région[19]. Eugippe atteste notamment la présence d'unités régulières à *Fauianae* (*VS*, 4, 2) et *Bataua* (*VS*, 20, 1) et rien n'interdit de voir dans ces garnisons les « reliquats » des détachements mentionnés dans la *Notitia dignitatum*. La maigreur des effectifs (« J'ai bien quelques soldats à ma disposition », affirme le tribun Mamertinus, *VS*, 4, 2) doit cependant nous inciter à garder le sens des proportions et à ne pas forcer la comparaison avec le dispositif complexe décrit à la fin du IVe siècle dans cette liste de troupes[20]. Il n'est fait aucune allusion par ailleurs à d'autres unités sur le *limes* ou encore à l'arrière ; il est donc difficile d'imaginer un système de défense organisé en profondeur[21]. La protection assurée à la population ne devait sans doute pas dépasser les limites des agglomérations (« bourgs » et *oppida*) ; quant au plat pays, il était laissé à la merci des bandes de pillards qui écumaient la campagne. La capacité opérationnelle de ces formations de « garde-frontières » peu nombreuses et mal aguerries ne devait pas être

---

19. Les quarante hommes chargés de garder la ville de *Bataua*, alors que presque tous les autres habitants étaient occupés à la récolte (*VS* 22, 4), faisaient sans doute partie du corps de troupe mentionné dans cette même localité au ch. 20, 1.

20. Cf. n. 15 *supra*.

21. L'argument *e silentio* est certes d'un maniement délicat, surtout à propos d'une source hagiographique. Les renseignements que nous livre Eugippe sur la situation politique et militaire servent avant tout à illustrer par des détails concrets l'action du saint ; mais, pour l'auteur, ils restent secondaires et ne doivent jamais détourner l'attention du lecteur de l'essentiel, qui est l'intervention de Dieu en faveur de ses serviteurs (cf. *VS*, 4, 4). Le silence d'Eugippe sur un fait, un événement ou une institution ne peut donc avoir valeur de preuve ; la connaissance que nous avons des structures administratives et militaires du Norique étant ainsi relativement limitée, les réflexions que nous proposons relèvent plus du domaine des probabilités que de celui des certitudes.

élevée[22] et l'épisode rapporté au ch. 4 en dit long sur l'esprit offensif des soldats et de leurs officiers[23].

On aurait tort toutefois de voir dans ces soldats des paysans en armes ou des miliciens bénévoles ; Eugippe affirme en effet que les soldats chargés de la garde du *limes* étaient rémunérés sur les fonds publics (*VS*, 20, 1). Cette précision est intéressante, car elle nous permet de comprendre comment le système défensif du *limes* s'est progressivement désagrégé après avoir survécu tant bien que mal aux différentes vagues d'invasion. Eugippe explique en effet, dans le même chapitre, que les troupes se débandèrent lorsqu'elles cessèrent d'être régulièrement payées (*VS*, 20, 1). Ce n'est donc ni une attaque généralisée ni une infiltration renforcée des Barbares qui a entraîné la dislocation définitive du système mais bien l'arrêt du versement de la solde[24].

Avec la disparition des quelques pôles défensifs qui subsistaient encore sur la frontière danubienne, la population romanisée, réduite à ses propres forces, ne pouvait plus résister à la pression de groupes barbares souvent en état de supériorité numérique. Ce déséquilibre dans le rapport des forces fut sans doute aggravé par les nouvelles turbulences qui agitèrent les peuples germaniques à la suite du vide laissé en Pannonie par le départ des Ostrogoths en 472[25].

---

22. Les doutes émis par A. Alföldi, *op. cit.*, t. 2, p. 71-83 et A. Mócsy, *art. cit.*, *PW*, Suppl. 9 (1962), col. 582, sont à cet égard justifiés.

23. « ... je n'ose pas engager le combat contre un ennemi aussi nombreux », répond le tribun Mamertinus à Séverin.

24. Il est permis de faire toute sorte d'hypothèses pour expliquer ce fait ; F. Lotter, *op. cit.*, p. 315, le met en relation avec l'« usurpation » d'Odoacre en 476, mais on peut tout aussi bien penser à une famine ou à des difficultés de circulation.

25. Cette hypothèse est suggérée par G. Wirth, *art. cit.*, *loc. cit.*, p. 237 et 257.

A la lecture de la *Vita* nous pouvons suivre pas à pas l'exode des habitants des villes danubiennes en direction de l'est. C'est en effet à l'ouest de l'Enns que la menace latente se transforma en un danger réel mettant en question jusqu'à l'existence des populations intéressées. Ainsi, au ch. 27 nous apprenons que les habitants de *Quintanae*, la localité la plus à l'ouest de toutes celles qui sont citées dans le texte, reculèrent devant les attaques par trop fréquentes des Alamans et se réfugièrent à *Bataua*. La victoire remportée par les Romains sur les Alamans en ce lieu (*VS*, 27, 2) ne marqua qu'un bref répit dans la migration vers l'aval. Séverin exhorta en effet la population locale, grossie des réfugiés de *Quintanae*, à partir pour *Lauriacum* ; il l'avertit en même temps que ce séjour à *Lauriacum* serait de courte durée, la cité devant être elle aussi évacuée en raison des incursions incessantes des Barbares. Finalement, les réfugiés durent quitter *Lauriacum* pour être répartis dans les villes tributaires des Ruges, à la suite d'un accord conclu entre Séverin et le roi Feletheus (*VS*, 31). Séverin avait donc reconnu assez vite l'impossibilité qu'il y avait à maintenir partout une présence romaine dans le Norique riverain après l'effondrement du système défensif du *limes* ; il s'était alors résolu à prêcher l'évacuation des villes situées à l'ouest de l'Enns, très exposées aux raids des Alamans et des Thuringiens, et à placer les réfugiés sous la protection des Ruges à l'est de l'Enns.

Ruges et Romains : à la recherche d'un *modus vivendi*

Venus de la Baltique, les Ruges, au milieu du IVe siècle, exercent leur poussée vers le sud-est, remontent l'Oder et passent en Silésie. Au début du Ve siècle ils sont en

Moravie, d'où ils chassent les Quades vers 406[26]. Après la chute d'Attila une fraction du peuple ruge entre au service de l'Empire d'Orient et s'établit en Thrace, près des villes de Bizye et d'Arcadopolis[27].

Mais le gros des Ruges s'installe dans la région qui devait prendre plus tard le nom de *Rugiland*. Dans l'état actuel des sources, il faut être prudent quand on essaye de préciser les limites géographiques du royaume ruge. A cet égard, il est nécessaire de distinguer entre la zone de peuplement proprement dite et la zone soumise à l'influence politique de la dynastie régnante, au sud du Danube, dans le province du Norique riverain.

Au nord du fleuve les Ruges occupaient un territoire allant de la retombée orientale du Waldviertel en Basse-Autriche au coude du Danube à Korneuburg et aux Leiser Berge[28]. Vers le nord leur domaine s'arrêtait sans doute aux confins de la Moravie[29].

Il n'est pas question de résumer ici l'histoire du royaume ruge ; mais il faut bien rappeler quelques faits saillants si l'on veut circonscrire maintenant non plus la zone de peuplement mais la « sphère d'influence » de ce peuple germanique.

---

26. Cf. É. DEMOUGEOT, *La formation de l'Europe et les invasions barbares*, t. 2, Paris 1979, p. 252-253.

27. JORDANES, *Getica*, 266 (ed. MOMMSEN, *MG AA*, 5, p. 2).

28. Cf. H. MITSCHA-MÄRHEIM, *Dunkler Jahrhunderte goldene Spuren. Die Völkerwanderungszeit in Österreich*, Vienne 1963, p. 71. Certains historiens estiment que le royaume ruge s'étendait à l'est jusqu'à la March/Morava : cf. J. ŠAŠEL, « *Antiqui Barbari*. Zur Besiedlungsgeschichte Ostnoricums und Pannoniens im 5. u. 6. Jahrhundert nach den Schriftquellen », dans *Von der Antike zum Mittelalter* (*VF*, 25), Sigmaringen 1979, p. 130.

29. E. BENINGER, « Die Kunstdenkmäler der Völkerwanderungszeit vom Wiener Boden », dans R.K. DONIN, *Geschichte der bildenden Kunst in Wien*, t. 1, Vienne 1944, p. 126, suppose que les Ruges étaient établis dans les districts (*Bezirke*) de Horn, Raabs (tous deux en Basse Autriche) et Znaim (auj. Znojmo en Tchécoslovaquie).

Les relations entre les Ruges et la population romaine du Norique riverain sont passées de la coexistence forcée à un protectorat de moins en moins déguisé. L'étape décisive dans cette évolution semble bien avoir été le départ des Ostrogoths de la Pannonie voisine en 472. Jusque-là les rapports avaient été plutôt tendus entre les deux peuples ; les princes des Ostrogoths avaient notamment empêché le roi Flaccitheus de descendre en Italie comme il en avait l'intention (*VS*, 5, 2), et entretenaient une menace constante sur la sécurité du royaume ruge. Dans ces conditions, il n'est pas surprenant que le roi Flaccitheus se soit joint à la coalition des peuples germaniques dirigée contre l'hégémonie ostrogothique dans le bassin danubien[30]. Les coalisés subirent une lourde défaite sur la rivière Bolia en 469 et seul le retrait volontaire des Ostrogoths en 472 écarta définitivement tout danger d'invasion, voire d'anéantissement, pour les peuples voisins. Les Ruges profitèrent sans doute de cette conjoncture favorable pour étendre leur sphère d'influence au sud du Danube et pour parfaire leur emprise sur la population romaine dans l'est du Norique riverain.

Sous le règne de Feletheus ou Fewa, le fils et le successeur de Flaccitheus, ils contrôlaient un territoire allant de l'Enns au Wienerwald. A l'ouest, la ville de *Lauriacum* échappait à leur mainmise, comme on le voit au ch. 31 ; à l'est ils étaient installés en face de *Comagenae* (Tulln) (*VS*, 33). On ne sait jusqu'où s'exerçait leur autorité à l'intérieur de la province : peut-être leur faiblesse numérique[31] leur interdisait-elle de trop s'éloigner des rives du Danube.

---

30. Cf. R. WENSKUS, « Die germanischen Herrschaftsbildungen des 5. Jahrhunderts », dans Th. SCHIEDER (éd.), *Handbuch der europäischen Geschichte*, t. 1, Stuttgart 1976, p. 220-221.

31. Les Ruges ne devaient pas être très nombreux pour se sentir

Le royaume ruge proprement dit, au nord du fleuve, ne devait pas être densément peuplé. Les régions économiquement les plus importantes n'étaient pas les plaines alluviales situées le long du Danube mais le secteur compris entre le Kamp (Bassin de Horn) et le Göllersbach (Bassin de Hollabrunn), ainsi que la vallée de la Zaya, dans la partie nord-est de la Basse-Autriche. La colonisation germanique n'est sans doute limitée pour l'essentiel à ce territoire déjà mis en valeur par les occupants antérieurs.

Il est bien difficile par ailleurs de se faire une idée de la vie économique dans le royaume. La population du territoire devait être en majorité ruge, sans qu'il soit possible d'avancer des chiffres, même approximatifs. Les Romains installés au nord du Danube n'étaient ni des colons ni des travailleurs de condition libre ; c'était pour la plupart des provinciaux emmenés de force pour exécuter les plus viles corvées (*VS*, 8, 2). On ignore naturellement l'ampleur de ce phénomène de déportation ou de travail forcé. En dehors des Ruges et des Romains Eugippe mentionne encore la présence à la « cour » d'orfèvres « barbares », étroitement surveillés et chargés de fabriquer des bijoux pour la famille royale (*VS*, 8, 3). Le terme de « barbares », très vague, permet toutes les suppositions sur l'appartenance ethnique de ces artisans[32]. Eugippe nous donne

---

menacés par la « masse innombrable » des Ostrogoths (*VS*, 5, 1). En effet, ceux-ci représentaient — toutes tribus réunies — au maximum 20 000 hommes en état de porter les armes : cf. H. Löwe, « Theoderichs Gepidensieg im Winter 488/489 », dans K.E. Born (éd.), *Historische Forschungen und Probleme. Peter Rassow zum 70. Geburtstag*, Wiesbaden 1961, p. 13 n. 64.

32. Pour E. Beninger, *Die Germanenzeit in Niederösterreich*, Vienne 1934, p. 99, ce sont des prisonniers de guerre ostrogoths ; pour H. Aubin, *Handbuch der deutschen Wirtschafts- u. Sozialgeschichte*, t. 1, Munich 1971, p. 52, il s'agit de captifs originaires de la région pontique.

encore quelques maigres indications sur les formes de l'activité économique dans le territoire ruge. Ainsi, il est question d'un marché (*VS*, 6, 4), situé vraisemblablement à proximité de *Fauianae*. Les Romains devaient venir régulièrement à ces marchés, puisque Séverin y envoie tout naturellement un de ses émissaires chercher les reliques des saints Gervais et Protais (*VS*, 9, 1). Il faut en conclure qu'il existait un certain courant d'échanges entre les deux rives du fleuve[33] ; malheureusement le texte ne nous dit rien des marchandises qui faisaient l'objet de ces échanges. On peut supposer qu'il s'agissait d'un côté de céréales et de l'autre d'outils, de vêtements, de fourrures.

La vie sociale dans le royaume ne nous est guère mieux connue que la vie économique. La société ruge, telle qu'elle apparaît dans le récit d'Eugippe, est assez indifférenciée, à l'image de la société romaine qui lui fait face. Le peuple ruge n'est présent qu'à travers quelques individualités bien typées[34] qui viennent implorer le saint d'accomplir un miracle. C'est avant tout la famille royale qui est au centre de l'action. Il y a dans cette constatation sans doute plus qu'une simple coïncidence ; les détenteurs du pouvoir, en effet, n'ont pas manqué d'être sensibles à l'ascendant moral et à l'autorité charismatique de Séverin et ont donc cherché de bonne heure à nouer avec lui des relations privilégiées, gage de la pérennité de la dynastie[35]. Il est fait une fois allusion à un noble (*VS*, 33, 1), ce

33. Il est également question de chariots qui traversent le fleuve gelé en hiver (*VS*, 4, 10).

34. La veuve qui implore la guérison de son fils atteint de la goutte (*VS* 6, 1) rappelle la veuve de Naïm, et le noble ruge de *Comagenae* l'officier royal de Capharnaüm (*VS*, 33, 1).

35. Ferderuchus souligne explicitement cet aspect des relations entre son père et le saint : « ... comme notre père Flaccitheus, qui apprit par l'expérience de quels secours furent toujours pour lui les mérites de ta sainteté » (*VS*, 42, 2).

qui est sûrement un indice de l'existence de cette couche
sociale. Le reste du peuple est constitué d'hommes libres
sur lesquels nous n'avons aucun renseignement précis.

Les rafles ordonnées par la reine Giso sur la rive sud du
Danube (*VS*, 8, 2) posent le problème des rapports entre
Ruges et Romains. L'attitude des Ruges à l'égard de la
population provinciale du Norique riverain apparaît, à la
lecture de la *Vita*, différente de celle des autres peuples
barbares[36]. Ainsi, à propos des Thuringiens et des Alamans, n'est-il question que de pillages, de destructions ou
de massacres. Le roi des Alamans, Gibuld, se laisse un
moment fléchir par les paroles de Séverin mais revient
très vite à une politique de force, comme le prouvent le
raid poussé jusque dans le Norique méditerranéen (*VS*,
25, 3) ou les attaques lancées contre *Quintanae* (*VS*, 27,
1). Le roi Feletheus, au contraire, par habileté ou par
conviction, fustige le comportement de ses voisins alamans et thuringiens, laissant entendre qu'il est disposé à
traiter équitablement les provinciaux placés sous son
autorité (*VS*, 31, 4). Les négociations menées entre Séverin et le roi nous permettent de saisir la nature des
rapports qui s'instaurent à partir de cette date entre les
Ruges et la population romaine dans l'est du Norique
riverain. Le choix des termes est particulièrement révélateur de la nouvelle situation créée par l'effondrement du
limes ; Séverin parle en effet d'habitants soumis (*VS*, 31,
3) et sujets (*VS*, 31, 5). Le sort de la population romaine
dépend donc du bon vouloir d'un roi barbare ; il ne s'agit
plus d'une alliance, même fictive, entre deux partenaires
supposés égaux en droit, mais bien d'un protectorat
fondé sur la force des armes. Les accords « pacifiques »
(*VS*, 31, 6) mentionnés par Eugippe ne visent qu'à régler

---

36. Cf. H. Zeiss, « Die Donaugermanen und ihr Verhältnis zur römischen Kultur nach der *Vita Severini* », *OBGM*, 17 (1928), p. 9-10.

l'installation des réfugiés dans les villes « protégées » ; l'opération s'effectue dans l'ordre et sous la direction de Séverin et non sous la pression d'une armée barbare aux réactions souvent incontrôlables. Les villes placées sous la protection des Ruges sont qualifiées de « tributaires » (*VS*, 31, 4) ; le tribut en question est le prix payé par les Romains pour leur sécurité. La coexistence entre Ruges et Romains ne devait pas être trop difficile en général ; Eugippe précise même qu'ils vivaient en bonne intelligence (*VS*, 31, 6). Les deux populations se côtoyaient d'ailleurs sans se mélanger puisque les Ruges habitaient au nord du Danube et que, hormis quelques garnisons, ils n'avaient pas d'établissements dans le Norique riverain.

Les provinciaux ont donc échangé une liberté politique, qui n'était plus qu'une fiction faute d'une force militaire suffisante pour la faire respecter, contre une sécurité au moins relative. De leur côté, les Ruges assuraient à bon compte la prospérité économique de leur royaume en exploitant une main-d'œuvre réduite à merci. Certes, il est malaisé de définir exactement le statut juridique de la population romaine vivant sous le protectorat ruge. Il est probable qu'elle avait conservé une certaine liberté personnelle, mais elle n'était nullement à l'abri des abus de pouvoir, imputables notamment aux membres de la famille royale[37].

L'équilibre fragile qui s'était instauré entre Ruges et Romains tenait avant tout à la personnalité de Séverin, qui apparaît pendant toute cette période comme le défenseur attitré, l'avocat inlassable et l'intercesseur obligé de la population provinciale. Cet équilibre a dû se maintenir pour l'essentiel après la mort du saint, même si, à l'occa-

---

37. À cet égard, on peut relever le contraste, constamment souligné par Eugippe, entre la mansuétude du roi Feletheus et la « cruauté » de la reine Giso (*VS*, 8, 1 ; 40, 3).

sion, Eugippe nous rapporte les exactions du prince Ferderuchus à *Fauianae* (*VS*, 44, 1-3).

Une telle « coexistence pacifique » nous amène à nous interroger sur le rôle de la population romaine dans la confrontation finale entre les Ruges et les troupes d'Odoacre. A l'origine de la guerre il y a incontestablement la volonté de l'empereur d'Orient Zénon d'utiliser les Ruges comme masse de manœuvre contre un prince barbare trop entreprenant[38]. Odoacre, mis au courant des intrigues de la Cour de Constantinople, résolut de frapper le premier en se portant à la rencontre des Ruges à l'automne 487. On peut estimer à première vue que la population provinciale observa une attitude de stricte neutralité dans cette lutte confuse entre « Barbares ». Elle n'avait de toute façon rien à gagner dans une guerre qui se déroulait sur son territoire avec son cortège habituel de pillages et de destructions. A tout prendre elle préférait sans doute l'état de prospérité relative dont elle jouissait sous le protectorat ruge à la présence des troupes barbares d'Odoacre.

L'expédition d'Odoacre se termina par la défaite des Ruges, la capture du couple royal et la fuite du jeune prince Frédéric. Le retour inopiné de celui-ci obligea Odoacre à envoyer sur le Danube son frère Onoulf à la tête d'une nombreuse armée, signe que l'adversaire était encore redoutable. Les Ruges furent battus une nouvelle fois, Frédéric s'enfuit auprès de Théodoric pour préparer sa revanche et Odoacre donna ordre à la population romaine de quitter le Norique riverain pour se réfugier en Italie (*VS*, 44, 5). L'événement est souvent présenté comme une libération ; Eugippe lui-même ne parle-t-il

---

38. Sur la genèse du conflit nous renvoyons à E. Stein, *op. cit.*, t. 2, p. 53 et A. Lippold, *s.v.* « Zenon », *PW* II Hbd. 19 (1972), col. 191s.

pas de la fuite hors d'Égypte et de l'Exode vers la Terre Promise (*VS*, 44, 6) ? En réalité, il semble bien que les provinciaux, ou tout du moins une partie d'entre eux, aient été contraints d'abandonner leur pays pour suivre l'armée d'Onoulf[39].

Quels pouvaient être les motifs d'un tel transfert de population ? Odoacre, instruit par l'expérience, a sans doute voulu empêcher la reconstitution du royaume ruge sous la direction de Frédéric, désormais allié à l'Ostrogoth Théodoric. Il a ainsi cherché à faire le vide derrière lui, concentrant ses forces en Italie dans l'attente du choc final avec l'armée de Théodoric.

Quoi qu'il en ait été des intentions d'Odoacre, il est douteux que tous les provinciaux du Norique riverain aient suivi l'ordre de départ communiqué par Onoulf. On sait que la population « romaine » s'est maintenue, au moins en partie, à l'ouest de l'Enns pendant plusieurs siècles encore[40]. A l'est de l'Enns les opérations d'évacuation ont dû être plus radicales et tout laisse à penser que les villes, en particulier, ont été vidées de leurs habitants. A la campagne, en revanche, la population a pu rester sur place, mais ici les témoignages de l'archéologie et de la toponymie sont beaucoup moins nombreux qu'à l'ouest de l'Enns[41].

---

39. Les termes utilisés par Eugippe ne laissent guère de doutes sur le caractère de cet exode (*VS*, 44, 5). Les provinciaux ont bel et bien été forcés de partir : cf. F. LOTTER, *Severinus*, p. 230.

40. Cf. H. VETTERS, « Das Problem der Kontinuität von derAntike zum Mittelalter in Österreich », *Gymnasium*, 76 (1969), p. 197-198.

41. Sur la question de la continuité de la civilisation romaine, au moins à son niveau le plus humble : cf. F. PRINZ, « Fragen der Kontinuität zwischen Antike und Mittelalter am Beispiel Bayerns », *ZBLG*, 37 (1974), p. 704-708.

IV. PORTRAIT
D'UN INTERCESSEUR

La personne de Séverin est entourée d'un halo de mystère qui intriguait ses compagnons aussi bien que ses visiteurs. Rares étaient cependant ceux qui se hasardaient à lui poser des questions sur ses origines. Eugippe nous rapporte le cas d'un visiteur, plus téméraire que les autres, qui reçut en guise de réponse une boutade propre à décourager tout accès de curiosité chez les interlocuteurs de Séverin : « Si tu me prends pour un esclave fugitif, prépare donc la somme que tu es prêt à payer pour moi le jour où on me réclamera » (*Ep. Eug.*, 9). Séverin, il est vrai, fit suivre cette repartie un peu vive de propos plus sérieux qui visaient à justifier le silence qu'il maintenait volontairement sur ses ascendances : « Qu'importe à un serviteur de Dieu d'indiquer son lieu de naissance et sa race, quand il peut éviter plus facilement, en les taisant, de succomber à la vantardise, qui est toujours un mal ? » (*Ep. Eug.*, 9). L'intéressé lui-même déniant, par humilité chrétienne, toute valeur tant au lieu de naissance qu'à la famille, il ne nous faut pas attendre de sa part le moindre renseignement sur ces points. Eugippe précise cependant que par sa façon de parler Séverin était « un vrai Latin » (*Ep. Eug.*, 10). Cette remarque est importante car elle révèle que le saint était originaire de la partie occidentale de l'Empire[1] et qu'il appartenait sans doute à l'élite cultivée de la société.

Eugippe, dans la lettre adressée à Paschase, fournit, à défaut d'une biographie complète de l'homme de Dieu, quelques points de repère utiles au lecteur. Séverin, dans sa recherche de la perfection chrétienne, se retira dans un désert d'Orient pour y mener une vie d'ermite ; de là, poussé par une révélation divine, il se rendit dans le Norique riverain pour se mettre au service d'une population durement éprouvée par les incursions des Barbares. La date de son arrivée dans la province danubienne est indiquée, au moins de manière approximative, à la première ligne de la *Vita* : elle se situe à l'époque des troubles qui suivirent l'effondrement de l'empire d'Attila, donc vers 454/455.

Avec ces quelques éléments épars et avec les autres détails que nous livre Eugippe sur la personnalité de Séverin, il nous faut essayer de tracer le portrait d'un intercesseur, d'un envoyé de la Providence, d'un homme qui apparaît comme le guide spirituel et le secours temporel de la population romaine tout au long de ces années d'épreuves qui précèdent l'exode en Italie.

Un personnage charismatique

Dans l'activité inlassable que déploie Séverin au service d'une cause qu'il a faite sienne non sans quelques déchirements[2], il n'est pas aisé — et il n'est peut-être pas

---

1. Le terme de *Latinus* n'implique pas nécessairement que Séverin était originaire d'Italie, comme le pense R. ZINNHOBLER, « Wer war St. Severin ? », dans *Severin-Katalog*, Linz 1982, p. 11. Il pouvait très bien venir d'une autre province de l'Empire d'Occident.

2. Il y a au cœur de la personnalité de Séverin une tension entre l'aspiration à la « vie contemplative » et les nécessités de la « vie active ».

possible — de séparer le religieux du profane tant les
deux domaines sont inextricablement mêlés dans le récit
d'Eugippe. Ainsi, la tâche que s'est assignée Séverin nous
est présentée d'emblée comme étant d'origine divine (*Ep.*
Eug., 10), ce qui semble exclure toute autre source de
légitimité. Séverin lui-même n'invoque jamais d'autre
titre que sa qualité d'envoyé de Dieu pour imposer son
autorité. Ni évêque ni prêtre, il n'hésite pourtant pas à
mettre sur le même plan la mission dont il est investi et
la fonction dont est revêtu le prêtre Primenius : « Sache
seulement que Dieu, qui t'a fait prêtre, m'a donné à moi
pour mission de secourir ces hommes dans les dangers
qu'ils traversent » (*Ep. Eug.*, 9). Le propos d'Eugippe est
donc clair : la vie et l'œuvre de Séverin sont inséparables
de l'intervention de Dieu dans l'histoire des hommes, elles
sont un témoignage rendu à sa gloire et une manifestation
de sa grâce infinie. Et pour que nul ne s'y trompe, Séverin
est qualifié dès la première ligne de la *Vita*, de « serviteur
de Dieu » (*VS*, 1, 1). Cette dénomination se retrouve sous
les formes les plus diverses tout au long du texte : Séverin
se voit indifféremment appliquer les épithètes de « saint »
ou de « très saint » et de « bienheureux » ou de « très
bienheureux ». Eugippe ne mentionne jamais le nom du
saint sans le faire précéder d'un de ces adjectifs stéréoty-
pés, et, quand il lui arrive d'omettre le nom, il le remplace
par un qualificatif qui suffit à désigner le saint sans
équivoque possible : « l'homme de Dieu », « le serviteur de
Dieu », « le saint homme », « le bienheureux », « le saint »,
« le serviteur du Christ »[3]. Toutes ces formules ne sont que
des variations autour du thème biblique de « l'homme de

De ce tiraillement entre deux exigences contradictoires (ou peut-être
complémentaires) naît un équilibre précaire dont Eugippe porte témoignage ici et là (*VS*, 9, 4 par ex.).

3. Cf. H. BALDERMANN, *art. cit.*, II, *WS*, 77 (1964), p. 164.

Dieu », thème repris et amplifié par l'hagiographie monastique depuis la « Vie d'Antoine » d'Athanase[4]. Le choix et l'emploi de ces termes révèlent une conception de la sainteté qui trouve ses racines dans la spiritualité des Pères du Désert. Mais le vocabulaire n'est pas seul en cause ici ; c'est tout le portrait de Séverin qui est inspiré d'un idéal de sainteté propre au monachisme oriental. Ainsi, dans le dialogue avec Primenius, Eugippe met dans la bouche de Séverin un argument cher aux ascètes dès qu'il est question de leurs origines géographiques ou familiales : « Si tu reconnais que, moi indigne, j'aspire vraiment à cette patrie (d'en-haut), pourquoi faut-il que tu connaisses ma patrie terrestre, sur laquelle tu me questionnes ? » (*Ep. Eug.*, 9). On aura reconnu, sous une forme légèrement différente, le thème de la naissance céleste qui court à travers toute l'hagiographie monastique : la conversion a pour effet d'effacer le passé, elle marque le point de départ d'une vie nouvelle, tendue vers la patrie céleste, et déjà détachée des biens de ce monde.

En plusieurs endroits de la *Vita*, Eugippe prête à Séverin des déclarations sans équivoque sur les nécessités du renoncement et du sacrifice dans la vie monastique. Ainsi, au ch. 9, le saint, soucieux de donner une règle à ses moines les exhorte à suivre les traces des bienheureux Pères (du Désert) et à ne pas se laisser reprendre par le « monde » après lui avoir tourné le dos. Pour illustrer son propos il leur rappelle l'exemple terrible de la femme de Loth, changée en statue de sel pour avoir regardé derrière

---

4. Cf. B. STEIDLE, « *Homo Dei Antonius*. Zum Bild des « Mannes Gottes » im alten Mönchtum », dans *Antonius Magnus Eremita* (*Studia Anselmiana*, 38), Rome 1956, p. 148-200. Sur la continuité de cet idéal de l'« homme de Dieu » dans l'hagiographie monastique : cf. G. PENCO,« Le figure del *vir dei* nell'agiografia monastica », *Benedictina*, 15 (1968), p. 1-13.

elle avant de quitter Sodome (*VS*, 9, 4). On comprend que
dans une telle perspective toute curiosité quant au passé
du saint apparaisse comme déplacée, voire incongrue ;
seule compte en effet la vie éternelle aux yeux de celui qui
est mort à lui-même pour vivre plus près de Dieu. Le
secret que Séverin maintient volontairement sur ses
origines et la discrétion qu'observent naturellement ses
disciples se justifient donc par référence à la doctrine
constante du monachisme oriental. Eugippe, malgré tous
ses efforts, ne pouvait rien contre la « loi du silence » que
Séverin avait imposée à ses premiers compagnons.

L'influence des déserts d'Orient est également sensible
dans le portrait moral qu'Eugippe trace du saint en
plusieurs circonstances. Ainsi, au chapitre 4, Séverin
nous est présenté comme un anachorète qui aspire à se
retirer du monde pour vivre dans un lieu écarté à l'abri
d'une modeste cellule. Sur une inspiration divine il se
décide pourtant à revenir à *Fauianae* pour y fonder un
monastère non loin de la ville[5]. Le passage de l'érémitisme
au cénobitisme ne se fait pas sans difficultés : Séverin ne
renonce à la quiétude de sa cellule que pour obéir à un
ordre exprès de Dieu et d'ailleurs il se ménage une retraite secrète à un mille de *Fauianae* pour échapper à la
foule des visiteurs qui le pressent de toutes parts. Mais
plus il recherche la solitude, plus il est rappelé par des
révélations divines aux exigences de sa mission parmi les
hommes. Cette tension réelle entre deux attitudes oppo-
sées (*VS*, 4, 6)[5bis] ne fait peut-être que traduire une

---

5. *VS*, 4, 6.
5bis. M. Van Uytfanghe, reprenant les termes de J. Fontaine, *op. cit.*,
t. 1 (*SC* 133), p. 149, parle de « rythme évangélique » au sujet de cette
alternance entre vie contemplative et vie active. Le même contraste se
retrouve en effet dans la vie du Christ (*Lc* 5, 15-16). Cf. M. Van
Uytfanghe, *art. cit.*, *Latomus*, 33 (1974), p. 348.

hésitation entre une ascèse rigoureuse de type oriental et une ouverture au monde plus conforme à l'esprit du christianisme en Occident. C'est en tout cas sur cet horizon idéal que se détachent les vertus et les miracles du saint.

Au premier rang de ces vertus figurent l'abstinence, la patience et l'humilité. L'abstinence se manifeste avant tout par des jeûnes fréquents que Séverin s'emploie à justifier à la manière de ses devanciers et modèles des déserts orientaux (*VS*, 4, 9). L'endurance du saint se mesure à son insensibilité aux conditions climatiques ; même en plein hiver il ne porte pas de chaussures (*VS*, 4, 10). Ces pratiques ascétiques sont à ranger parmi les dons de la grâce, en aucun cas elles ne doivent être attribuées au seul mérite de Séverin ; ne déclare-t-il pas lui-même en toute humilité : « Ne croyez pas que ce que vous voyez soit à mettre à mon crédit, c'est plutôt un exemple destiné à votre salut » (*VS*, 4, 11). Il discerne d'ailleurs fort bien les dangers que peut comporter l'ascèse si elle devient un but en soi (*VS*, 4, 11). Une telle attitude n'était pas rare chez les moines du Désert et on aurait tort de ne voir dans ces protestations de modestie qu'une coquetterie ou un topos littéraire[6]. Pour les maîtres qui ont formé Séverin, les vertus sont en effet des grâces particulières, des charismes que Dieu confère à ses saints pour le salut des hommes ; dans l'exercice de ces dons il n'y a pas place pour l'initiative individuelle ou le mérite personnel. Tout est dans l'effort persévérant que doit consentir un homme pour reconnaître en lui l'élection divine et accepter d'en être l'instrument pour le bien de

---

6. Antoine se retire lui aussi au départ pour ne pas succomber à la tentation de l'orgueil devant l'afflux des visiteurs attirés par la réputation que lui valent ses dons : ATHANASE, *Vita Antonii*, 49 (*PG* 26, 913 B).

ses frères. Le signe le plus évident de cette faveur divine est la capacité qui est donnée à Séverin d'intervenir dans l'ordre des phénomènes naturels. Dès lors, chaque chapitre de la *Vita*, chaque épisode de la geste du saint n'a pour fonction que de manifester aux yeux de tous les pouvoirs dont il est investi et la grâce qu'il porte en lui.

Les charismes que Séverin a reçus de Dieu l'introduisent ainsi de plain-pied dans l'Histoire du Salut à la suite des prophètes, du Christ et des apôtres. Eugippe souligne expressément cette dépendance à l'occasion d'un miracle survenu dans une basilique à *Lauriacum* : « ... serviteur imitant lui-même fidèlement son Maître (...) ; et, suivant les traces du Sauveur, il se réjouissait de voir augmenter la matière qu'il versait » (*VS*, 28, 3). On a pu dire à ce propos que l'auteur présente la vie du saint comme un « ensemble de typologies bibliques »[7]. Ceci ne doit pas nous étonner : Eugippe était en effet un exégète habitué à penser en catégories scripturaires et le milieu monastique où il vivait était nourri par une lecture et une récitation continuelles de la Bible et des Pères.

Les grandes figures bibliques ne sont d'ailleurs pas les seules à fournir des archétypes pour le portrait de Séverin ; les Pères du Désert et les fondateurs du monachisme sont également présents dans le texte, quoique de manière plus discrète que les patriarches et les prophètes de l'Ancien Testament. En premier lieu il faut nommer saint Martin, dont le rayonnement s'étend au ve siècle à tout l'Occident[8]. Eugippe cite expressément un passage des

---

7. M. Van Uytfanghe, *art. cit.*, *Latomus,* 33 (1974), p. 324, qui emprunte le terme à J. Fontaine, *op. cit.*, t. 1 (*SC* 133), p. 123.

8. Cf. J. Leclercq, « Saint Martin dans l'hagiographie du Moyen Âge », dans *Saint Martin et son temps* (*Studia Anselmiana,* 46), Rome 1961, p. 157-187. L'auteur souligne à ce propos que « plus qu'à des personnages historiques déterminés, fussent-ils des saints..., c'est à la continuité d'une expérience qu'on en appelait » (p. 174).

Dialogues de Sulpice Sévère (*VS*, 36, 3), ce qui laisse supposer qu'il connaissait et appréciait l'œuvre du biographe de Martin au point de l'invoquer comme autorité pour justifier un épisode un peu choquant de la vie de Séverin. En Martin, Eugippe trouvait le modèle d'un saint qui réunissait les vertus de l'ascète, du thaumaturge et du prophète, défenseur intrépide de la foi orthodoxe. L'autre grande source d'inspiration d'Eugippe est la *Vie d'Antoine*[9], dont l'influence est nettement perceptible dans la volonté affirmée de l'auteur de rapporter avant tout les *uirtutes* (ἀρεταί) et *miracula* (δυνάμεις) du saint.

Un prophète

Parmi tous les dons de la grâce il faut nommer en premier lieu celui de la prophétie. Séverin apparaît tout au long du récit comme un *uir propheticus* (*VS*, 20, 3), doué de la *prophetiae gratia* (*VS*, 9, 1), qui, en vertu d'une inspiration divine (*diuina reuelatione*, *VS*, 9, 1 ; *Christo sibi reuelante*, *VS*, 4, 4 ; *domino sibi reuelante*, *VS*, 16, 2), peut prédire l'avenir et révéler ce qui reste caché aux autres hommes : « La foi raffermie par des oracles célestes, il prédisait souvent l'avenir par la grâce de Dieu ; il connaissait les secrets d'un grand nombre et les dévoilait publiquement si besoin était » (*VS*, 39, 1).

Eugippe semble employer le terme de prophétie dans son acception la plus courante, celle de « prédiction de

---

9. Sur la place d'Antoine dans la littérature monastique du Moyen Âge : cf. J. LECLERCQ, « Saint Antoine dans la tradition monastique médiévale » dans *Antonius Magnus Eremita*, Rome 1956, p. 229-247. Dans le même recueil B. STEIDLE montre dans son article déjà cité que l'*homo dei* est avant tout un thaumaturge (p. 150). Les *uirtutes* et les *miracula* sont, dans la littérature ascétique, le signe le plus évident de la grâce divine : cf. J. FONTAINE, *op. cit.*, t. 1 (*SC* 133), p. 87.

l'avenir » (*VS*, 30, 5) même si, dans la Bible, le rôle du prophète dépasse largement le cadre de la simple divination[10]. La typologie prophétique, empruntée à l'Ancien comme au Nouveau Testament, est présente, à des degrés divers, dans tous les récits hagiographiques depuis la *Vie d'Antoine*[11]. L'ascète, en particulier, est crédité de facultés précognitives qui sont comme le signe de sa participation à l'omniscience de Dieu.

Les révélations particulières dont bénéficie Séverin s'adressent soit à des individus soit à des groupes spécifiques. Dans le premier cas, il n'est pas rare que les rois barbares consultent le saint dans les moments difficiles pour savoir ce que l'avenir leur réserve. Ainsi, le roi Feletheus, menacé par les Ostrogoths, demande conseil au saint (*VS*, 5, 1) ; il lui est répondu que ses ennemis sont sur le point de se retirer et qu'il n'a plus rien à craindre d'eux ; il apprend par la même occasion qu'il est promis à une fin paisible, si toutefois il sait éviter les pièges qui lui sont tendus. Peu après, Séverin prend soin de l'avertir des embuscades préparées par l'adversaire et parvient à le dissuader de poursuivre les brigands qui ont enlevé plusieurs de ses sujets. Dans cet épisode Séverin apparaît comme un prophète au service d'un roi étranger, selon une typologie biblique déjà reprise par Sulpice Sévère dans la *Vie de saint Martin*[12]. Mais le saint ne se borne pas à prédire l'avenir à des visiteurs de marque, il connaît aussi sa propre destinée et, à l'image du Christ, il annonce sa fin prochaine à trois interlocuteurs différents (*VS*, 40, 1 ; 41, 1 ; 42, 1) ; au prêtre Lucillus il précise même qu'il mourra un jour après l'anniversaire de la mort de l'évê-

---

10. Cf. M. VAN UYTFANGHE, *art. cit., Latomus*, 33 (1974), p. 339 n. 159.

11. Cf. J. FONTAINE, *op. cit.*, t. 3 (*SC* 135), p. 940-941.

12. Cf. M. VAN UYTFANGHE, *art. cit., Latomus*, 33 (1974), p. 341.

que Valentin, si bien que la vigile pourra être célébrée le même jour que le service funèbre à la mémoire de l'ancien évêque de Rhétie[13].

Plus remarquables et plus nombreux surtout sont les passages où Séverin s'adresse à une population tout entière pour la mettre en garde contre les périls qui la menacent dans l'immédiat. Au terme de sa « vie cachée », Séverin se manifeste pour la première fois à l'attention des habitants du Norique en annonçant une attaque imminente des Barbares contre la ville d'*Asturae*. Il n'est peut-être pas inutile de s'attarder sur cet épisode pour montrer comment les modèles bibliques servent à exprimer sur le mode apologétique les réalités de l'époque des « invasions barbares »[14]. La prédiction de Séverin s'accompagne en effet d'une exhortation à la pénitence ; comme chez les prophètes d'Israël, la chute de la ville n'est donc envisagée que comme la punition des péchés du peuple. A *Asturae* les habitants refusent de prêter l'oreille aux avertissements de l'ascète et de s'engager dans la voie du repentir (ils sont qualifiés de « cœurs endurcis », *VS*, 1, 2) ; ils ne tardent pas à payer le prix de leur aveuglement : la ville est bientôt prise et détruite par les Barbares. Les habitants de la ville voisine de *Comagenae* hésitent eux aussi à croire aux paroles de l'homme de Dieu jusqu'à ce que le portier de l'église d'*Asturae*, unique survivant du massacre, vienne confirmer l'exactitude des prédictions de Séverin. Le schéma biblique qui inspire

---

13. Sur ce point : cf. M. Van Uytfanghe, *art. cit., Sacris Erudiri*, 21 (1972/73), p. 156-157.

14. J.A. Fischer, *Die Völkerwanderungszeit im Urteil der zeitgenössischen kirchlichen Schriftsteller Galliens*, Heidelberg 1948, p. 175, a relevé le parallélisme entre l'interprétation que donnent certains auteurs des « grandes invasions » et les conceptions propres à l'Ancien Testament sur la récompense ou le châtiment sur terre des bons et des méchants.

Eugippe dans ce premier chapitre est donc celui du prophète méconnu puis reconnu par les siens. Les envoyés de Dieu se heurtent souvent dans la Bible à l'incrédulité, à la mauvaise volonté, voire à l'hostilité déclarée du peuple à leur endroit. Quand vient l'heure de l'épreuve chacun est jugé sur son attitude à l'égard de l'homme de Dieu : les rebelles sont châtiés, seuls quelques justes sont sauvés. La prophétie ainsi vérifiée a encore une autre conséquence, d'une grande importance pour la suite du récit : elle accrédite aux yeux des habitants de *Comagenae* la mission divine dont est investi le saint et provoque en eux un revirement, prélude à une véritable conversion que viendra couronner leur délivrance miraculeuse[15].

Mais Séverin ne se contente pas de lire dans l'avenir, il connaît aussi les secrets du temps présent. Rien ne lui reste caché, ni les pratiques égoïstes de la veuve Procula (*VS*, 3, 2), ni la curiosité indiscrète d'une vierge dissimulée dans un recoin de l'église à *Quintanae* (*VS*, 16, 2). Il sait également, par une révélation divine, que des messagers viennent le chercher pour l'emmener à *Fauianae* (*VS*, 3, 1) et que des hommes l'attendent au-delà du Danube pour lui remettre des reliques des saints Gervais et Protais (*VS*, 9, 1). Rien ne lui échappe non plus des dangers que courent ses proches ; il sait que le portier Maurus est tombé aux mains des brigands (*VS*, 10, 2), et

---

15. La même histoire se répète à quelques variantes près dans la suite du texte. Ainsi, Séverin prévoit la chute de *Bataua* et de *Iouiacum* et exhorte les habitants à quitter les lieux pendant qu'il en est encore temps (*VS*, 22, 2 ; 24, 1 ; 27, 3). Ceux qui restent sourds aux appels du saint ou qui tardent à suivre ses conseils sont punis de la main des Barbares, tels le prêtre Maximianus à *Iouiacum*. De la même façon, le saint prévient l'évêque Paulinus d'un raid imminent des Alamans sur le Norique méditerranéen (*VS* 25, 1) et il met en garde l'évêque Constantius et les autres citoyens de *Lauriacum* contre une attaque nocturne des Barbares (*VS*, 30, 1).

que des soldats de la garnison de *Bataua* ont été tués par les Barbares et leurs cadavres jetés dans le fleuve (*VS*, 20, 2). Mieux, le saint a le pouvoir d'apparaître en songe à ses compagnons pour les encourager dans les moments difficiles ; ainsi, il adresse des reproches au diacre Amantius alors que celui-ci s'apprête à repartir sans avoir accompli sa mission auprès du roi Gibuld ; il lui ordonne alors de le suivre et le mène jusqu'à la tente du roi pour disparaître ensuite brusquement (*VS*, 19, 4). Les dons de voyance du saint ne connaissent donc de limites ni dans l'espace ni dans le temps. Armé de cette science que Dieu seul confère à quelques élus, il peut légitimement se consacrer à la tâche éprouvante de réformer les mœurs de ses contemporains.

Dans l'Ancien Testament, nous l'avons déjà noté, le prophète n'a pas d'abord pour office d'annoncer l'avenir, il a pour vocation première de proclamer en toutes circonstances la volonté de Dieu ; de même, chez Séverin la prédiction est-elle inséparable de la prédication : « il ne cessait de lancer des avertissements ni de prédire l'avenir à la population » (*VS*, 31, 6). Le saint ne se lasse pas de rappeler que les seules armes dont disposent les chrétiens en ces temps troublés sont les « armes spirituelles » (*VS*, 2, 2 ; 28, 1). Les remèdes qu'il préconise sont ceux que recommande déjà la Bible : la prière, le jeûne et la charité (*VS*, 1, 1 ; 1, 2, 1, 4 ; 28, 1). Les catastrophes naturelles fournissent également à Séverin l'occasion de revenir sur ce thème ; à *Cucullae* les ravages provoqués par les sauterelles sont interprétés comme un appel à la conversion et le saint ne se fait pas faute de répéter les paroles du prophète Joël dans une situation analogue (*VS*, 12, 2). Et si, près de *Lauriacum*, la nouvelle récolte est menacée par la rouille, c'est que les habitants n'ont pas été assez prompts à verser la dîme aux pauvres, manquant ainsi à leur devoir de charité ; les coupables ayant cependant confessé leur faute, les champs ne subiront aucun dommage (*VS*, 18, 2).

Prédication de l'avenir et exhortation à la pénitence sont deux aspects d'une typologie prophétique où Séverin est volontiers présenté comme l'interprète des desseins de Dieu, l'annonciateur de sa justice ou le défenseur de son peuple. Cette stylisation issue des schèmes fondamentaux de l'Ancien Testament est complétée et enrichie par une typologie « christique » qui nous montre un Séverin plus humble, plus familier et surtout plus attentif aux souffrances individuelles qu'au destin collectif.

Un thaumaturge

Nulle part mieux que dans les miracles n'apparaît la double stylisation christique et apostolique à laquelle est soumis le portrait du saint. Eugippe s'attache en effet à relever tous les signes de puissance par lesquels Séverin se révèle comme un digne successeur des apôtres, conformément à la parole de l'évangile de Saint Jean : « ... celui qui croit en moi fera aussi les œuvres que moi je fais, et il en fera même de plus grandes, parce que je vais auprès du Père. Et tout ce que vous demanderez en mon nom, je le ferai, afin que le Père soit glorifié dans le Fils » (*Jn*, 14, 12-13). Les *miracula* (*Ep. Eug.*, 1), *res mirabiles* (*Ep. Eug.*, 2) et *uirtutes* (*Ep. Eug.*, 6) qu'Eugippe entreprend de raconter désignent à Séverin une place dans l'Histoire du Salut à la suite des prophètes, du Christ et des apôtres ; ces merveilles sont la preuve que Dieu continue d'agir dans le monde par ses saints et qu'il n'abandonne pas ceux qui croient en lui[16].

16. Sur le thème des œuvres de Dieu dans ses saints (*opera Dei per sanctos*) dans l'hagiographie : cf. B. DE GAIFFIER, « Miracles bibliques et

Les faits et gestes de Séverin renvoient donc à un modèle idéal qui finit par imposer sa propre logique à la narration. Les miracles qui nous sont rapportés semblent en effet choisis selon des critères implicites qui sont ceux de la référence scripturaire. A la lecture de la *Vita* on ne peut manquer de relever des similitudes frappantes entre les récits d'Eugippe et les péricopes évangéliques. Ainsi, Séverin guérit les maladies et les infirmités citées dans les Évangiles : la paralysie[17] et la lèpre[18] ; il ressuscite un moribond[19], il commande aux démons[20] et aux éléments[21] ; enfin, il multiplie la subsistance des fidèles[22]. L'identité même des bénéficiaires de ces miracles semble dictée par des réminiscences bibliques : ici le fils d'une veuve[23], là le fils d'un dignitaire de la « cour » du roi Feletheus[24]. Pour mieux mesurer le degré de stylisation de ces miracles, il suffit d'analyser brièvement un épisode, celui de la guérison du jeune paralytique ruge, par exemple[25]. Les détails que fournit Eugippe sur les circonstances de la guérison ont presque tous leurs répondants dans les péricopes évangéliques : le Ruge souffre de son infirmité depuis douze ans, comme l'hémorroïsse[26], il est le fils unique

---

vies de saints », *Nouvelle revue théologique*, 88 (1966), p. 376-385, repris dans *Subsidia Hagiographica*, 43, Bruxelles 1967, p. 50-61, en part. p. 58.

17. *VS* 6, 1 ; cf. *Matth.*, 9, 2 s. ; *Mc* 2, 3 s. ; *Lc* 5, 18 s.
18. *VS* 26 ; 34 ; cf. *Matth.* 8, 2 s. ; *Mc* 1, 40 s. ; *Lc* 5, 12 s. ; *Mc* 1, 40 s. ; *Lc* 5, 12 s.
19. *VS* 14 ; cf. *Matth.* 9, 18-26 ; *Mc* 5, 21-43 ; *Lc* 8, 40-56 (résurrection de la fille de Jaïre).
20. *VS* 36 ; cf. *Matth.* 8, 28-32 ; *Mc* 5, 1-13 (expulsion de démons).
21. *VS* 15 ; cf. *Matth.* 14, 24-33 ; *Mc* 6, 47-52 ; *Lc* 8, 28-34 ; *Jn* 6, 16-21.
22. *VS* 28, 3 ; cf. *Matth.* 14, 13-21 ; *Lc* 9, 10-17 ; *Mc* 6, 35-44 ; *Jn* 6, 1-13.
23. *VS* 6, 1 ; cf. *Lc* 7, 12.
24. *VS* 33 ; cf. *Jn* 4, 46-54.
25. *VS* 6, 1-4.
26. *VS* 6, 1 ; cf. *Matth.* 9, 20 ; *Mc* 5, 25 ; *Lc* 8, 43.

d'une veuve, comme le fils de la veuve de Naïm[27], et c'est la foi fervente de sa mère qui convainc Séverin de le guérir, tout comme c'est la foi des assistants qui incite Jésus à guérir le paralytique[28]. Enfin, comme pour l'aveugle-né de l'Évangile, les esprits se divisent quand le miraculé se montre sur la place du marché ; certains le reconnaissent immédiatement, d'autres nient obstinément qu'il s'agisse de la même personne[29].

Ces emprunts, conscients ou inconscients, à l'Écriture ne permettent guère de faire le départ entre la réalité et la fiction ; le processus de stylisation est déjà si avancé dans de tels épisodes qu'il paraît vain de rechercher le « noyau des faits » sous l'enveloppe du merveilleux. Nous nous contenterons de parler avec J. Fontaine de « cristallisation... du merveilleux autour d'un épisode donné »[30] et nous essayerons de dégager quelques caractéristiques communes à ces récits.

Notons d'abord que les actes de Séverin peuvent être qualifiés de miracles « pratiques » : ils visent en effet à soulager une misère humaine et répondent à une attente précise de la foule ou du malade lui-même ; à une ou deux exceptions près, le geste thaumaturgique ne se présente jamais comme une manifestation gratuite de la puissance du saint ou un acte destiné à frapper les esprits par une suspension momentanée des lois naturelles. C'est la soudaineté du changement qui fait d'ailleurs le miracle aux yeux des assistants plus que la guérison elle-même ; à cet égard Eugippe prend bien soin de souligner que les paroles ou les gestes du saint ont un effet immédiat : la paysanne à demi morte de *Iuuauum* se lève aussitôt

---

27. *VS* 6, 1 ; cf. *Lc* 7, 12.
28. *VS* 6, 3 ; cf. *Matth.* 9, 2 ; *Mc* 2, 5 ; *Lc* 5, 20.
29. *VS* 6, 4 ; cf. *Jn* 9, 8.
30. J. Fontaine, *op. cit.*, t. 1 (*SC* 133), p. 201.

(*protinus*) après que Séverin s'est mis en prière (*VS*, 14, 3), tout comme le jeune fils du noble ruge (*statim incolumis surrexit*, *VS*, 33, 2).

Le saint apparaît donc comme investi d'un pouvoir thaumaturgique dont il use pour améliorer la condition terrestre des hommes qui l'entourent. Pour bénéficier de ses bienfaits, une seule exigence : avoir la foi. C'est par la ferveur de sa foi et l'élan de sa charité que la veuve ruge obtient la guérison de son fils unique (*VS*, 6, 3) ; c'est également par la ferveur de leur foi que les assistants méritent la grâce de la guérison de leur parente à *Iuuauum* (*VS*, 14, 3). Et si les deux lépreux recouvrent la santé, c'est qu'ils ont décidé dans leur cœur de changer de vie ; pour le premier la conversion suit la guérison (*VS*, 26, 1), pour le second, elle la précède (*VS*, 34, 1). Dans les deux cas la santé de l'âme est inséparable de celle du corps. A cet égard il est significatif que dans le récit les guérisons soient toujours associées aux exorcismes[31], conformément à la doctrine constante de l'Évangile[32], doctrine abondamment reprise et commentée dans l'hagiographie monastique orientale.

A la foi des solliciteurs répond la prière d'intercession du saint. Les moyens dont il use pour obtenir une guérison sont uniquement d'ordre spirituel ; ainsi, c'est par la seule vertu de l'oraison et des larmes que le fils de la veuve ruge[33], la paysanne de *Iuuauum*[34] et le fils du noble ruge[35] recouvrent la santé. Mais la prière de Séverin n'agit pas seulement sur les maladies du corps, elle est aussi un remède contre des maux d'autant plus graves qu'ils sont

31. Cf. *VS* 45, 1 ; 46, 6.
32. Cf. *Matth.* 10, 8 ; *Mc* 6, 13 ; *Lc* 9, 1.
33. *VS* 6, 3.
34. *VS* 14, 3.
35. *VS* 33, 2.

cachés ; ainsi, des sacrilèges sont-ils démasqués au cours d'un office liturgique où l'oraison et les pleurs du saint jouent le plus grand rôle[36]. Et lorsque les habitants de *Cucullae,* instruits de ce miracle, demandent à Séverin de les délivrer des insectes qui détruisent leur récolte, l'homme de Dieu les exhorte à faire pénitence pour ne pas encourir plus longtemps la colère divine. Les paysans font acte de repentir et les sauterelles disparaissent en une nuit sur l'ordre de Dieu ; ainsi apparaît en pleine lumière ce que vaut la prière faite avec foi[37]. On pourrait multiplier les exemples ; tout au long de la *Vita* chaque miracle apporte une preuve supplémentaire de l'efficacité de la prière, que ce soit celle du saint en particulier ou celle des fidèles en général.

Une fois précisées les modalités selon lesquelles s'exerce la médiation de Séverin entre Dieu et les hommes, reste à s'interroger sur le rôle que joue le miracle dans le récit d'Eugippe. Comme dans l'hagiographie orientale, le merveilleux a une première fonction de légitimation[38]. Les pouvoirs surnaturels dont est investi le saint ont en effet une valeur essentiellement démonstrative : ils sont là pour authentifier une parole et justifier une autorité d'origine divine. Mais si le miracle a pour rôle d'accréditer la mission spécifique de Séverin auprès des populations du Norique, il est aussi le moyen privilégié dont use Eugippe pour répandre le culte du père fondateur de la communauté monastique de *Lucullanum.* Son intention première est en effet de rapporter comment Séverin, par ses mérites et par la grâce du Christ, a été

---

36. *VS* 11, 3.
37. *VS* 12, 4.
38. Cf. M. Meslin, « Le merveilleux comme théophanie et expression humaine du sacré », dans *Le sacré. Études et recherches,* Paris 1974, p. 176.

élevé à la gloire des saints (*Ep. Eug.*, 6), et il lui importe tout particulièrement de révéler à ses lecteurs les bienfaits accomplis par Séverin après sa mort. Seuls les plus grands saints sont crédités de miracles posthumes ; aussi les récits de guérison des ch. 45 et 46 ne peuvent-ils que rehausser la réputation de son héros et favoriser le culte de ses reliques. Eugippe termine d'ailleurs son œuvre en rappelant opportunément qu'un monastère a été édifié à la mémoire du saint et que, par le mérite de Séverin, nombreux sont ceux qui ont été délivrés de leurs démons et guéris de leurs maladies (*VS*, 46, 6). Il n'est pas douteux qu'une telle précision visait à encourager les pèlerinages sur le tombeau du saint au *castellum Lucullanum* et à lui assurer ainsi une place de choix parmi les intercesseurs les plus puissants de son temps.

V. PORTRAIT D'UN GUIDE

Pour Eugippe l'autorité dont fait preuve Séverin dans ses rapports avec ses semblables procède d'une origine divine, le miracle n'étant que la manifestation épisodique et exceptionnelle de la grâce qui agit en lui. Il nous faut maintenant nous demander dans quels domaines cette autorité s'est exercée, à quelles résistances elle s'est heurtée et de quelles interprétations elle peut faire l'objet.

Formes et limites de l'autorité

Incontestablement l'auteur de la *Vita* cherche à nous présenter son héros avant tout comme le fondateur d'une communauté monastique, à la fois maître de vie[1] et champion d'une ascèse rigoureuse. Il construit un monastère près de *Fauianae* (*VS*, 4, 6) et un autre, plus petit, près de *Bataua,* à *Boiotro* (*VS*, 22, 1). Ces deux établissements ne devaient pas être les seuls de leur espèce dans le Norique riverain puisqu'il est dit que la fondation de *Boiotro* se fit « selon l'habitude » et que le monastère de *Fauianae* était « le plus grand de tous »[2]. Il n'est donc pas

---

1. « Humble maître » (*doctor humilis*) (*VS* 36, 1) ; « maître spirituel » (*spiritalis doctor*) (*VS* 39, 1) ; « maître ... d'une très grande douceur » (*doctor dulcissimus*) (*VS* 42, 3).
2. Cf. *VS* 19, 1 ; 22, 4.

impossible que Séverin ait tissé tout un réseau de « cellules » qui étaient autant de relais pour son action dans la province.

L'ascendant qu'exerçait Séverin sur ses moines était dû, outre à ses qualités de père fondateur, à son extraordinaire rayonnement spirituel. S'il n'a pas laissé de règle à proprement parler, il s'est montré soucieux de donner une *forma* à ses disciples en les renvoyant constamment à l'exemple des Pères (*VS*, 9, 4) ou en assurant personnellement leur instruction, et cela plus par des actes que par des paroles (*VS*, 4, 6). Les relations entre Séverin et ses moines sont d'ailleurs placées d'emblée sous le signe d'une paternité spirituelle tout à fait conforme à la tradition « pneumatique » des déserts d'Orient ; sur son lit de mort le saint s'adresse à ses compagnons comme à des « fils dans le Christ » et son image évoque toujours pour Eugippe celle du père[3]. Dans ces conditions il est permis de voir en lui le supérieur de la communauté, même si le titre d'*abbas* ne lui est jamais appliqué[4].

L'influence de Séverin s'étend cependant bien au-delà des monastères qu'il a fondés et qu'il dirige d'une main ferme en dépit de ses multiples activités « séculières ». Nous le voyons en effet adresser d'instantes prières aux évêques eux-mêmes. Ainsi, au ch. 30, il presse l'évêque et les habitants de *Lauriacum* de prendre des mesures de vigilance pour parer à toute attaque surprise de l'ennemi (*VS*, 30, 2) ; les habitants, d'abord sceptiques devant les avertissements du saint, se laissent convaincre de renforcer la garde sur les murs de la ville et vérifient à cette occasion l'exactitude de ses prédictions. Au ch. 25, Séverin intervient de même auprès de l'évêque Paulin de *Ti-*

---

3. Cf. *VS* 43, 2 ; 10, 1 ; 26, 2 ; 43, 1.
4. Les termes de *doctor* et de *pater* suffisent à le désigner comme le supérieur de la communauté.

burnia pour lui demander de prescrire un jeûne de trois jours en prévision d'un raid des Alamans (*VS*, 25, 2) ; il est vrai cependant qu'il entretenait des relations privilégiées avec ce Paulin depuis qu'il lui avait annoncé sa prochaine élévation à l'épiscopat (*VS*, 21, 1). Une telle assurance dans les propos et une telle résolution dans l'action ont de quoi surprendre le lecteur, encore convient-il d'en marquer les limites. Tout d'abord Séverin prend bien garde de ne pas outrepasser ses droits ; quels que soient ses mérites personnels et quelles que soient les grâces dont il est comblé, il n'est pas un clerc et il n'entend devenir ni prêtre ni évêque, malgré les sollicitations dont il est l'objet[5] ; tout au plus le voyons-nous, à l'occasion, prendre la parole ou distribuer des secours alimentaires dans une basilique et il n'agit pas là pour remplir une fonction ecclésiale mais parce que les églises offraient des locaux assez vastes pour servir de lieux de réunion[6]. Au pouvoir que confère un grade dans la hiérarchie de l'Église, Séverin préfère l'autorité que donnent une vie exemplaire et surtout une mission d'origine divine ; il ne se substitue jamais aux clercs, il se contente de les conseiller dans leur ministère, de les éclairer sur leur devoir et de les avertir si un danger menace leurs ouailles. Ainsi, à *Cucullae,* où une partie des habitants célèbrent encore des sacrifices païens, Séverin n'ordonne pas de lui-même les cérémonies expiatoires qu'il juge nécessaires, il s'attache à persuader les prêtres du lieu d'annoncer un jeûne de trois jours (*VS*, 11, 2) ; et lorsque les prêtres et les habitants du même village viennent l'implorer de les délivrer du fléau des sauterelles, il leur rappelle simple-

---

5. Cf. *VS* 9, 4.

6. « Il décida un jour de réunir tous les pauvres dans une basilique pour leur distribuer de l'huile » (*VS* 28, 2) ; cf. F. LOTTER, *Severinus,* p 185.

ment les paroles du prophète Joël au peuple d'Israël et les exhorte à suivre cette appel à la pénitence (*VS*, 12, 2). Il s'en faut d'ailleurs de beaucoup que l'action de Séverin auprès des communautés locales soit toujours couronnée de succès ; il se heurte parfois à de vives résistances, comme à *Boiotro*, où un prêtre « possédé d'un esprit diabolique » et manifestement excédé par les exigences du saint lui enjoint de quitter les lieux sans tarder (*VS*, 22, 3). Ailleurs c'est l'indifférence sinon le scepticisme qui répondent aux avertissements répétés du saint ; ainsi, à *Iouiacum*, le prêtre Maximianus, s'il se montre aimable pour l'envoyé de Séverin, ne se soucie guère des recommandations pressantes qui lui sont adressées (*VS*, 24, 3) ; abandonné à son triste sort, il sera supplicié par les Hérules et les habitants de la bourgade emmenés en captivité.

Il est frappant de constater que les frictions entre Séverin et les populations locales ont toujours pour objet les mesures de précaution à prendre contre les envahisseurs barbares ; et les adversaires du saint n'avaient même pas, comme les habitants d'*Asturae* (*VS*, 1, 2), l'excuse d'ignorer ses dons de prophétie : ceux-ci s'étaient en effet manifestés en de nombreuses occasions et ne pouvaient plus être mis en doute par personne. Il faut donc supposer que les appels insistants lancés par Séverin heurtaient des intérêts bien concrets, d'ailleurs nullement méprisables : qui a jamais envisagé de gaieté de cœur de quitter le sol natal[7] pour mener l'existence précaire d'une « personne déplacée » dans un camp de réfugiés ? Les prédictions de Séverin, même si elles avaient pour elles le bon sens et la sagesse, n'emportaient pas l'adhésion de populations dont l'horizon était souvent

---

7. Eugippe évoque lui-même l'attachement au sol natal à l'occasion de l'évacuation de *Bataua* : *VS* 27, 3.

limité aux frontières du terroir. Mais la plupart du temps
les habitants qui avaient fait appel au saint acceptaient
de bonne grâce de se plier à ses exigences, quoiqu'il dût
leur en coûter ; ainsi voit-on au ch. 12 des fidèles organiser une collecte pour venir en aide à un paysan dont le
champ a été dévasté par les sauterelles (*VS*, 12, 7). Il ne
semble pas pour autant que Séverin ait empiété sur les
attributions des autorités civiles et militaires[8], la seule
exception notable étant constituée par le transfert des
réfugiés de *Lauriacum* à *Fauianae* et dans les villes
tributaires des Ruges. Eugippe précise d'ailleurs à cette
occasion que le saint cherche uniquement à éviter l'usage
de la violence au cours des opérations (*VS,* 31, 5). Plus
qu'à l'administration des choses ou au gouvernement des
hommes, c'est à la direction spirituelle et au soutien
moral des populations que se voue inlassablement Séverin ; partout où il passe il veille par ses paroles et par ses
actes à relever les énergies, ranimer les courages et faire
renaître l'espérance[9]. De qui tenait-il donc ce pouvoir sur
les esprits et sur les cœurs ? De Dieu seul, qui lui a donné
pour mission « de secourir des hommes dans les dangers
qu'ils traversent » répond-il au prêtre Primenius (*Ep.
Eug.,* 9). Certes, mais il ne faut pas imaginer non plus un
Séverin isolé aux avant-postes du monde romain (ou de
ce qu'il en reste) et enfermé dans la solitude absolue de
l'homme de Dieu. Ce serait oublier les relations qu'il
entretient avec certains cercles influents en Italie, relations dont témoignent maints passages du texte d'Eugippe. Ainsi, dans la lettre à Paschase il est fait allusion

---

8. Eugippe reste très discret sur ces autorités ; il est fait mention une
seule fois d'un tribun au ch. 4. On ne saurait évidemment tirer argument
de ce silence pour affirmer que toutes les structures administratives et
militaires avaient disparu.

9. Exemplaire à cet égard est la victoire de *Fauianae* obtenue par les
« armes spirituelles » (*VS* 4, 3).

à l'entourage du saint et il est précisé que Séverin rece-
vait la visite de « nombreux prêtres et religieux ainsi que
de laïcs nobles et pieux » (*Ep. Eug.*, 8).

Parmi ces visiteurs il faut mentionner Primenius, déjà
cité ; c'était, aux dires d'Eugippe, un prêtre italien et un
familier du patrice Oreste, qui le considérait comme son
père ; il avait pris la fuite après l'assassinat du patrice et
avait trouvé refuge auprès de Séverin (*Ep. Eug.*, 8). Si ce
prêtre s'était exilé dans le Norique riverain pour échapper aux meurtriers de son protecteur, c'est sans doute
qu'il s'y sentait en sécurité et qu'il pouvait compter sur
la sympathie de Séverin pour sa cause. On rencontre
encore d'autres Romains de haute naissance auprès de
Séverin ; ceux-ci, il est vrai, semblent plutôt pencher
pour Odoacre, et les propos louangeurs qu'ils tiennent sur
le roi barbare (*VS*, 32, 2) leur valent une réplique ambi-
guë du saint sur la durée probable du règne du chef skyre
(*VS*, 32, 2). Quoi qu'il en soit Eugippe, contrairement à
son habitude, ne cherche pas à rapporter directement ces
visites à l'extraordinaire réputation de sainteté dont jouit
Séverin ; il semble considérer comme allant de soi la
présence de ces *nobiles* auprès de son héros. En revanche, il ne manque pas d'invoquer la renommée du saint
pour expliquer les relations épistolaires qu'entretenaient
avec Séverin une *illustris femina* du nom de Barbaria
ainsi que son mari, dont le nom ne nous est pas donné.
Cette Barbaria mit à la disposition de la communauté
monastique repliée en Italie une propriété qu'elle possédait au *castellum Lucullanum* ; et c'est dans le mausolée
qu'elle avait fait construire sur ses terres que fut finalement déposé le corps de Séverin (*VS*, 46, 1 ; 2).

Interprétations et hypothèses

Un tel faisceau d'indications convergentes a amené certains chercheurs à se demander si l'autorité de Séverin ne reposait pas sur d'autres fondements que la force de caractère, la supériorité intellectuelle, l'intégrité morale et le rayonnement spirituel. Les commentateurs de la *Vita* n'ont pas manqué d'échafauder à ce sujet les hypothèses les plus variées en partant d'indices souvent fort ténus ou de rapprochements arbitraires ; la subjectivité et l'idéologie aidant, nous avons un Séverin tantôt ancien officier mâtiné de médecin[10], tantôt homme d'État byzantin au service d'un « grand dessein diplomatique »[11]. F. Lotter a, le premier, tenté d'appuyer ces conjectures sur des assises plus solides. Nous nous bornerons à rappeler ici les principales conclusions de l'enquête minutieuse à laquelle s'est livré l'historien allemand, en signalant les points qui font l'objet d'une controverse entre spécialistes de différentes disciplines[12].

Pour Lotter le nœud du problème est dans le silence que gardait volontairement Séverin sur ses origines et dans l'interdiction qu'il avait pratiquement signifiée à ses proches de lui poser la moindre question sur ce point. Eugippe, qu'il ait connu ou non Séverin personnellement, n'a pu que se conformer aux volontés du maître et s'est contenté de rapporter fidèlement la tradition conservée par la communauté monastique. L'ignorance de notre

---

10. F. KAPHAHN, *op. cit.*, p. 113 ; 135-36.

11. E.K. WINTER, *op. cit.*, t. 2, p. 65.

12. Nous nous permettons de renvoyer à notre compte rendu du livre de F. Lotter, paru dans la *Revue de l'Histoire des Religions*, 195 (1979), p. 210-214. Par ailleurs le lecteur francophone trouvera dans l'article de M. VAN UYTFANGHE, « Les avatars contemporains de l'« hagiologie », *Francia*, 5 (1977), p. 639-671, un ample résumé de l'ouvrage de Lotter, suivi de judicieuses remarques critiques.

auteur serait donc la preuve que la consigne a été strictement observée par tous les moines, des plus anciens aux
plus jeunes. Mais, dira-t-on, tout le monde n'était pas
tenu à la même discrétion. Si Séverin était un personnage
d'illustre naissance, s'il était investi de quelque mission
officielle dans le Norique avant sa conversion, comment
expliquer que la population en ait perdu le souvenir au
point qu'aucun écho n'en soit parvenu aux oreilles d'Eugippe ? Faut-il alors croire qu'il a sciemment écarté des
informations qu'il tenait pour peu sûres (sur le pays
d'origine de Séverin « je dois avouer que je ne possède
aucun document sûr », *Ep. Eug.*, 7) ou tout à fait incom-
patibles avec l'esprit de la règle séverinienne ? Nous nous
avançons là dans le domaine des hypothèses. Remarquons
simplement que les explications d'Eugippe, prises en
elle-mêmes, sont à la fois cohérentes et plausibles et
qu'elles s'accordent en tout point à l'idéal d'humilité
proposé par Séverin à ses disciples.

Pour corriger ou au moins compléter les affirmations de
notre auteur il faudrait disposer de sources indépendan-
tes de la tradition conservée au monastère de *Lucullanum*. A ce jour nous n'en connaissons qu'une : la *Vie
d'Antoine de Lérins,* œuvre hagiographique, très différente de la *Vie de Séverin* par sa tonalité et son intention, et due à un rhéteur confirmé, Ennode de Pavie[13]. A
première vue, ce texte ne nous apporte pas de précisions
bien nouvelles puisqu'il n'évoque que très brièvement la
figure de Séverin à propos des années de jeunesse d'Antoine, le futur moine de Lérins. Il est dit notamment au
chapitre 6 que le jeune Antoine, devenu orphelin de bonne

---

13. Sur la personnalité d'Ennode de Pavie : cf. J. FONTAINE, *s.v.* « En-
nodius », *RAC* 5 (1962), col. 348-421. Le texte de la *Vita Antonii
monachi Lirinensis,* composé en 506, a été publié par F. VOGEL dans les
MGH AA 7, Berlin 1885, p. 185s.

heure, fut confié par son oncle Constantius à l'*inlustris-simus uir Seuerinus* ; celui-ci appréciait fort son élève et, discernant déjà ses dispositions au bien, envisageait de faire de lui son proche collaborateur[14]. L'identité des deux Séverin ne faisant guère de doute, il reste à savoir pourquoi l'auteur qualifie d'entrée de jeu Séverin d'*inlustris-simus uir,* quitte à lui décerner quelques lignes plus loin l'épithète de *beatus uir*[15]. A l'époque et chez un courtisan aussi averti des usages que l'était Ennode, le terme d'*inlustri(ssimu)s*, selon Lotter, ne pouvait s'appliquer qu'à un clarissime exerçant ou ayant exercé une haute fonction civile ou militaire[16]. Poursuivant ses investigations, l'historien allemand a essayé de trouver un personnage portant le nom de *Seuerinus* parmi les titulaires de charges conférant automatiquement l'illustrat[17]. Ainsi, il a cru pouvoir identifier le héros d'Eugippe avec le consul de l'année 461[18], qui ne nous est pas autrement connu, mais qui, toujours selon Lotter[19], aurait reçu mission de réorganiser le dispositif militaire romain dans l'ouest de la Pannonie après 454 et aurait amené à l'empereur Majorien les contingents de fédérés[20] nécessaires au succès de la grande opération lancée contre les Vandales en 457. Cette hypothèse est au centre de controverses qu'il est impossible de résumer ici.

Nous nous contenterons de soulever quatre ordres d'objections.

---

14. *Vita Antonii*, 9.
15. *Vita Antonii*, 10.
16. F. LOTTER, *op. cit.*, p. 235-240.
17. Au nombre de ces charges figurent notamment celles de *consul,* de *praefectus praetorio* et de *magister militum ;* cf. F. LOTTER, *Seve-rinus,* p. 235-236.
18. *Consul ordinarius Severinus ;* cf. SID. APOLL., *Ep.,* I, 11, 10 éd. A. Loyen, CUF, t. 2, Paris 1970, p. 216 l. 57.
19. F. LOTTER, *Severinus,* p. 246-247.
20. Cf. SID. APOLL., *Poèmes,* V, 470-484.

1. Le titre normal est celui de *uir inluster* ; le superlatif est attesté dans ce sens, mais il reste relativement rare[21]. Le qualificatif de *uir inlustrissimus* n'a donc pas de caractère officiel ; il témoigne de l'inflation générale des titres au Bas-Empire et relève en fait de l'abus de langage. D'autre part l'inversion *inlustrissimus uir* peut donner à l'adjectif une valeur non-technique, surtout dans un contexte fort éloigné des réalités politiques et administratives.

2. Les nombreux exemples que cite Lotter de l'emploi du terme *inlustris* chez Ennode et ses contemporains se rapportent à des personnages dont nous savons par ailleurs qu'ils ont occupé les charges donnant droit à ce titre[22]. Pour Séverin nous n'avons aucune possibilité de contrôle et il est au moins permis d'avoir un doute sur le sens de ce terme dans le contexte précis d'une vie de saint, genre qui par son intention et son public diffère fondamentalement de la littérature profane (donc de la correspondance officielle ou privée par exemple). De plus, dans ce passage d'Ennode l'accent est mis sur les qualités spirituelles de Séverin (*pia... uoce* ; *beatus uir*) et sur ses dons de prophétie (*fuit enim, cuius meritis nihil esset absconditum, V. Ant.,* 9) ; il est donc vraisemblable que si Séverin est qualifié d'*inlustrissimus uir,* ce n'est pas en raison d'une charge qu'il aurait exercée mais plutôt en raison des vertus chrétiennes qui avaient fait connaître partout son nom dans le Norique et qui le désignaient particulièrement pour assurer l'éducation du jeune orphelin.

---

21. Cf. O. HIRSCHFELD, « Die Rangtitel der römischen Kaiserzeit », dans *Kleine Schriften,* t. 42, Berlin 1913, p. 663 s. ; A. BERGER, *s.v.* « illustris », *PW,* 9 (1914), col. 1071 ; E. DE RUGGIERO, *s.v.* « inlustris », *Dizionario Epigrafico,* t. 4, réimpr. 1942, p. 56 s. ; *TLL* 7 (1934-1964), *s.v.* « illustris », II, B, 2, col. 396-397.

22. Cf. F. LOTTER, *op. cit.,* p. 237-240.

Enfin, Ennode et ses lecteurs devaient être au courant des nombreux miracles qui s'étaient produits sur la tombe du saint et qui avaient encore accru sa notoriété posthume. Le terme d'*inlustrissimus* peut donc très bien s'entendre dans un sens général et s'appliquer à un personnage « illustre » par ses qualités intellectuelles et morales et plus précisément par ses vertus chrétiennes[23].

3. Si Séverin était vraiment le consul de 461, son souvenir n'aurait pas pu se perdre aussi facilement ; son nom était en effet inscrit au calendrier et Primenius, « prêtre d'Italie, noble et universellement respecté » (*Ep. Eug.*, 8), n'aurait pas manqué de faire le rapprochement lors de son séjour auprès du saint. Ou alors faut-il croire que le dialogue a été inventé par Eugippe pour justifier le silence de Séverin ?

4. Le consul de 461 est sans doute mort entre 482 et 490, comme l'a signalé A. Chastagnol dans son étude sur le Sénat romain sous le règne d'Odoacre[24]. Le nom de Séverin étant relativement courant à l'époque, il ne convient pas d'attacher une importance excessive à la coïncidence entre la date de la mort de Séverin et la date supposée de la mort du consul (la marge d'incertitude est tout de même de huit ans !). On sait d'autre part qu'une inscription apposée sur un siège du Colisée[25] mentionne un certain *Seuerinus* ; elle se rapporte très vraisemblablement au consul de 461[26] et suppose la présence de ce

---

23. Martin de Tours est ainsi qualifié d'*inlustris uir* à l'occasion de son élection à l'épiscopat (SULP. SEV., Vie de Saint Martin, éd. J. FONTAINE, *op. cit.*, t. 1, p. 272).

24. A. CHASTAGNOL, *Le Sénat romain sous le règne d'Odoacre*, (*Antiquitas*, III, 3), Bonn 1966, p. 54 n. 116 ; 81.

25. [*Seu*]*erini u*(*iri*) *c*(*larissimi*) [*ex consule*] *ord*(*inario*) (*CIL* VI 32006) ; cf. J.R. MARTINDALE, *The Prosopography of the Later Roman Empire*, t. 2 (395-527), Cambridge 1980, *s.v.* « Severinus », 5, p. 1001.

26. Cf. A. CHASTAGNOL, *op. cit.*, p. 38 s., 41 n. 61.

personnage à Rome entre 476 et 482 lorsque furent gravés les sièges réservés aux *illustres* et à leurs familles[27].

L'identité entre le saint et le consul est donc, pour toutes ces raisons, plus qu'improbable.

Mais, s'il n'est sans doute pas possible de reconstituer le passé de Séverin, du moins est-il permis d'essayer de cerner ses origines sociales à partir des indices que nous livre Eugippe. Sa façon de parler (*loquela*), la culture profane et religieuse dont témoignent notamment la lecture de la Bible[28] et son rôle de précepteur auprès du jeune Antoine[29], l'usage important qu'il fait de l'écrit[30], nous laissent penser qu'il appartenait au moins à un milieu cultivé.

La tentative d'identification entreprise par Lotter nous invite finalement à réfléchir aux aspects politiques de l'activité de Séverin, à condition toutefois de ne pas perdre de vue ce qui fait l'originalité d'un texte comme celui d'Eugippe. Une source hagiographique a d'abord pour sujet, il faut bien rappeler cette évidence, la sainteté, c'est-à-dire la pleine manifestation de la grâce divine dans la vie d'un homme, et chaque œuvre s'attache à présenter un modèle de sainteté, entendons par là un mode historique de « succession du Christ » (*sequela Christi*)[31]. Le projet d'Eugippe n'est donc pas tant de nous

---

27. Cf. A. CHASTAGNOL, *op. cit.*, p. 35-44. Rappelons que le sénateur doit faire graver son siège ; il lui faut donc être sur place au moment de l'exécution des travaux. Nous remercions M. A. Chastagnol d'avoir attiré notre attention sur ce point.

28. *VS* 23, 1.

29. Le terme d'*incipientis tirocinia* (*Vita Antonii*, 10) désigne sans doute l'éducation (profane et religieuse) qui permit au jeune Antoine d'entrer plus tard comme *exceptor* au service de son oncle, l'évêque Constantius. Cf. F. LOTTER, *Severinus*, p. 235 n. 200.

30. *VS* 17, 4 ; 19, 4 ; 25, 1 ; 32, 1 ; 46, 1. Cf. H. KOLLER, « Die Klöster Severins von Norikum », *Schild von Steier*, 15/16 (1978/79) (= *Festschrift W. Modrijan*), p. 205 n. 54.

31. Sur le concept de « modèle de sainteté » cf. C. LEONARDI, « L'agio-

raconter une histoire individuelle ou collective, aussi fragmentaire et subjective soit-elle, que de montrer, à l'aide d'exemples concrets, la soumission absolue d'un homme à la volonté divine. L'unité du personnage de Séverin est dans cette obéissance poussée jusqu'à ses plus extrêmes conséquences et dans l'appel incessant lancé à la pénitence et à la conversion. On comprend qu'un tel programme ait suscité des résistances plus ou moins vives chez tous ceux auxquels il s'adressait : riches et pauvres, laïcs et prêtres, Romains et Barbares. L'opposition[32] que rencontre Séverin dans tous les milieux de la société confère nécessairement à son action une dimension politique, et il est quelque peu artificiel de vouloir séparer fonction religieuse et fonction politique ou de chercher derrière l'ascète un homme chargé d'une mission officielle ou officieuse. Le rôle de Séverin n'est certes pas facile à définir en termes juridiques : ni prêtre ni évêque, il exerce cependant une autorité spirituelle qui dépasse de loin celle d'un ermite ou d'un moine ; mais, s'il avait occupé un poste dans l'administration de la province (ou du diocèse) comment expliquer le peu d'empressement de la population à exécuter ses « ordres » ? La seule comparaison qui s'impose est sans doute celle des prophètes de l'Ancien Testament et elle nous est suggérée par Eugippe lui-même à maintes reprises. L'action de Séverin est en fait inséparable de sa prédication ; elle doit rendre visible aux yeux de tous cette vérité fondamentale : à l'heure de l'épreuve Dieu n'abandonne pas ceux qui lui font confiance et vivent selon ses commandements ; il importe donc d'écouter ceux qui parlent en son nom.

grafia latina dal tardantico all'altomedioevo », dans *La cultura in Italia fra Tardo Antico e Alto Medioevo*, t. 2, Rome 1981, p. 643-658.

32. C. LEONARDI, *art. cit.*, p. 658, parle à ce propos d'une hagiographie d'opposition ; le saint — évêque ou moine — est en effet celui qui s'oppose au pouvoir, romain ou barbare.

VI. LA VIE CHRÉTIENNE
DANS LE NORIQUE

Les origines du christianisme dans la province du Norique se perdent dans un maquis de traditions douteuses et de pieuses légendes dont la critique historique a su faire justice de bonne heure, non sans quelque abus parfois. Mais pour le Ve siècle nous disposons avec la *Vita Severini* d'un document qui jette une vive lumière sur le christianisme noricien dans les dernières années de l'Empire romain.

Les étapes de la christianisation

Nous ne savons rien de la vie des premières communautés chrétiennes avant le début du IVe siècle ; il faut attendre en effet la grande persécution de Dioclétien pour qu'elles soient attestées dans les sources écrites. Pour cette période nous avons le témoignage de la *Passio beatissimi Floriani martyris*[1], dont les principaux éléments sont confirmés par la notice du Martyrologe hiéronymien à la date du 4 mai[2]. Une combinaison des deux textes permet d'établir les faits suivants : les mesu-

---

1. Les éditions les plus récentes sont celles de R. Noll, *Frühes Christentum in Österreich*, Vienne 1954, p. 26-32 et W. Neumüller, « Der heilige Florian und seine Passio », *MOLA*, 10 (1971), p. 28-35.

2. Sur les controverses au sujet de l'authenticité de ces deux textes :

res prises contre les chrétiens, probablement en 304, firent, dans le Norique riverain, de nombreuses victimes, demeurées anonymes[3], et un martyr, Florian, dont le nom nous a été conservé grâce à une passion pieusement recueillie par quelques fidèles.

Nous n'avons malheureusement pas d'autre renseignement sur les communautés chrétiennes de la région à l'époque des persécutions. Après des débuts sans doute modestes la tolérance puis la bienveillance officielles ont dû, à partir de 313, donner une nouvelle impulsion à l'œuvre missionnaire.

A ce sujet une question se pose : d'où sont venus les témoins de la nouvelle foi ? Quelles routes ont-ils empruntées et par quels canaux le message chrétien a-t-il été diffusé peu à peu dans la société provinciale ?

Pendant longtemps il a été admis que le christianisme avait pénétré dans le Norique à partir du grand port d'Aquilée et qu'il s'était répandu par les routes alpines du sud vers le nord, suivant en cela le mouvement même de la romanisation deux ou trois siècles plus tôt[4]. Cette thèse a été âprement combattue par un historien autrichien, I. Zibermayr, qui s'est attaché à démontrer, à l'aide d'arguments juridiques souvent formels, que la christianisation du Norique s'était faite depuis *Sirmium*, la capitale du diocèse d'*Illyricum* occidental[5]. Mais rien ne

cf. K. REHBERGER, « Der heilige Florian — Ein Literaturbericht », dans R. ZINNHOBLER (éd.), *Lorch in der Geschichte* (*Linzer Philosophisch-theologische Reihe*, 15), Linz 1981, p. 98 s.

3. Sur les compagnons de souffrance de Florian : cf. W. NEUMÜLLER, « Die Lorcher Martyrer », *MOLA*, 11 (1974), p. 3-29.

4. C'est la position que défend notamment R. EGGER dans son ouvrage devenu classique : *Frühchristliche Kirchenbauten im südlichen Norikum* (*Sonderschriften des Österreichischen Archäologischen Instituts in Wien*, 9), Vienne 1916, p. 122 ; 134.

5. I. ZIBERMAYR, *Noricum, Baiern und Österreich*, 2e éd., Horn 1956, p. 30-32, 34.

prouve que l'œuvre missionnaire se soit coulée dès le début dans le moule de l'organisation provinciale (et diocésaine) de l'Empire romain. De toute façon, l'évangélisation avait commencé avant que ne fussent connues et appliquées les décisions conciliaires recommandant d'adopter pour l'administration ecclésiastique les règles et procédures en vigueur dans l'administration civile. Aussi, plutôt que d'opposer le « droit » à la tradition et de tirer argument de la « prééminence » de Sirmium contre la proximité d'Aquilée, ne vaut-il pas mieux reconnaître que le Norique, et en particulier le Norique riverain, se trouvait au point de rencontre de deux courants d'inégale importance, l'un issu du grand port de l'Adriatique, l'autre venu de la résidence impériale au cœur des Pannonies[6] ?

Même s'il a dû bénéficier des faveurs des autorités officielles, le mouvement de christianisation ne semble avoir progressé qu'assez lentement dans les deux provinces au cours du IVe siècle. A la fin du siècle, l'Église prend l'offensive contre un paganisme qui a sans doute perdu des adeptes au fil des ans mais a conservé toute son emprise sur les campagnes. Pour supprimer définitivement l'idolâtrie, les fidèles, encadrés par le clergé, se lancent à l'assaut des sanctuaires païens. La campagne de destruction est méthodiquement organisée, comme l'ont montré les découvertes faites à Lendorf, près de St. Peter im Holz (Carinthie) et à St. Margarethen im Lavanttal (Carinthie)[7]. Après cette tempête aux effets dévastateurs la résistance païenne est, sinon vaincue, du moins durablement affaiblie ; elle prend alors des formes plus subti-

6. Cf. B. SARIA, « Die Christianisierung des Donauraumes », dans *Völker und Kulturen Südosteuropas* (*Südosteuropa*, 1) Munich 1959, p. 23-24.

7. Cf. R. NOLL, *op. cit.*, p. 49 s.

les, plus occultes surtout. Réduit à la clandestinité, le paganisme se réfugie dans la sorcellerie, la magie noire et l'astrologie ; sous une apparence chrétienne il subsiste à l'état latent dans les mentalités populaires et dans les pratiques de la vie quotidienne. Ainsi, Séverin découvre-t-il que certains habitants de *Cucullae* (Kuchl, près de Salzbourg) se livrent encore à des « sacrifices impies » (*VS*, 11, 2). Les « coupables » fréquentent d'ailleurs les offices sans se soucier outre mesure des incompatibilités entre la foi chrétienne et des cultes qu'Eugippe qualifie de « sacrilèges » ; s'ils doivent finalement avouer des pratiques qu'ils tenaient secrètes jusque-là, c'est que la pression morale exercée par Séverin (et le clergé avec lui) se révèle la plus forte. Cet épisode montre à la fois la nécessité et les difficultés de la mission intérieure dans un pays officiellement christianisé mais toujours imprégné de paganisme.

Les progrès de la christianisation peuvent se mesurer au nombre et à la qualité des églises construites au long des IVe et Ve siècles[8]. Il est évidemment impossible de fournir la moindre donnée chiffrée à ce sujet, mais la densité des édifices consacrés au culte est un indice assez sûr du degré de pénétration du christianisme dans la société provinciale du Norique au Ve siècle. Aucune ville en effet, aucune bourgade rurale, parmi celles que nous connaissons, qui n'ait son église, aussi modeste soit-elle. Et quand les habitants doivent quitter les plaines et les vallées, trop exposées aux incursions barbares, ils n'oublient jamais de construire une église au milieu du fort ou du « bourg-refuge ». Il n'est donc pas exagéré d'affirmer

---

8. Pour l'inventaire des découvertes archéologiques : cf. R. NOLL, *op. cit.*, p. 73-112 ; P.F. BARTON, *Frühzeit des Christentums in Österreich und Südostmitteleuropa*, t. 1, Vienne-Cologne-Graz 1975, p. 88-93 et 110-119 ; H. UBL, « Frühchristliches Österreich » dans *Severin-Katalog*, Linz 1982, p. 300-330.

que la christianisation du pays était en voie d'achèvement quand Séverin arriva dans le Norique riverain au milieu du Ve siècle. Rien en tout cas ne nous permet de lui décerner le titre d'« apôtre du Norique »[9], si ce n'est dans un sens métaphorique.

L'organisation épiscopale

La christianisation du pays s'est accompagnée de la mise en place progressive d'une organisation épiscopale dont il importe de fixer les principaux traits[10]. Une certaine prudence est recommandée quand on essaye de dresser la carte ecclésiastique du Norique ; il faut en effet se garder de projeter sur une réalité complexe et mouvante les schémas que donnent de l'organisation hiérarchique des textes conciliaires valables avant tout pour l'Orient[11]. On ne doit considérer comme assurés que les sièges épiscopaux expressément mentionnés dans les sources écrites, les données de l'archéologie venant confirmer ou compléter les témoignages dont nous pouvons disposer ; toute autre méthode ne peut aboutir qu'à des hypothèses invérifiables[12].

La première mention de l'épiscopat noricien dans la littérature chrétienne date du concile de Sardique en 343. Athanase indique en effet le Norique parmi les provinces représentées à cette assemblée[13]. En dehors de ces deux

---

9. C'est le titre du livre d'A. BAUDRILLART, paru en 1908.

10. L'étude fondamentale sur ce sujet est due à K. REINDEL, « Die Bistumsorganisation im Alpen-Donauraum in der Spätantike und im Frühmittelalter », *MIÖG*, 72 (1964), p. 277-310.

11. Un défaut auquel n'échappe pas I. ZIBERMAYR, *op. cit.*, p. 35-41.

12. C'est sur ces principes qu'est fondée l'étude de K. REINDEL, *art. cit.*, *MIOG*, 72 (1964), p. 286 s.

13. ATHANASE, *Apol. contra Arianos*, 1 ; 37 (*PG* 25, 249 ; 312) ; *Hist. arian. ad monachos*, 28 (*PG* 25, 725) ; cf. J. ZEILLER, *Les origines*

brèves indications nous n'avons plus de mention des églises noriciennes avant la seconde moitié du vᵉ siècle. Le texte d'Eugippe cite deux sièges épiscopaux : celui de *Lauriacum* dans le Norique riverain (*VS*, 30, 2) et celui de *Tiburnia* dans le Norique méditerranéen (*VS*, 21, 1) ; ce dernier est d'ailleurs qualifié de *metropolis Norici* (*VS*, 21, 2), sans qu'il soit précisé s'il s'agit là de tout le Norique ou de l'une des deux provinces seulement. Mais nous savons que l'usage constant d'Eugippe est de désigner sous le nom de *Noricum* le seul Norique intérieur[14]. Il n'est donc pas impossible que l'évêque de *Tiburnia* ait joué le rôle de métropolitain de la province méridionale[15]. Eugippe nous a transmis les noms de deux titulaires de ces sièges : Constance de *Lauriacum* et Paulin de *Tiburnia*. Le second était encore prêtre quand Séverin lui prédit sa prochaine élévation à l'épiscopat (*VS*, 21, 1) ; malheureusement nous ne lui connaissons pas de prédécesseur. Quant à Constance, nous ignorons tout de sa carrière avant que Séverin n'entre en relations avec lui au moment de l'installation des réfugiés à *Lauriacum* (*VS*, 30, 2). Eugippe mentionne encore un troisième nom, celui de Mamertin, ancien tribun devenu évêque (*VS*, 4, 2), mais il ne nous précise pas quel siège il occupait[16]. Après l'époque de Séverin les évêques noriciens disparaissent

---

chrétiennes dans les provinces danubiennes de l'Empire romain, Paris 1918, p. 129-130.

14. Cf. R. NOLL, *Eugippe*, p. 131. *Tiburnia* (Teurnia) était certainement la capitale du Norique méditerranéen depuis que l'administration provinciale, au début du vᵉ siècle, avait quitté *Virunum*, trop exposé aux incursions barbares : cf. G. ALFÖLDY, *op. cit.*, p. 216.

15. I. ZIBERMAYR, *op. cit.*, p. 44 s., suivi par P. STOCKMEIER, « Die spätantike Kirchenorganisation im Alpen-Donau-Raum im Licht der literarischen und archäologischen Zeugnisse », *Jahrbuch 1963 für altbayerische Kirchengeschichte*, p. 68 s.

16. Certains chercheurs pensent que c'était *Fauianae* : cf. I. ZIBERMAYR, *op. cit.*, p. 48 et P. STOCKMEIER, *art. cit.*, p. 66.

une nouvelle fois de notre horizon pour réapparaître un siècle plus tard à l'occasion du concile de Grado (entre 572 et 577)[17].

Parallèlement à cette « occupation du territoire » se constitue peu à peu une hiérarchie ecclésiastique qui double l'administration civile en attendant de la remplacer un jour. Aux principaux échelons de cette hiérarchie nous trouvons dans les bourgades rurales : le prêtre, au chef-lieu de la cité : l'évêque, et dans la capitale provinciale, l'évêque métropolitain (au moins en théorie), sans parler du métropolitain supérieur ou primat dans la capitale du diocèse civil. Il y avait sans doute à cet égard un décalage entre l'Orient et l'Occident ; l'institution métropolitaine, en particulier, n'a guère eu le temps de s'implanter en Norique et en Pannonie avant les premiers assauts des peuples barbares à la fin du IVe siècle. Il était cependant inévitable que dans des provinces ou des groupes de provinces certains évêques prennent le pas sur les autres, en raison de leur personnalité, de leur rayonnement ou plus simplement du prestige qui s'attachait à leur cité. Ainsi les Églises des Pannonies subissent-elles l'influence de Milan pendant le long épiscopat d'Ambroise (373-397)[18], mais avec le déclin de la métropole italienne au début du Ve siècle elles passent peu à peu sous la juridiction des évêques d'Aquilée[19]. Le meilleur

---

17. Cf. R. Noll, *op. cit.*, Vienne 1954, p. 69-70.

18. Il ne semble pas qu'on puisse pour autant parler d'une juridiction effective de Milan sur le Norique : cf. G.C. Menis, « Le giurisdizioni metropolitiche di Aquileia e di Milano nell'Antichità », *AAAd*, 4 (1973), p. 289.

19. Sur cette question nous renvoyons à la rapide mise au point de G. Cuscito, « La diffusione del cristianesimo nelle regioni alpine orientali », *AAAd*, 9 (1976), p. 299-302, ainsi qu'à la carte illustrant l'exposé de l'auteur : fig. 1 — « il territorio della metropoli ecclesiastica di Aquileia » —.

indice en est sans doute la diffusion dans le Norique d'un style architectural paléochrétien à partir de la cité adriatique[20]. Il est donc permis de penser que dans la seconde moitié du ve siècle, à l'époque de Séverin, les sièges épiscopaux des deux provinces noriciennes dépendaient canoniquement du siège d'Aquilée[21].

La vie des communautés chrétiennes

Dans la seconde moitié du ve siècle la christianisation du Norique est à peu près achevée, l'organisation épiscopale en place et l'Église présente jusque dans les moindres localités. Il nous faut maintenant étudier de l'intérieur les communautés chrétiennes, observer leurs pratiques et mesurer la place du monachisme dans la vie religieuse du pays.

Le cadre géographique

Le cadre géographique de la vie religieuse est tout naturellement le diocèse (*diœcesis*). Ce terme, à ne pas confondre avec le diocèse civil, désigne, en concurrence avec d'autres tels que *ecclesia* ou *parochia*, la circonscription soumise à la juridiction de l'évêque ; il correspond en gros à la cité, l'unité de base de l'administration civile romaine, et comprend le noyau urbain (*ciuitas*) et le territoire environnant (*territorium*). L'évêque réside normalement au chef-lieu de la cité, mais il reste en contact permanent avec les bourgades rurales de son

20. G.C. MENIS, « La basilica paleocristiana nelle regioni delle Alpi orientali », *AAAd*, 9 (1976), p. 394 parle d'un type architectural « alpin-aquiléen ».

21. C'est la position défendue par la majorité des chercheurs à la suite de R. EGGER, *op. cit.*, p. 134 s.

territoire, comme nous le voyons au ch. 25, où l'évêque Paulin envoie une lettre à tous les « bourgs » (*castella*) de son diocèse (*VS*, 25, 2). Chacun de ces villages fortifiés ou de ces « bourgs » constitue une fraction de la cité à la campagne et dépend étroitement de l'évêque sur le plan religieux.

Dans les villages on trouve le plus souvent un prêtre qui, en l'absence d'un responsable civil ou militaire, fait en outre figure de chef de la communauté locale (désignée par les termes d'*accolae* ou de *mansores*). Dans tous les « bourgs » (*castella*) qui ont été fouillés l'église est de loin le bâtiment le plus important ; par ses dimensions comme par sa situation elle est au centre de la vie sociale et, par les diverses fonctions qu'elle remplit, elle annonce déjà la paroisse rurale à venir.

Les lieux de culte

L'église locale porte le nom d'*ecclesia*[22], par opposition à l'église conventuelle (ou cémétériale), toujours qualifiée par Eugippe de *basilica*[23]. Il est remarquable qu'Eugippe signale l'existence d'églises dans presque toutes les villes et les bourgades visitées par Séverin ; il faut voir là, sans aucun doute, un indice supplémentaire du degré de christianisation atteint par le Norique riverain au ve siècle, mais il serait faux d'en conclure que toutes ces localités étaient autant de sièges épiscopaux. En Occident, en effet, les évêques des *ciuitates* avaient pris l'habitude de confier à des prêtres (ou même à des diacres) la direction des communautés chrétiennes établies dans les limites de leur ressort[24], en se réservant toutefois certains droits

---

22. *VS* 1, 2 ; 1, 4 ; 11, 2 ; 15, 1.
23. *VS* 11, 2 ; 10, 1 ; 22, 1 ; 13, 1.
24. Cf. H.E. Feine, *Kirchliche Rechtsgeschichte*. 4e éd. Graz-Cologne 1964, p. 98-99.

tels que la bénédiction du chrême ou la réconciliation des pécheurs et des hérétiques.

L'église est parfois située hors des murs, comme à *Quintanae*[25], sans doute faute de place à l'intérieur du bourg. Dans cette localité l'église offre d'ailleurs la particularité d'être bâtie sur pilotis, en raison des risques d'inondation en plaine sur les bords du Danube.

L'église n'est pas le seul lieu de culte que connaisse Eugippe ; à *Bataua,* il fait mention d'un baptistère à propos d'une altercation entre Séverin et un prêtre resté anonyme (*VS,* 22, 3). Mais la présence d'une chapelle baptismale n'est plus liée géographiquement à l'existence d'une église épiscopale ; avec les progrès de l'évangélisation et la multiplication des églises, dans les villes comme dans les campagnes, les prêtres ont reçu en effet des évêques le droit de conférer solennellement le baptême[26].

Nous connaissons un peu mieux les particularités architecturales des églises du Norique depuis les recherches de R. Egger et de ses élèves. Mais les principales découvertes ont été faites dans le sud du pays et nous devons nous contenter pour la province du Norique riverain des seuls résultats obtenus lors des fouilles effectuées à Mautern a.d. Donau (*Fauianae*), Lorch (*Lauriacum*) et Passau (*Boiotro*)[27]. Le matériel archéologique est donc relativement abondant et varié, mais très inégalement réparti dans l'espace. Une comparaison entre la zone du *limes* et la région alpine laisse cependant entrevoir deux évolutions différentes dans l'architecture religieuse. Sur

---

25. *VS* 15, 1. L'église est située dans le périmètre urbain, mais hors de la partie fortifiée (*castellum*).

26. Cf. L. Duchesne, *Origines du culte chrétien,* 1ʳᵉ éd., Paris 1889, p. 324.

27. Sur ces fouilles : cf. H. Ubl, *art. cit.,* dans *Katalog-Severin,* p. 300-301, avec toutes les références nécessaires.

la frontière danubienne les lieux de culte sont aménagés dans des bâtiments profanes ainsi détournés de leur fonction première ; ils offrent de ce fait peu de caractéristiques communes[28]. A l'intérieur du pays, au contraire, les édifices cultuels ont été construits spécialement pour répondre aux besoins des communautés locales ; ils sont plus récents, de meilleure qualité et présentent surtout des traits communs qui permettent de les ranger sous un même type, d'origine aquiléenne[29].

Eugippe nous fournit quelques précisions sur la manière dont ces églises étaient dédiées au culte. Il nous rapporte en effet comment Séverin reçut miraculeusement des reliques pour les basiliques des deux monastères qu'il avait fondés à *Fauianae* (*VS*, 9, 3) et *Boiotro* (*VS*, 22, 1 ; 23, 2). S'il fut un temps où la simple célébration de l'eucharistie suffisait à consacrer une église, on commença à partir du IVe/Ve siècle à distinguer deux types de bâtiment dédiés de manière différente : l'église ordinaire, qui réunit les fidèles en vue du culte quotidien, et la basilique, qui est destinée à un usage particulier (culte des martyrs ou liturgie monastique)[30]. La dédicace des églises ordinaires comprenait généralement une consécration de l'autel avec onction et bénédiction ; à ces pratiques s'ajoutait pour les basiliques le transfert des reliques, qui peu à peu s'intégra dans le rituel primitif de la

---

28. Cf. G.C. MENIS, *art. cit.*, *AAAd*, 9 (1976), p. 390 ; *id.*, « Die Verbreitung der frühchristlichen aquileischen Kirchenbautypologie im östlichen Alpengebiet », dans *Friaul lebt. 2000 Jahre Kultur im Herzen Europas* (éd. G.C. MENIS et A. RIZZI), Vienne 1978, p. 43 s.

29. Cf. G.C. MENIS, *art. cit.*, *AAAd*, 9 (1976), p. 394 s. ; *id.*, *art. cit.*, *Friaul lebt*, p. 46 s. Dans ses ouvrages l'auteur a défini ce type à l'aide de trois critères : orientation de la nef vers l'est, présence d'une nef unique et disposition particulière du *presbyterium* avec banc des prêtres semi-circulaire.

30. Cf. L. DUCHESNE, *Les origines du culte chrétien*, 5e éd., Paris 1925, p. 423.

dédicace[31]. C'est ce rituel qu'évoque très brièvement Eugippe à deux reprises, sans préciser clairement les rôles respectifs du saint et des prêtres qui l'entourent à cette occasion. A ses yeux, en tout cas, c'est la présence des reliques qui confère à l'édifice son caractère sacré (*sacrare*).

Eugippe ne nous indique pas où ont été placées les reliques ; il faut supposer qu'elles étaient déposées, conformément à l'usage, dans le soubassement de l'autel ou dans une cavité pratiquée à cet effet dans la table (*mensa*) ou dans le pied (*stipes*) de l'autel[32].

Vers la fin du récit on relève une brève allusion aux objets du culte qui excitent particulièrement la convoitise des Barbares (*VS*, 44, 1)[33]. Parmi ces objets seul est expressément mentionné un calice d'argent ; il semble d'ailleurs qu'il était exposé en permanence sur l'autel, même en dehors des offices (*VS*, 44, 1). L'accès à l'autel est strictement réservé aux prêtres et l'espace sacré ainsi constitué (*presbyterium*) séparé symboliquement du reste de l'église par barrières[34]. Pour les offices nocturnes l'église est éclairée par des cierges et des lampes (*VS*, 13, 1), selon un usage attesté en Orient dès la fin du IVe siècle[35]. A *Cucullae* (Kuchl) Séverin demande aux fidèles d'apporter leurs cierges et de les fixer eux-mêmes aux parois de l'édifice (*VS*, 11, 2) ; chacun est ensuite jugé sur

---

31. Cf. J. DES GRAVIERS, « La dédicace des lieux de culte aux IVe-Ve siècles », *L'Année canonique*, 7 (1960), p. 107-125 ; A. STUIBER, *s.v.* « Altar », *TRE*, 2 (1978), p. 317.

32. Cf. H. UBL, « Altarformen und Reliquien », dans *Katalog-Severin*, Linz 1982, p. 570-571.

33. Cf. H. UBL, « Altar- u. Kultgerät », dans *Katalog-Severin*, Linz 1982, p. 574-575.

34. Cf. *VS* 16, 2. Sur ces barrières, connues dans la langue liturgique sous le nom de c(h)ancels (*cancelli*) : cf. A.M. SCHNEIDER (et Th. KLAUSER), *s.v.* « cancelli », *RAC*, 2 (1954), col. 837-838.

35. Cf. J. GAGÉ, *s.v.* « Fackel », *RAC*, 7 (1969), col. 193.

sa foi quand les flammes s'allument miraculeusement à la prière du saint et des prêtres qui l'entourent.

La liturgie

Eugippe est plutôt avare de renseignements sur le service du culte ; les allusions qu'il risque çà et là aux offices liturgiques sont brèves, peu explicites et d'une interprétation le plus souvent délicate. Ainsi, il fait mention à plusieurs reprises d'un *sacrificium uespertinum* (*VS*, 2, 1) ou d'un *sacrificium uespertini temporis* (*VS*, 13, 2) ; certains auteurs ont vu dans cette cérémonie une messe célébrée le soir[36] pour clôturer une période de jeûne[37]. Selon toute apparence, il s'agit plutôt de l'office du lucernaire[38], qui se plaçait à la tombée du jour, au moment où étaient allumées les lumières dans l'église[39]. Cet office est tombé en désuétude sous l'influence du bréviaire bénédictin, puisque la Règle de saint Benoît prescrit de célébrer les vêpres assez tôt pour que les moines n'aient pas besoin de lumière pour le repas du soir[40]. Le lucernaire s'est cependant conservé dans la liturgie mozarabe et ambrosienne et s'est maintenu dans le rite gallican jusqu'au VIIIe siècle[41].

---

36. Cf. K. GAMBER, « Die Severins-Vita als Quelle für das gottesdienstliche Leben in Noricum während des 5. Jh. », *RQ*, 65 (1970), p. 148-149.

37. L'hypothèse, également avancée par L. BIELER, *Eugippius. The Life of St. Severin*, (*Fathers of the Church*, 55), Washington 1965, p. 41, est plausible pour les ch. 2, 1 et 11, 3 où il est fait mention explicite d'un jeûne de trois jours (*triduum*) ; elle ne vaut pas pour le ch. 13 où il n'est pas question de jeûne pénitentiel.

38. Cf. A.J. PFIFFIG, « Christliches Leben im norischen Österreich zur Zeit des heiligen Severins », *UH*, 31 (1960), p. 110 et A. DE VOGÜÉ, *La Règle de S. Benoît*, t. 5, commentaire (*SC* 185, 1971), p. 523 n. 45.

39. C'est cette heure de la journée qu'Eugippe appelle *tempus uespertinae solemnitatis* (*VS* 13, 1) et *hora sacrificii* (*VS* 11, 3).

40. Cf. *RB*, 41, 8 (éd. DE VOGÜÉ, *SC* 182, 1972, p. 583), cité par A. J. PFIFFIG, *art. cit.*, *UH*, 31 (1960), p. 110 n. 46.

41. Cf. H. LECLERCQ, *s.v.* « Lucernaire », *DACL*, 9 (1930),

Il est curieux que la liturgie eucharistique ne soit pas une seule fois expressément mentionnée dans la *Vita*[42]. Eugippe fait une allusion fugitive à la communion, dans des circonstances à vrai dire mal définies (*VS*, 12, 4), et, à la fin du récit, il fait état du viatique administré à Séverin quelques instants avant sa mort[43]. Nous devons nous contenter de ces maigres indications et supposer que la messe était régulièrement célébrée dans la région du Norique.

Le seul autre service que connaisse Eugippe est l'office de nuit ou *uigiliae*, attesté dans trois passages de la *Vita*. Dans un premier cas les vigiles sont associées au jeûne en tant qu'exercice pénitentiel (*VS*, 22, 3) ; dans un second elles font partie intégrante de l'office des morts, du moins pour les prêtres et les évêques défunts. Eugippe nous a laissé au ch. 16 la description d'un tel office. Les prêtres et les diacres sont venus nombreux aux obsèques du prêtre Silvinus de *Quintanae* ; ils passent la nuit à chanter des psaumes et à veiller le mort qui repose dans l'église (*VS*, 16, 1). Une célébration aussi longue devait être éprouvante, puisque, au lever du jour, Séverin pro-

---

col. 2614-2616 ; P. Siffrin, *s.v.* « Lucernare », *EC,* 7 (1951), col. 1617-1618.

42. Ce silence peut s'expliquer d'abord par la pratique des communautés locales, puisque la célébration quotidienne ne devint habituelle qu'à partir du VIᵉ siècle : cf. P. Jounel, *L'Église en prière. Introduction à la liturgie,* 3ᵉ éd., Paris-Tournai 1965, p. 704-707 ; il peut aussi s'interpréter comme un témoignage négatif sur les usages monastiques en la matière. D'après dom A. de Vogüé, en effet, les moines des premiers siècles ne recevaient la communion qu'une ou deux fois par semaine, et ce *extra missam*, la messe honorant plus particulièrement le dimanche : cf. A. de Vogüé, *La Règle de S. Benoît,* t. 7, commentaire doctrinal et spirituel (*SC* hors-coll., 1977), p. 246-247.

43. Eugippe fait précéder la communion d'un baiser de paix, qui se retrouve dans plusieurs textes décrivant la *communio in articulo mortis* : cf. A. de Vogüé, « Scholies sur la Règle du Maître », *RAM,* 44 (1968), p. 123 n. 9.

pose aux assistants de prendre un peu de repos en attendant sans doute la messe des funérailles[44].

Le jour anniversaire de la mort d'un évêque (*dies depositionis*), il était d'usage de célébrer un service solennel à la mémoire du défunt, probablement des vigiles suivies d'une messe[45]. En tout cas, lorsque le prêtre Lucillus annonce à Séverin qu'il célébrera le lendemain le service anniversaire de l'évêque Valentin, le saint, prévoyant sa fin prochaine, lui répond qu'il aura à célébrer ses vigiles à la même date (*VS*, 41, 1).

Des préparatifs entrepris pour l'exhumation et le transport du corps de Séverin on peut tirer quelques renseignements sur les coutumes funéraires de l'époque, du moins dans le milieu monastique. Le corps du saint avait été enveloppé dans des linges et déposé dans le sépulcre sans avoir été embaumé ni mis en bière (*VS*, 44, 6-7). Les moines avaient bien fait préparer un cercueil en bois (*locellus ligneus*), mais seulement en prévision du départ prédit par Séverin (*VS*, 43, 9).

On doit noter pour terminer l'usage fréquent qui était fait de la psalmodie dans les offices liturgiques (*VS*, 11, 3 ; 12, 3 ; 16, 1 ; 30, 3 ; 39, 1 ; 44, 5). À cet égard il ne semble pas que les communautés chrétiennes du Norique aient connu le chant alterné, qui fait dialoguer deux chœurs au sein de l'assemblée. La psalmodie se faisait sans doute selon le mode responsorial : les fidèles, qui ne savaient pas les psaumes par cœur, se contentaient de chanter le répons après chaque verset ou chaque strophe exécutés par le chantre[46].

---

44. *VS* 16, 1. Sur la vigile des morts : cf. J.A. JUNGMANN, *s.v.* « Totenvigil », *LThK*, 10 (1965), col. 786.

45. Cf. K. GAMBER, *art. cit.*, *RQ*, 65 (1970), p. 150.

46. Cf. P. LECHL, « Kirchenmusikalische Verhältnisse zur Zeit des heiligen Severin », *OBGM*, 24 (1982), p. 52-54.

Eugippe reste très discret sur le déroulement de l'année liturgique ; il ne mentionne explicitement que la fête de l'Épiphanie (*dies epiphaniorum, VS,* 41, 1) et le temps de Carême (*quadragesimae tempora, VS,* 39, 2), pendant lequel Séverin ne prenait qu'un seul repas par jour.

Au chapitre des dévotions privées, il faut signaler, outre le culte des reliques (*VS,* 9, 3), la pratique de l'oraison continue dans la communauté monastique séverinienne (*VS,* 4, 7 ; 26, 2 ; 35, 2 ; 43, 5).

Parmi les mots qui reviennent souvent dans la bouche de Séverin nous relevons un verset tiré d'un psaume : *sit nomen domini benedictum* (*Ps.* 112, 2) ; cette formule d'action de grâces accompagne les révélations dont est gratifié le saint (*VS,* 23, 1 ; 29, 4) ou sert d'introduction à des gestes miraculeux, comme à *Lauriacum,* le jour de la distribution de l'huile (*VS,* 28, 3). Pour terminer sa prière Séverin fait généralement un signe de croix (*VS,* 28, 3) ; de même, à l'approche de la mort, il se signe sur tout le corps avant de demander à ses moines d'entonner un psaume (*VS,* 43, 8). Dans un autre passage du texte ce geste a plutôt la valeur d'un rite apotropaïque ; à *Quintanae,* en effet, pour protéger une église menacée par de fréquentes inondations, Séverin trace avec une hache un signe de croix sur les piliers qui soutient l'édifice (*VS,* 15, 2 ; 4)[47]. Enfin, nous apprenons par Eugippe que le saint avait coutume de prier en versant des larmes abondantes (*VS,* 11, 3), la tête baissée (*VS,* 16, 4), et les genoux à terre (*VS,* 11, 3).

La hiérarchie ecclésiastique

Le témoignage d'Eugippe sur l'organisation interne de l'Église nous permet de mesurer encore mieux l'ampleur

---

47. Sur la pratique du signe de croix en général : cf. H. SCHAUERTE, *s.v.* « Kreuzzeichen », *LThK,* 6 (1961), col. 631.

de la christianisation dans le Norique. Nous rencontrons l'évêque, qui exerce son autorité spirituelle sur le chef-lieu et sur tous les bourgs de son diocèse. Eugippe connaît trois noms pour désigner le titulaire de cette charge : *episcopus* (*VS*, 25, 1 ; 36, 2 ; 46, 2), *antistes* (*VS*, 25, 2) et *pontifex* (*VS*, 30, 2 ; titre également appliqué au pape Gélase : *VS*, 46, 2). Les trois termes sont pratiquement synonymes et il n'y a pas lieu de les distinguer, voire de les opposer entre eux, comme le font certains commenta-teurs[48]. Le peuple chrétien semble jouer encore un rôle important dans le choix de l'évêque aux côtés du clergé local ; ainsi Séverin est-il pressé d'accepter une charge épiscopale, qu'il refuse d'ailleurs en alléguant ses lourdes responsabilités à l'égard de la population provinciale (*VS*, 9, 4), mais Eugippe ne nous dit pas qui était au juste à l'origine de cette proposition. Dans un autre passage l'auteur se fait plus précis et affirme que les citoyens (*ciues*) de *Tiburnia* « forcèrent » le prêtre Paulin à rece-voir « le premier rang dans la plénitude du sacerdoce » (*VS*, 21, 2). Certes, il faut faire la part dans ce récit des usages antiques et du véritable rite social qu'était la *cunctatio*, mais les exemples ne manquent pas où le peuple contraignit un prêtre ou même un simple laïc à occuper à son corps défendant une haute fonction dans la hiérarchie ecclésiastique[49].

À un degré en-dessous dans la hiérarchie nous trouvons le prêtre : *presbyter* (*VS*, 1, 2 ; 11, 2 ; 12, 1 ; 16, 1 ; 21, 1 ; 22, 3 ; 24, 2) ou *sacerdos* (*VS*, 9, 3 ; 22, 3 ; 23, 2 ; le terme est pris comme synonyme d'*episcopus* au ch. 36, 2) ; ce ministre est chargé de la pastorale et du culte dans le

---

48. Cf. I. Zibermayr, *op. cit.*, p. 44 s. ; P. Stockmeier, *art. cit.*, p. 67 et 75.

49. L'exemple le plus célèbre d'élection par acclamation est celui d'Ambroise de Milan : cf. Paulin, *Vita Ambrosii*, 6 (éd. M. Pellegrino, *Verba Seniorum* 1, Rome 1961, p. 56-58).

cadre d'un village ou d'une petite ville (*locus, castellum*). Il est aidé dans ses fonctions par des diacres (*VS,*
11, 3 ; 16, 4 ; 19, 3) et des sous-diacres (*VS,* 16, 6), dont
il n'est pas possible, à la lecture du texte, de préciser les
missions respectives. Des localités aussi modestes que
Cucullae et *Quintanae* disposent apparemment d'un
clergé assez nombreux, puisqu'il est question de plusieurs
prêtres et de plusieurs diacres dans le premier cas (*VS,*
11, 3 ; 12, 1), et dans le second d'un prêtre, d'un diacre et
d'un sous-diacre (*VS,* 16, 4 ; 6). Les ordres mineurs ne
sont représentés que par des portiers[50] ; il est remarquable qu'Eugippe ne mentionne pas d'autres clercs, à l'exception d'un chantre (*VS,* 24, 1). En revanche, il fait
allusion à une vierge consacrée (*VS,* 16, 2), ce qui prouve
qu'il existait des formes de vie consacrée en dehors de la
hiérarchie ecclésiastique et des communautés monastiques masculines.

Les prêtres occupent une position privilégiée dans la
société provinciale ; ils exercent tout à la fois une direction spirituelle, un magistère moral et sans doute une
influence politique réelle sur les communautés dont ils ont
la charge. Eugippe distingue toujours les prêtres du reste
du clergé, et du peuple chrétien en général, comme s'il
voulait mettre en relief le rôle éminent qu'ils jouent dans
la vie sociale[51]. Cette déférence de principe s'accompagne

---

50. Au ch. 16, à l'occasion de la veillée funèbre à *Quintanae,* il est
question de deux portiers (*VS* 16, 4). Dans le même passage l'un des
portiers, Maternus, est qualifié tantôt d'*ostiarius* (*VS* 16, 1), tantôt de
ianitor (*VS* 16, 2 ; 6), ce qui tendrait à prouver que les deux termes
étaient synonymes. Il ne semble pas, en revanche, que le gardien de
l'église (*ecclesiae custos, VS* 1, 1), ou celui de la basilique (*Maurus
basilicae monasterii ... aedituus, VS* 10, 1) aient reçu les ordres. Ils
jouaient plutôt le rôle du sacristain dans nos églises aujourd'hui : cf.
L. Bieler, *op. cit.,* p. 44 n. 50.

51. *Presbyteris, clero vel civibus* (*VS* 1, 2) ; dans un autre passage
les prêtres sont nettement distingués du reste du peuple : *presbyteri
ceterique mansores* (*VS* 12, 1).

d'une grande discrétion sur la vie spirituelle et l'activité pastorale du clergé. Cela ne doit pas nous surprendre outre mesure : les communautés locales ne sont pour Eugippe qu'un « décor » pour l'action bénéfique de Séverin, elles n'ont pour ainsi dire pas d'existence propre en dehors de l'impulsion salutaire que leur communique le saint sur son passage. Une telle perspective est évidemment trompeuse et rien dans le texte ne nous autorise à jeter le doute sur la réalité même de la vie chrétienne dans le Norique au ve siècle[52]. La piété populaire s'exprime sans doute sous des formes ordinaires qui retiennent rarement l'attention de l'observateur et qui pour cette raison sont aujourd'hui difficilement saisissables pour nous[53]. De plus, la vie spirituelle, celle des prêtres comme celle des laïcs, n'est perçue et reconnue comme telle par le moine Eugippe que dans la mesure où elle imite les pratiques du monachisme et s'efforce de correspondre le moins imparfaitement possible à l'idéal incarné par Séverin tout au long de sa mission dans le Norique. L'influence des modèles de spiritualité monastique apparaît avec une particulière netteté dans l'importance accordée par Eugippe aux vertus du jeûne, de l'aumône et des larmes. Il n'est pas de sermon en effet, pas d'homélie où Séverin ne prêche la nécessité du renoncement et ne souligne la valeur de la pénitence aux yeux de Dieu. Il ne peut donc faire de doute que, pour Eugippe, les moines, par l'exem-

---

52. Que Séverin ait introduit dans le Norique des exigences radicalement nouvelles (le versement de la dîme, par exemple) ne signifie pas nécessairement que les communautés chrétiennes végétaient jusque-là dans la routine ; les jugements portés par H. KOLLER, « Die Christianisierung des Ostalpenraumes », dans *Religion und Kirche in Österreich* (Schriften des Instituts für Österreichkunde), Vienne 1972, p. 16, sont à nuancer sur ce point.

53. Le culte des reliques est une des rares occasions où nous pouvons saisir une manifestation de la piété populaire, favorisée et encouragée par le monachisme.

ple qu'ils donnent eux-mêmes de ces vertus, sont les témoins crédibles d'un christianisme authentique.

Le monachisme séverinien

Séverin a-t-il introduit le monachisme dans le Norique ? Il existait probablement avant lui et en dehors de lui des formes de vie consacrée[54] se rattachant aux diverses traditions ascétiques occidentales, mais ce mouvement n'a guère laissé de traces ; aussi, l'histoire du monachisme ancien dans cette région commence — et finit — avec Séverin.

L'institution monastique selon Séverin

Sur le plan institutionnel, le monachisme séverinien est largement influencé par les formes d'organisation des colonies semi-érémitiques d'Orient. Au centre du groupement monastique nous trouvons un maître spirituel chargé d'assurer la formation de ceux qui se mettent à son école. Il est significatif cependant que Séverin ne soit jamais qualifié d'*abbas* par Eugippe[55], mais toujours de *doctor* (*VS*, 19, 3 ; 36, 1 ; 39, 1 ; 42, 3) ; sa fonction première est en effet d'enseigner ses compagnons et de les guider par degrés sur le chemin de la perfection. Les relations entre Séverin et ses moines sont comparées à celles qui existent entre le maître et ses disciples (*VS*, 39, 1 ; 42, 3) ou entre le père et ses enfants (*VS*, 41, 1 ; 6). Le terme qui revient le plus fréquemment pour désigner l'exercice de l'autorité spirituelle est celui de *praecipere*

---

54. Mentionnons pour mémoire la présence à *Iuuauum* (Salzbourg) de trois religieux (*tres spiritales*) (*VS* 13, 2) et l'existence à *Quintanae* (Künzing) d'une vierge consacrée (*VS* 16, 2).

55. Cf. commentaire ch. 41, 1.

(*VS*, 26, 2 ; 40, 6 ; 43, 1) ; le précepte (*praeceptum*) doit être suivi à la lettre (*VS*, 10, 1 ; 34, 1), il est même considéré comme émanant de Dieu et supérieur à toute volonté individuelle. On est plus près, on le voit, de la tradition érémitique ou semi-érémitique que de l'esprit du cénobitisme pachômien. Mais ce qu'Eugippe nous dit de la communauté nous ramène pourtant à l'idéal du *coenobium*.

Séverin apparaît en effet constamment animé du souci de préserver l'unité et la cohésion de sa congrégation. S'il se réjouit, par exemple, dans son discours d'adieu, de voir se renforcer les liens de l'amour fraternel parmi ses disciples (*VS*, 43, 3), il souhaite ardemment que les moines après sa disparition prolongent l'œuvre commune et conservent son souvenir toujours vivant. À cet effet, il leur demande, quand ils quitteront le Norique, d'emporter son corps avec eux, comme gage de leur unanimité (*VS*, 40, 6). Eugippe utilise dans ce passage deux mots pour désigner la communauté monastique : *congregatio* et *societas*. Le premier est assez courant, le second plus recherché et plus rare ; il est en outre suivi d'une épithète (*sancta*) qui lui donne une valeur affective supplémentaire, et enveloppé dans une périphrase (*in uno ... uinculo*) qui exprime en termes métaphoriques un idéal d'unité et de force. Le terme de *societas* revient dans un des derniers discours de Séverin, associé cette fois à l'idée de paix et de souvenir (*VS*, 42, 3) ; dans les deux cas, il semble bien traduire une volonté de désappropriation personnelle et de vie commune intégrale[56]. Pour Séverin, comme pour Eugippe, la communauté n'est donc pas une simple collection d'individus isolés autour d'un « père

---

56. Nous reprenons ici l'analyse très fine que dom A. DE VOGÜÉ a donnée de ces termes dans son article « La Règle d'Eugippe retrouvée ? », *RAM*, 47 (1971), p. 259-260.

charismatique » ; elle est une véritable communion fraternelle[57], étroitement unie dans le souvenir de son fondateur et dans la recherche de la perfection évangélique.

Quel enseignement Séverin a-t-il proposé à ses moines ? Cet homme d'action et de prière n'a pas laissé de règle écrite et il ne semble pas qu'il ait utilisé une des nombreuses règles qui circulaient déjà en Occident à cette époque. Il formait ses disciples par sa direction personnelle et par l'exemple qu'il donnait quotidiennement des vertus monastiques (*VS*, 4, 6). Pour compléter cette initiation à la vie ascétique, le saint invitait ses compagnons à suivre « les traces des bienheureux pères » (*VS*, 9, 4)[58], c'est-à-dire à prendre pour modèles les fondateurs du monachisme oriental. L'essentiel de la formation résidait donc dans l'instruction orale (*aedificationis alloquium, VS,* 43, 8), qui faisait de Séverin la Règle vivante (*forma*) de ses moines.

La doctrine spirituelle qu'il a voulu transmettre à ses auditeurs se trouve à l'état d'ébauche dans plusieurs passages de la *Vita*[59]. Mais le seul exposé complet que nous ayons sur sa conception de la vie monastique se présente sous la forme d'une longue exhortation adressée à ses « très chers fils » au ch. 43. Ce discours d'adieu est en même temps son testament spirituel : il représente la

---

57. Sur la communion (κοινωνία) comme idée et comme marque distinctive du cénobitisme pachômien : cf. H. BACHT, « Antonius und Pachomius » dans *Antonius Magnus Eremita* (*Studia Anselmiana,* 38), Rome 1956, p. 66-107, et *id., art.* « Koinonia », *DSp* 8 (1974), col. 1754-1758.

58. Dans le même sens : « vous renvoyant à l'exemple de nos anciens » (*VS* 43, 2).

59. On trouvera par exemple quelques éléments de doctrine à la fin du ch. 9, où Séverin définit deux aspects essentiels de l'ascèse monastique : la renonciation au monde et la mortification de la chair (*VS* 9, 4 et 5).

somme des principes qui ont fondé son enseignement et sa pratique dans les monastères du Norique.

L'homélie, fort bien construite, commence par une évocation de la figure d'Abraham, le père des moines, qui partit à l'appel de Dieu pour la Terre Promise, sans savoir où le mèneraient ses pas (*VS*, 43, 2)[60]. Elle se poursuit par une énumération des vertus pratiquées par les moines de la communauté : ferveur spirituelle, justice, charité, amour fraternel, chasteté et humilité (*VS*, 43, 3). Séverin interrompt ensuite son développement pour rappeler à ses compagnons que l'opinion des hommes importe peu et que seul compte en définitive le jugement porté par Dieu sur les mérites de chacun (*VS*, 43, 4). Puis il enchaîne sur la nécessité de la prière continuelle, de la pénitence et des larmes (*VS*, 43, 5), insiste encore une fois sur l'humilité du cœur, la tranquillité de l'âme et l'observation des préceptes divins, sans lesquels le nom de moine n'est qu'illusion (*VS*, 43, 5), et termine enfin en soulignant que la vie du moine doit être conforme en tous points au « genre de vie qu'ils ont choisi » (*VS*, 43, 6). À dire vrai, rien dans ce discours n'est original ; Séverin n'a fait que recueillir l'héritage d'une longue tradition qu'il a méditée, assimilée et enrichie parfois de sa propre expérience avant de la transmettre à son auditoire.

Dans ses ultimes recommandations relevons tout de même quelques thèmes que le saint semble traiter avec prédilection. L'humilité, en premier lieu. Séverin revient trois fois sur ce chapitre (*VS*, 43, 3 et 5), ce qui montre bien l'importance qu'il attache à cette vertu dans l'éducation monastique. L'*humilitas* est en effet une des attitudes fondamentales du moine dans ses relations avec le

---

60. Exemple d'obéissance dans la foi, Abraham est aussi le modèle du renoncement aux biens de la terre (cf. *VS* 43, 2-3).

monde extérieur ; qu'elle s'exprime par l'obéissance due
au supérieur, le service rendu à un frère ou l'attention
portée au prochain en général, elle est une forme de
participation à la passion du Christ et à son sacrifice
rédempteur[61]. Elle seule peut disposer à la prière continuelle, qui est l'autre trait distinctif de la spiritualité
séverinienne. La prière, pour Séverin, est un mouvement
qui affecte tout l'être, libère l'esprit de la chair et le rend
comme transparent à la lumière de Dieu (*VS*, 43, 1).

Mais Séverin ne s'est pas contenté de proposer à ses
disciples une doctrine spirituelle, il s'est aussi soucié
d'organiser concrètement la vie de la communauté qu'il
avait fondée. La *congregatio* séverinienne comprenait un
monastère principal à *Fauianae* (*VS*, 22, 4) et sans doute
plusieurs filiales, dont une seule nous est connue, celle
de *Boiotro,* près de *Bataua* (Passau) (*VS*, 19, 1 ; 22, 1 ;
36, 1). Nous ne savons pas quels étaient les effectifs
totaux de ces établissements, mais Eugippe précise que
Séverin avait ouvert la « cellule » de *Bataua* (qui sans
doute ne fait qu'un avec la « cellule » de *Boiotro*) pour
quelques moines ; cette indication est très vague, mais elle
permet de penser que le nombre des moines dans chaque
maison ne devait pas être considérable. En revanche,
l'extension géographique du « réseau » de monastères
devait être importante, puisque Eugippe rapporte que la
fondation de la « cellule » de *Bataua/Boiotro* se fit
« comme à son habitude » (*VS*, 19,1)[62], ce qui laisse supposer l'existence d'autres cellules du même type sur le
territoire du Norique riverain. Il est remarquable en tout
cas que les deux monastères de *Fauianae* et *Boiotro*

---

61. Cf. A. DIHLE, *s.v.* « Demut », *RAC* 3 (1957), col. 767.
62. Un indice supplémentaire sur le nombre des établissements fondés par Séverin : il est dit que le monastère de *Fauianae* est le plus
grand de tous (*VS* 35, 2).

soient situés à proximité immédiate des agglomérations ; le monachisme séverinien est en effet un phénomène urbain, ou suburbain si l'on veut, ce qui le distingue fortement de la tradition anachorétique. Cette situation particulière détermine à son tour un style de vie qui a sa fin et sa perfection propres, celles d'une charité active au service de la population des environs.

Comment entre-t-on dans la communauté monastique ? Il n'est pas encore question de vœux au sens que prendra plus tard ce terme dans le monachisme bénédictin. À l'origine de la vocation monastique il y a une conversion intérieure[63], une volonté de changer de vie pour se rapprocher de Dieu dans le renoncement et la prière continuelle. C'est ce choix décisif en faveur de l'ascèse qu'Eugippe, tout comme ses devanciers, qualifie de *propositum*[64], mais rien ne nous dit que cet engagement personnel était sanctionné officiellement par une profession publique (*professio*). L'état de vie qu'a choisi le nouveau moine, avec ses obligations, ses usages et ses principes, porte le nom de *sancta conuersatio*[65].

Eugippe, fidèle en cela à une longue tradition monastique, aime d'ailleurs utiliser des expressions militaires pour désigner les pratiques de la vie monastique[66] : le

---

63. Eugippe fait allusion à cette conversion à propos du moine Bonosus : *VS* 35, 2.

64. Le terme apparaît dès le premier chapitre pour décrire le genre de vie de Séverin à *Asturae* : *VS* 1, 1. Dans le même sens : *VS* 4, 6 ; 43, 6 ; 44, 2. Sur le sens du mot *propositum* : cf. BLAISE-CHIRAT, *Dictionnaire latin-français des auteurs chrétiens*, Paris 1954, p. 676.

65. Cf. *VS* 9, 4. On retrouve le même terme plus tard dans la Règle de S. Benoît : *RB* 58, 17 (*SC* 182, p. 630).

66. Sur le vocabulaire de la vie monastique : cf. les études de G. PENCO, « Il concetto di monaco e di vita monastica in Occidente nel secolo VI » et G.M. COLOMBÁS, « El concepto de monje y vida monastica hasta fines del siglo V », *Studia Monastica*, 1 (1959), p. 7-50 et 257-342.

moine est un soldat au service de Dieu[67] ; pour le combat contre les forces du Mal il dispose des armes célestes et quand il passe des journées et des nuits en prière, il monte la garde, tel une sentinelle (*VS*, 35, 2).

Le supérieur de la congrégation de *Lucullanum*, cependant, ne cherche pas à nous dissimuler que tous les moines ne correspondaient pas à l'idéal vécu et enseigné par Séverin. Il nous rapporte notamment un cas d'indiscipline grave au monastère de *Boiotro*, où trois moines se trouvaient atteints d'un « abominable orgueil ». Devant ce manquement aux principes les plus élémentaires de la vie monastique Séverin réagit sans tarder et avec une sévérité sans doute jugée excessive par les contemporains d'Eugippe ; il commence en effet par reprendre les coupables, puis, devant leur persévérance dans le péché, il les livre au démon (*VS*, 36, 1). Les possédés sont ensuite soumis à un jeûne très strict de quarante jours, sous la surveillance de leurs frères, et, au bout de cette période de pénitence, ils sont délivrés du pouvoir du démon et recouvrent la santé de l'âme et du corps (*VS*, 36, 4). Derrière cette mise en scène diabolique nous entrevoyons les méthodes de direction spirituelle à l'honneur dans les déserts orientaux : avertissement (*monitio*), réprimande (*correptio*), jeûne et prière de réconciliation[68]. Cet épisode est en même temps révélateur des tensions qui pouvaient exister au sein des monastères, où le respect de la discipline (*disciplinae metus*) dépendait non seule-

---

67. Cf. *VS* 43, 5. Sur la *militia dei* : cf. G. Penco, *art. cit.*, *Studia Monastica*, 1 (1959), p. 22 s. et G.M. Colombás, *art. cit.*, *ibid.*, p. 283 s. La conversion du soldat Avitianus donne lieu à un jeu sémantique caractéristique : *suscepto ... professionis sanctae proposito in insulae solitudine armis caelestibus mancipatus militiae commutavit officium* (*VS* 44, 2).

68. Sur ce point : cf. A. de Vogüé, *op. cit.*, t. 5 (*SC* 185), p. 724 s. ; t. 7 (*SC* h.c), p. 263 s.

ment de l'autorité mais aussi de la présence personnelle de Séverin[69].

Si, dans le cadre ainsi tracé, nous abordons maintenant le chapitre des observances, nous ne constatons pas de grand décalage entre la doctrine enseignée par Séverin et la pratique quotidienne de ses disciples, telle que la décrit Eugippe. Les exercices ascétiques que le saint propose régulièrement à ses moines, et qu'il recommande même, à l'occasion, aux prêtres et aux laïcs, sont — à une moindre échelle — ceux qu'il s'impose à lui-même : le jeûne, la prière et l'aumône. On sait la place importante qu'occupe le jeûne dans la panoplie des « armes spirituel- les » : il doit rendre l'âme plus légère et lui permettre de s'élever sans peine vers Dieu (cf. *VS*, 4, 9). La privation volontaire, dans une intention pénitentielle (*VS*, 36, 4) ou thérapeutique (*VS*, 38, 1), est d'ailleurs toujours associée à l'oraison et aux larmes. À cet égard, on peut être surpris de voir Séverin se répandre en pleurs à maintes reprises et exiger même des autres qu'ils pleurent avec lui (*VS*, 4, 12 ; 34, 1). Ce n'est pas là un signe de sensiblerie ou de tension nerveuse, encore moins un artifice de présentation destiné à émouvoir le lecteur ; dans le monachisme ancien, en effet, le « don des larmes » est une grâce authentique, un moyen de purification intérieure et une expression privilégiée de la véritable componction[70]. Les larmes accompagnent et soutiennent la prière (*VS*, 14, 3 ; 16, 4), tout comme elles soulignent le repentir (*VS*, 39, 2 ; 43, 5) et l'affliction (*VS*, 22, 3 ; 43, 8).

La louange de Dieu (*laus dei*) est avec l'ascèse l'autre grand fondement de l'*opus dei* monastique. À chaque

---

69. On retrouve les mêmes phénomènes dans le monachisme primitif en Gaule et en Italie : cf. F. Prinz, *op. cit.*, p. 326.

70. Sur le don des larmes : cf. H. Schulte, *s.v.* « Tränengabe », *LThK*, 10 (1965), col. 305.

monastère est annexée une *basilica* (*VS*, 9, 3 ; 22, 1), où
la communauté se retrouve pour la prière liturgique
(*solemnitas*) le matin et le soir (*VS*, 39, 1). Selon toute
probabilité, les autres oraisons étaient faites *priuatim*[71].
On a déjà noté l'importance de la psalmodie dans la
liturgie quotidienne : le chant des psaumes représentait
en effet avec les cantiques et les hymnes l'essentiel de
l'office. Enfin, si Séverin était un lecteur assidu de l'Écriture (*VS*, 10, 2 ; 20, 2 ; 23, 1), qu'il cite fréquemment dans
ses homélies, il n'est dit nulle part que ses disciples
pratiquaient régulièrement la *lectio diuina*. On peut
toutefois supposer que cet exercice, recommandé par
toutes les règles contemporaines, n'était pas complètement inconnu dans les monastères du Norique[72].

Ascèse, prière, louange, la vie du moine ne se résume
pas à ce tête-à-tête permanent avec Dieu. Malgré son nom
le *monachus* n'est pas seul au monde ; différent des
autres hommes par sa vocation particulière, il n'en reste
pas moins attaché par toute sorte de liens à ses frères
dans la foi. Il est donc nécessaire de préciser la nature des
relations entre Séverin, sa communauté et la hiérarchie
ecclésiastique. Remarquons tout d'abord qu'il n'est question nulle part d'un contrôle même lointain exercé par
l'évêque sur le groupement monastique ; celui-ci semble
donc jouir d'une entière autonomie sous la direction de
son supérieur. Une telle situation correspond d'ailleurs à
l'esprit du monachisme primitif, qui est un mouvement
laïc, caractérisé par un genre de vie propre et d'une

---

71. Séverin récite les autres prières de la journée dans son oratoire
personnel : *VS* 39, 1.

72. On trouvera d'utiles précisions sur la distinction entre *meditatio*
(= mémorisation) et *lectio* (= lecture) comme stades préparatoires à
l'étude de l'Écriture dans l'article de Th. KLAUSER, « Vivarium », dans
Robert Boehringer, eine Freundesgabe, Tübingen 1957, p. 337, réimpr.
dans *JbAC* Erg.-Bd. 3 (1974), p. 212.

certaine façon séparé par ses observances du reste du peuple chrétien. Il va de soi que la séparation n'est pas totale et que le moine ne saurait s'exclure de la communion de l'Église ni renoncer à la participation aux sacrements sous peine de perdre son identité chrétienne.

La célébration de l'Eucharistie, signe de l'unité du corps du Christ, met nécessairement en contact le moine et le clerc et pose ainsi le problème plus général des rapports entre la communauté monastique et l'institution ecclésiale. Nous avons déjà relevé l'absence de toute référence à la liturgie eucharistique dans le texte d'Eugippe ; nous avons seulement la mention d'un rite de communion *extra missam* au ch. 43, 1. Le récit de la mort de Séverin comporte en effet tous les éléments d'un office monastique au cours duquel étaient distribuées les saintes espèces conservées à l'oratoire du monastère : baiser de paix, communion, chant des psaumes, prière finale[73]. Reste donc à savoir où et quand se réunissait la communauté pour célébrer l'Eucharistie. Avec dom A. de Vogüé nous pouvons envisager trois hypothèses[74] : ou bien les moines se rendaient à l'église locale pour assister avec tous les fidèles à la messe de l'évêque ou du prêtre, ou bien ils invitaient chez eux à cet effet un clerc venu de l'extérieur ou bien enfin ils avaient leur propre ministre, membre de leur communauté et chargé notamment de la liturgie dominicale. Laquelle de ces trois hypothèses faut-il retenir dans le cas qui nous occupe ?

---

73. Ce passage a fait l'objet d'un commentaire détaillé, appuyé sur des comparaisons avec la Règle du Maître, dans l'exposé d'A. HÄUSSLING, « Das *Commemoratorium* des Eugippius und die *Regula Magistri* und *Regula Benedicti* », *Regulae Benedicti Studia. Annuarium Internationale*, 5 (1976), p. 37-39.

74. A. DE VOGÜÉ, « Le prêtre et la communauté monastique », *La Maison-Dieu*, 115 (1973), p. 62-63.

Nous avons un premier élément de réponse avec l'existence attestée de reliques dans les basiliques de *Fauianae* (*VS*, 9, 3) et *Boiotro* (*VS*, 22, 1 ; 23, 2). L'invention miraculeuse et la translation de reliques (*VS*, 9, 3) comptaient sans aucun doute parmi les manifestations les plus spectaculaires d'une dévotion pour les saints alors en pleine expansion ; mais la déposition des « corps » des martyrs dans l'autel, outre qu'elle faisait partie intégrante du rituel de dédicace des basiliques, rendait également nécessaire un culte particulier qui prenait la forme d'une célébration eucharistique[75]. Nous ne savons pas qu'elle était la fréquence ni la place exacte de ce type de célébration dans l'office monastique, mais il impliquait à tout le moins la présence d'un prêtre au monastère pour assurer le « service de l'autel », indépendamment de la liturgie dominicale. Nous ne pouvons dire avec certitude si ce prêtre faisait partie de la communauté ; le texte fait bien allusion à des *presbyteri* qui se proposent d'aller chercher des reliques pour la basilique de *Boiotro* (*VS*, 22, 1), mais on ne peut exclure *a priori* qu'ils aient appartenu au clergé de *Boiotro* (ou de *Bataua*). Il en va de même pour le diacre Amantius et le prêtre Lucillus, désignés (par qui ?) pour remplir une mission auprès du roi Gibuld et rendre des captifs à leurs familles (*VS*, 19, 3 et 5) ; ces deux clercs peuvent avoir été choisis parce qu'ils étaient attachés à la communauté séverinienne[76] ou plus simplement parce qu'ils connaissaient l'identité des

---

75. Cet usage est attesté dans la liturgie occidentale au VIᵉ siècle : cf. A. HÄUSSLING, *Mönchskonvent und Eucharistiefeier* (*Liturgiewissenschaftliche Quellen und Forschungen*, 58), Münster 1973, p. 213-225 ; *id.*, *art. cit.*, p. 35-36.

76. C'est ce que suggère A. DE VOGÜÉ dans une note de son commentaire : *La Règle de Saint Benoît*, t. 7 (*SC* hors coll.), Paris 1977, p. 404 n. 21.

« disparus » en tant que membres du clergé local[77]. L'importante révélation faite par Séverin au prêtre Lucillus et surtout la charge liturgique d'entretenir la mémoire du saint (*VS*, 41, 1) nous inclinent à penser que ce prêtre est entré, quelques années après cette mission « diplomatique », dans la famille monastique[78].

Un fait en tout cas est assuré : tous les successeurs de Séverin sont prêtres. Lucillus l'était déjà du vivant même du saint ; Marcianus, entré sans doute comme laïc dans la communauté (*VS*, 37, 1), a reçu les ordres, tout comme Eugippe[79], sans que nous puissions distinguer si leur ordination a été antérieure à leur abbatiat ou contemporaine de leur prise de fonction. Cette évolution témoigne apparemment d'un changement d'attitude par rapport à la célébration eucharistique : la présence de prêtres dans la communauté permet en effet d'offrir le sacrifice à intervalles réguliers sans avoir à faire appel au clergé local. Elle marque en même temps un tournant dans l'histoire de la congrégation séverinienne puisque désormais sont réunis en une seule personne le pouvoir sacramentel et l'autorité abbatiale. Cette solution, note dom A. de Vogüé[80], « a connu une grande faveur tant en Occident qu'en Orient » sans qu'elle soit pour autant devenue une règle ou une coutume. Nous assistons là sans aucun doute à un début de cléricalisation du monachisme, puisque la

---

77. Ainsi pourrait s'expliquer le fait que Lucillus soit chargé de célébrer le service anniversaire de l'évêque Valentin ; à l'ancienne relation hiérarchique s'ajoutait d'ailleurs une paternité spirituelle que rend le terme d'*abbas* (*VS* 41, 1).

78. Il a peut-être rejoint la communauté deux ans ou plus avant la mort du saint (*VS* 41, 1). Il fut le premier successeur de Séverin et apparaît déjà dans cette fonction au ch. 44 (*VS* 44, 5).

79. L'auteur est qualifié de *presbyter* dans la suscription de la lettre de Paschasius.

80. A. DE VOGÜÉ, *La Règle de Saint Benoît*, t. 7, p. 407.

communauté est désormais ouverte aux prêtres, soit par l'admission de prêtres, soit par l'ordination de moines ; pour éviter certains conflits de compétence entre moine-prêtre et abbé-laïc, il semble que l'abbé ait été choisi à dessein parmi les prêtres de la congrégation ou que le nouvel élu ait reçu les ordres s'il était encore laïc au moment de sa promotion à l'abbatiat[81].

Séparation n'est donc pas synonyme d'exclusion ; bien au contraire, pour Séverin et ses successeurs, la communauté monastique est indissociable du peuple chrétien, laïcs et prêtres confondus ; elle doit être tout entière à son service, attentive à ses besoins, ouverte à ses demandes et pleinement solidaire de son destin sur cette terre. À cet égard, le mouvement séverinien occupe une place originale dans l'histoire du monachisme primitif en Occident par l'importance qu'il accorde à la pratique des vertus charitables. La communauté selon Séverin n'est ni un foyer missionnaire pour les campagnes, comme Marmoutier, ni une école de formation pour le clergé, comme Lérins, elle est plutôt un centre de secours voué à l'assistance aux plus pauvres, aux plus faibles, aux plus démunis[82]. Elle est en fait organisée pour remplir une fonction sociale négligée ou abandonnée par les responsables politiques[83] ; par son rayonnement et son efficacité matérielle elle apporte à sa manière une réponse au défi lancé

---

81. Voir les exemples cités par A. DE VOGÜÉ, *art. cit.*, *La Maison-Dieu*, 115 (1973), p. 65 n. 12.

82. C'est F. PRINZ, *op. cit.*, p. 327, qui propose cette comparaison très éclairante avec Marmoutier et Lérins.

83. J. SÉGUY, dans une étude intitulée « Sociologie des sociétés imaginées, monachisme et utopie », *A.E.S.C.*, 26 (1971), p. 328-354, propose de distinguer à l'intérieur du monachisme charismatique cinq catégories ou sous-types ; la première de ces catégories correspond au cénobitisme politique « qui reflète les structures diversifiées et fédératives de la *polis* antique (Pachôme) ou en assume les fonctions mal remplies ou abandonnées (Basile) » (p. 335).

à la société provinciale par les invasions barbares. Elle est en même temps une société idéale qui propose, à travers l'exemple de Séverin, une nouvelle image de l'homme de Dieu.

Par sa formation en Orient Séverin est en effet un fils du Désert, un pénitent, un « séparé » qui aspire à vivre hors du monde ; mais par sa vocation propre il est un intercesseur, un homme public qui use de toute son autorité spirituelle et de son prestige social pour étendre le Règne de Dieu ici-bas. Ses hésitations, ses tiraillements entre la vie contemplative et la vie active marquent l'émergence progressive d'un nouvel idéal de sainteté où le service des hommes compte autant que le renoncement aux biens de ce monde.

Ainsi, Séverin prend place à la suite de Martin dans l'histoire de la spiritualité occidentale ; il montre par son action que la participation à la vie publique — sous toutes ses formes — peut être un moyen de sanctification au même titre que la séparation et la fuite hors du monde et qu'elle peut être une exigence impérieuse dans une époque troublée où l'existence même de la Cité est en jeu.

*

Au terme de cette introduction nous aimerions exprimer notre gratitude à M.M. Meslin, aujourd'hui président de l'Université Paris-Sorbonne, qui nous a donné à lire le texte d'Eugippe et qui a dirigé notre thèse de IIIe cycle. Tout au long de nos recherches il ne nous a ménagé ni ses conseils ni ses encouragements ; sans lui ce travail n'aurait jamais vu le jour. Nous avons également contracté une dette de reconnaissance à l'égard de ceux qui nous ont apporté leur aide tant en France qu'à l'étranger. Nous ne pouvons les citer tous, mais nous remercions particulièrement le professeur Rudolf Noll, directeur honoraire des Antiquités romaines au Kunsthistorisches Museum de Vienne, qui a guidé nos premiers pas en Autriche et M. Jean Rougé, professeur émérite à l'Université de Lyon II, qui a fait preuve d'une inlassable patience dans la revision du manuscrit. Enfin, nous tenons à saluer la mémoire du P. Mondésert, qui avait bien voulu accueillir cet ouvrage dans la collection dont il était alors le directeur.

LISTE DES ABRÉVIATIONS

AAAd	Antichità Altoadriatiche, Udine.
AAWW	Anzeiger der Österreichischen Akademie der Wissenschaften, Vienne.
AAntASH	Acta Antiqua Academiae Scientiarum Hungaricae, Budapest.
AESC	Annales. Économies, Sociétés, Civilisations, Paris.
AKG	Archiv für Kulturgeschichte, Cologne.
ALMA	Archivum Latinitatis Medii Aevi, Leiden.
ALW	Archiv für Liturgiewissenschaft, Münster.
ANRW	Aufstieg und Niedergang der Römischen Welt, Berlin-New York.
AUSB	Annales Universitatis Scientiarum Budapestinensis, Budapest.
BA	Bibliothèque Augustinienne, Paris.
BVGBl.	Bayerische Vorgeschichtsblätter, Munich.
CTh	Codex Theodosianus, ed. Th. Mommsen, réimpr., Dublin-Zurich 1971.
DIP	Dizionario degli Istituti di perfezione, Rome.
EC	Enciclopedia Cattolica, Rome.
HbKG	Handbuch der Kirchengeschichte (éd. H. Jedin), Fribourg en Bsg.
JbAC	Jahrbuch für Antike und Christentum, Stuttgart.
JLNÖ	Jahrbuch für Landeskunde von Niederösterreich, Vienne.
JOÖMV	Jahrbuch des oberösterreichischen Musealvereins, Linz.

LThK	Lexikon für Theologie und Kirche, Fribourg en Bsg.
LexMA	Lexikon des Mittelalters, Munich-Zurich.
MAH	Mélanges d'Archéologie et d'Histoire de l'École Française de Rome.
MG AA	Monumenta Germaniae Historica. Auctores antiquissimi, Berlin.
MG SRG	Monumenta Germaniae Historica. Scriptores rerum Germanicarum in usum scholarum, Berlin.
MG SRL	Monumenta Germaniae. Scriptores rerum Langobardicarum.
MG SRM	Monumenta Germaniae. Scriptores rerum Merovingicarum.
MG SS	Monumenta Germaniae Germanica. Scriptores, Berlin.
MIÖG	Mitteilungen des Instituts für österreichische Geschichtsforschung, Vienne.
MOLA	Mitteilungen des oberösterreichischen Landesarchivs, Linz.
ND Occ.	*Notitia Dignitatum Occidentis*, éd. O. Seeck, Berlin 1876.
OBGM	Ostbairische Grenzmarken. Passauer Jahrbuch für Geschichte, Kunst und Volkskunde, Passau.
OÖHb	Oberösterreichische Heimatblätter, Linz.
PLRE	J.R. Martindale, The Prosopography of the Latin Roman Empire, Volume 2 (A.D. 395-527), Cambridge 1980.
PRE	Realencyclopädie für protestantische Theologie und Kirche.
RAM	Revue d'Ascétique et de Mystique, Paris.
RB	*Regula Benedicti* (Règle de saint Benoît).
RBPH	Revue Belge de Philologie et d'Histoire, Bruxelles.
REAug	Revue des Études Augustiniennes, Paris.
RGA[2]	Hoops' Reallexikon für germanische Altertumskunde, 2e éd., Göttingen.

RhM	Rheinisches Museum, Francfort.
RIDA	Revue internationale des Droits de l'Antiquité, Bruxelles.
RLiÖ	Der römische Limes in Österreich, Vienne.
RÖ	Römisches Osterreich, Vienne.
RQ	Römische Quartalschrift für christliche Altertumskunde und Kirchengeschichte, Fribourg en Bsg.
RSCI	Rivista di Storia della Chiesa in Italia, Rome.
RSPT	Revue des Sciences philosophiques et théologiques, Paris.
SB AWW	Sitzungsberichte der Österreichischen Akademie der Wissenschaften in Wien (Phil.-Hist. Kl.), Vienne.
Severin-Katalog	Severin zwischen Römerzeit und Völkerwanderung. Ausstellung des Landes Oberösterreich, Linz 1982.
SSCI	Settimane di studio del Centro italiano di studi sull'Alto Medioevo, Spolète.
TRE	Theologische Realenzyklopädie, Berlin-New York.
UH	Unsere Heimat, Vienne.
VF	Vorträge und Forschungen, Constance-Sigmaringen.
VS	*Vita Severini.*
WS	Wiener Studien, Vienne.
ZBLG	Zeitschrift für bayerische Landesgeschichte, Munich.

BIBLIOGRAPHIE SOMMAIRE

Cette liste, arrêtée en 1982, ne comprend que quelques ouvrages essentiels ; elle ne signale pas toutes les études consultées et citées en note. Le lecteur trouvera des bibliographies commentées dans les bulletins critiques rédigés par R. NOLL :

1. « Neuere Literatur zur Vita Severini », *MIÖG*, 59 (1951), p. 440-446 ;
2. « Die Vita Severini des Eugippius im Lichte der neueren Forschung », *AAWW*, 112 (1975), p. 65-71 ;
3. « Literatur zur Vita Severini aus den Jahren 1975-1980 », *AAWW*, 118 (1981), p. 196-221.

Le livre de F. LOTTER, *Severinus* (cf. infra), contient p. 292-311 une riche bibliographie classée par ordre alphabétique ; l'article du même auteur, « Die historischen Daten zur Endphase römischer Präsenz in Ufernorikum », *VF*, 25 (1979), p. 36 s., offre un panorama critique sur les publications les plus anciennes comme les plus récentes.

Enfin, les contributions rassemblées dans le catalogue de l'exposition *Severin zwischen Römerzeit und Völkerwanderung* (Ausstellung des Landes Oberösterreich 24.4 - 26.10. 1982 im Stadtmuseum Enns), Linz 1982, sont suivies d'orientations bibliographiques très utiles sur les différents secteurs de recherches passés en revue.

I. Éditions de la *Vita Severini*

H. SAUPPE, *Eugippii vita sancti Severini*, *MG AA* 1, 2, Berlin 1877, réimpr. 1961.

P. Knöll, *Eugippii Vita sancti Severini*, *CSEL* 9, 2, Vienne 1886, réimpr. 1967.

Th. Mommsen, *Eugippii Vita Severini*, *MG SRG in usum scholarum ex MG recusi* 26, Berlin 1898, réimpr. 1978.

R. Noll, *Eugippius. Das Leben des heiligen Severin. Lateinisch und deutsch. Einführung, Übersetzung und Erläuterungen von R. Noll* (Schriften und Quellen der Alten Welt, 11), Berlin 1963, réimpr. Passau 1981. Cité sous la forme suivante : R. Noll, *Eugippius.*

II. Traductions

R. Noll, *Eugippius.*

L. Bieler — L. Krestan, *The Life of St. Severin* (The Fathers of the Church, 55), Washington 1965.

III. Sur Eugippe

M. Büdinger, « Eugippius. Eine Untersuchung », *SB AWW*, 91 (1878), p. 793-814.

H.J. Diesner, « Severinus und Eugippius » dans *Kirche und Staat im spätrömischen Reich*, Berlin 1964, p. 155-167.

IV. Sur le caractère littéraire de la *Vita Severini*

W. Bulst, « Eugippius und die Legende des heiligen Severin », *Die Welt als Geschichte*, 10 (1950), p. 18-27.

M. Pellegrino, « Il commemoratorium vitae sancti Severini », *RSCI*, 12 (1958), p. 1-26.

H. Baldermann, « Die Vita Severini des Eugippius », *WS*, 74 (1961), p. 142-155 ; 77 (1964), p. 162-175.

V. Sur l'histoire du Norique

E. Polaschek, *s.v.* « Noricum », *PW*, 17, 1 (1936), col. 971-1048.
G. Alfoldy, *Noricum*, Londres — Boston 1974.
H. Ubl, « Österreich in römischer Zeit », *Severin-Katalog*, p. 99-112.

VI. Généralités

É. Demougeot, *La formation de l'Europe et les invasions barbares*, t. 2/2, Paris 1979.
E. Stein, *Histoire du Bas-Empire*, t. 1, 2 vol., Bruxelles 1959.

VII. Sur l'histoire du christianisme ancien en Norique

J. Zeiller, *Les origines chrétiennes dans les provinces romaines de l'Empire romain*, Paris 1918, p. 33 s.
R. Noll, *Frühes Christentum in Österreich von den Anfängen bis um 600 nach Chr.*, Vienne 1954.
R. Noll, « Neuere Funde und Forschungen zum frühen Christentum in Österreich (1954-1974), *Mitteilungen der Österreichischen Arbeitsgemeinschaft für Ur- u. Frühgeschichte*, 25 (1974-1975), p. 195 s.
H. Ubl, « Frühchristliches Österreich », *Severin-Katalog*, p. 295-336.

VIII. Sur la vie chrétienne et la liturgie dans le Norique à l'époque de Séverin

A.J. Pfiffig, « Christliches Leben im norischen Österreich zur Zeit des hl. Severin », *UH*, 31 (1960), p. 99-112.
K. Gamber, « Die Severins-Vita als Quelle für das gottesdienstliche Leben in Noricum während des 5. Jhs. », *RQ*, 65 (1970), p. 145-157.

IX. Sur le rôle « politique » de Séverin

I. Bóna, « Severi(ni)ana », *AAntASH,* 21 (1973), p. 281-338.

F. Lotter, *Severinus von Noricum. Legende und historische Wirklichkeit. Untersuchungen zur Phase des Übergangs von spätantiken zu mittelalterlichen Denk- u. Lebens-formen,* Stuttgart 1976. Cité sous la forme suivante : F. Lotter, *Severinus.*

G. Wirth, « Anmerkungen zur Vita des Severin von Noricum », *Quaderni Catanesi di studi classici e medievali,* 1 (1979), p. 217-277.

TEXTE
et
TRADUCTION

< EUGIPPI EPISTOLA AD PASCHASIUM >

Domino sancto ac uenerabili Paschasio diacono
Eugippius in Christo salutem

1. Ante hoc ferme biennium, consulatu scilicet Inportuni, epistola cuiusdam laici nobilis ad quendam directa presbyterum nobis oblata est ad legendum, continens uitam Bassi monachi, qui quondam in monasterio montis, cui uocabulum est Titas, super Ariminum commoratus, post in Lucaniae regione defunctus est, uir et multis et mihi notissimus, quam epistolam cum a quibusdam describi cognoscerem, coepi mecum ipse tractare nec non et uiris religiosis edicere tanta per beatum Seuerinum diuinis effectibus celebrata non oportere celari miracula.

---

1. Le nom d'*Eugippius*, sans doute d'origine grecque, est assez rare, mais il n'est pas unique en son genre ; on connaît un *Eugypius* et un *Eugipyus*, tous deux évêques de Trente : cf. R. NOLL, *op. cit.*, 1963, p. 118 et *id.*, « Die *Vita Severini* des Eugippe im Lichte der neueren Forschung », *AAWW*, 112 (1975), p. 68 n. 26.

2. Paschasius, diacre de l'Église romaine, nous est connu par le portrait qu'a laissé de lui un siècle plus tard le pape Grégoire le Grand (*Dialogues* IV, 42, t. 3, *SC* 265, Paris 1980, p. 150-153). C'était, selon notre auteur, un homme d'une sainteté extraordinaire, qui se signalait par la générosité de ses aumônes, son amour des pauvres et son mépris de soi. Il avait également écrit des ouvrages sur le Saint-Esprit, aujourd'hui perdus. Mais son nom reste surtout attaché à celui de l'antipape

LETTRE D'EUGIPPE[1] À PASCHASE[2]

Au saint seigneur et vénérable Paschase, diacre,
Eugippe envoie son salut dans le Christ

1. Voici environ deux ans, c'est-à-dire sous le consulat
d'Inportunus[3], on nous a fait lire une lettre adressée à un
prêtre par un laïc noble ; elle contenait la vie du moine
Bassus[4], qui a séjourné jadis au monastère du mont dont
le nom est Titas[5], près d'Ariminum[6], et qui est décédé
ensuite dans la province de Lucanie[7] ; c'était un homme
très connu, non seulement de moi mais de bien d'autres
encore. Lorsque j'ai appris que certains recopiaient cette
lettre, j'ai commencé à me dire, et je m'en suis ouvert
également à des hommes pieux, que les miracles si grands
opérés à travers le bienheureux Séverin par la puissance
de Dieu ne devaient pas rester cachés.

Laurent (498-506), à qui il resta fidèle jusqu'au bout. Il mourut entre
511 et 514.

3. Inportunus fut consul en 509.

4. La Vie de ce moine, inconnu par ailleurs, est perdue.

5. Le mont *Titas* s'appelle aujourd'hui le Monte Titano, point culmi-
nant de la République de Saint-Marin (749 m).

6. Port sur l'Adriatique, aujourd'hui Rimini.

7. La Lucanie, située entre la mer Tyrrhénienne et le golfe de Tarente,
formait avec le Bruttium une des « régions », *regiones*, de l'Italie sub-
urbicaire.

2. Quae cum auctor epistolae praefatae rescisset,
animo promptiore mandauit, ut aliqua sibi per me eiusdem sancti Seuerini mitterentur indicia, quibus instructus
libellum uitae eius scriberet posterorum memoriae profuturum. Hac ego protinus oblatione compulsus commemoratorium nonnullis refertum indiciis ex notissima nobis et
cottidiana maiorum relatione composui, non sine magno
maerore animi, iniustum scilicet reputans, ut te superstite laicus a nobis hoc opus efficere rogaretur, cui et
modus et color operis non sine praesumptione quadam
possit iniungi, ne forsitan saeculari tantum litteratura
politus tali uitam sermone conscriberet, in quo multorum
plurimum laboraret inscitia et res mirabiles, quae diu
quadam silentii nocte latuerant, quantum ad nos attinet
ignaros liberalium litterarum, obscura disertitudine non
lucerent. **3.** Sed nequaquam ultra lucernae illius igniciu-
lum te uelut sole splendente perquiram : tantum ne mihi
peritiae tuae radios nube quadam excusationis obducas,
imperitiam propriam uidelicet accusando. Noli, obsecro,
tam duris me uerberare sermonibus, dum dicis : quid tibi
aquas expectare de silice[a] ? iam utique non expecto de
silice plateae saecularis, sed a te, *qui spiritalibus spiri-
talia comparans*[b] nos de firmissima petra illo quo pro-
fluis orationis melle recreabis[c] : de quo iam nectareum
suauissimae promissionis gustum dirigens praecipis, ut
commemoratorium uel indicia uitae saepe dicti sancti
Seuerini transmitterem : quae donec in tuae constructio-

---

a. Cf. Nombr. 20, 11   b. I Cor., 2, 13   c. Cf. Deut. 32, 13

---

1. Le texte de la Vulgate est cité d'après l'édition critique de R. WE-
BER, *Biblia sacra iuxta Vulgatam versionem,* 2ᵉ éd., Stuttgart 1975,
t. 2.

2. L'écho de mes propos est parvenu à l'auteur de la lettre en question et il m'a demandé avec empressement de lui adresser des notes sur saint Séverin pour lui permettre d'écrire sur la vie de celui-ci un petit livre qui aide la postérité à conserver sa mémoire. Pressé par cette offre j'ai aussitôt composé un mémoire rempli d'indications recueillies dans les récits que nous connaissons bien et qui nous sont faits quotidiennement par les anciens. Ce ne fut pas sans une grande tristesse en l'âme que je me suis mis à l'ouvrage, car j'estimais qu'il était injuste de demander ce travail, de ton vivant, à un laïc et qu'on ne saurait sans quelque prétention lui imposer le rythme et la couleur à donner à l'œuvre ; comme il n'a été formé qu'à la littérature profane, il se pourrait en effet qu'il écrivît cette Vie dans une langue propre à mettre grandement en peine l'ignorance de bien des lecteurs et que les merveilles longtemps cachées en quelque sorte dans le silence de la nuit n'apparussent pas en pleine clarté à cause de l'obscurité de son éloquence, du moins pour nous qui sommes ignorants des études libérales. **3.** Mais je ne vais pas m'enquérir plus avant de la pauvre lueur de cette lampe, alors que tu brilles pour ainsi dire comme le soleil : simplement, ne laisse pas s'obscurcir à mes yeux les rayons de ton expérience sous les nuages de quelque excuse en invoquant, évidemment, ta propre inexpérience. Je t'en supplie, ne me rabroue pas de paroles si rudes, me disant : « Attends-tu l'eau vive d'un caillou[a] ? » Assurément je n'en attends pas d'un caillou sur une place profane mais de toi qui « exprimes en termes spirituels des réalités spirituelles[1] » et qui nous feras revivre avec le miel surabondant de tes paroles qui coule du rocher le plus dur[c]. De ce miel du tires le nectar délicieux d'une très agréable promesse quand tu me commandes de te transmettre un mémoire ou des notes sur la vie de saint Séverin, si souvent mentionné. En attendant qu'elles

nis libellum transire mereantur, nequaquam animum recensentis offendant. **4.** Quisquis enim ad construendam domum architectum requirit, necessariam sollicitus materiem praeparat : quod si molis instar parietem impolitis componat artifice tardante lapidibus, numquid aedificasse dicendus est, ubi nulla magistri structura prorsus interuenit, nulla rite subicitur fundamenti munitio ? Sic ego quoque, pretiosam materiem ingenio uestro uilissima compositione uix praeparans, num putari debeo conscripsisse quod cupio, ubi disciplinae liberalis nulla constructio, nullus grammatici culminis decor exsistit ? **5.** Habet plane certum fundamentum solius fidei, quo sanctum uirum mirandis constat claruisse uirtutibus, quod per manus linguae tuae nunc confero collocandum, de tui operis fastigio laudes Christo debitas redditurus.

6. Illa quoque, precor, uirtutum beneficia sanitatumque remedia, quae uel in itinere uel hic apud eiusdem beatissimi patris memoriam diuina sunt peracta uirtute, digneris adnectere : quae quoniam fidelis portitor, filius uester Deogratias, optime nouit, uerbo commendauimus intimanda, sperantes nos baiuli nomen etiam de tui operis perfectione iugiter esse dicturos, ut dei fidelissimus famulus tantis uirtutibus opulentus, sicut ad sanctorum gloriam suis per Christi gratiam meritis euehitur, sic ad humanam memoriam tuis litteris consecretur.

---

1. *per manus linguae tuae*. Cette tournure est un sémitisme ; *per manus* équivaut ici à une préposition ou à une locution prépositionnelle signifiant « par le moyen de » (cf. *Act.* 7, 35).

2. Le terme de *memoria* ne signifie pas ici la mémoire mais, selon un usage constant dans l'Antiquité chrétienne, le lieu élevé à la mémoire d'un martyr ou d'un saint ; dans le cas présent, il s'agit du mausolée où repose le corps de Séverin au *castellum Lucullanum* (cf. *VS* 46, 2).

3. Eugippe joue sur les deux sens du mot *perfectio* : achèvement et perfection. Nous avons opté pour le premier sens.

4. *baiuli nomen*. Il s'agit aussi d'un jeu de mots, le messager portant le nom composé de *Deogratias* : grâces à Dieu.

méritent de passer dans un petit livre de ta composition, souhaitons qu'elles ne choquent l'esprit d'aucun censeur. 4. En effet, qui cherche un architecte pour construire une maison prépare soigneusement les matériaux nécessaires ; si, l'homme de l'art se faisant attendre, on assemble avec des pierres brutes un mur semblable à un tas de cailloux, peut-on parler de construction là où le maître d'œuvre n'intervient nullement pour la mettre en place, là où la pose des fondations n'est pas faite selon les règles ? Moi aussi, de la même façon, je n'ai fait qu'à peine préparer à ton intention de précieux matériaux, les assemblant très grossièrement ; doit-on croire que j'aie écrit ce que je souhaite, là où on ne trouve aucune construction révélant une formation littéraire ni aucun ornement caractéristique de la distinction du style ? 5. Cet écrit n'a pour fondement que la seule foi, cette foi qui, comme on le sait, a fait resplendir le saint de vertus admirables. Je te le remets maintenant pour que tu le disposes par l'œuvre de ta langue[1] ; quand ton œuvre sera parvenue à son faîte, j'ai l'intention de rendre au Christ les louanges qui lui reviennent.

6. Je te prie de bien vouloir y ajouter les bienfaisants effets de ses vertus et les salutaires guérisons procurés par la vertu divine, sur la route et ici même au monument consacré à la mémoire[2] de notre très bienheureux père. Comme notre fidèle messager, votre fils Deogratias, connaît fort bien ces faits, nous lui avons confié le soin de vous en faire part oralement. Touchant aussi l'achèvement de ton œuvre[3] nous espérons répéter sans fin le nom du porteur[4], de sorte que, tout comme il est élevé pour ses mérites à la gloire des saints par la grâce du Christ, le très fidèle serviteur de Dieu aux vertus si abondantes soit grâce à ton talent littéraire consacré dans la mémoire des hommes.

7. Sane patria, de qua fuerit oriundus, fortasse necessario a nobis inquiritur, unde, sicut moris est, texendae cuiuspiam uitae sumatur exordium. De qua me fateor nullum euidens habere documentum. **8.** Nam cum multi sacerdotes et spiritales uiri nec non et laici nobiles atque religiosi, uel indigenae uel de longinquis ad eum regionibus confluentes, saepius haesitarent, inter se quaerentes, cuius nationis esset uir, quem tantis cernerent fulgere uirtutibus, nec ullus ab eo penitus auderet inquirere, tandem Primenius quidam, presbyter Italiae nobilis et totius auctoritatis uir, qui ad eum confugerat tempore, quo praticius Orestes inique peremptus est, interfectores eius metuens, eo quod interfecti uelut pater fuisse diceretur, post multos itaque familiaritatis adeptae dies erupit quasi pro omnibus et ita sciscitatus est dicens : « domine sancte, de qua prouincia deus his regionibus tale lumen donare dignatus est ? » **9.** Cui uir dei faceta primum hilaritate respondit : « si fugitiuum putas, para tibi pretium, quod pro me possis, cum fuero requisitus, offerre. » His talia serio mox subiciens : « quid prodest », inquit, « seruo dei significatio sui loci uel generis, cum potius id tacendo facilius possit euitare iactantiam, utpote sinis-

---

1. Le Norique devait largement échapper au contrôle d'Odoacre pour qu'un homme aussi proche d'Oreste pût s'y sentir à l'abri des représailles du vainqueur. Cet épisode se place sans doute en 476 ou, en tout cas, peu de temps après.

2. Oreste, fils de Tatulus, était originaire de Pannonie (sans doute de Savie, province limitrophe du Norique au sud-est) ; secrétaire, *notarius*, à la « cour » d'Attila de 448 (?) à 452, il épousa la fille du comte Romulus de *Poetouio*, qui lui donna un fils, également prénommé Romulus. Promu en 475 maître des soldats, *magister militum*, avec le titre de patrice, il renversa l'empereur d'Occident Nepos la même année et éleva son fils mineur Romulus sur le trône impérial. Défait par Odoacre et ses troupes en révolte, il fut tué à Plaisance le 28 août 476. Cf. J.R. MARTINDALE, *PLRE*, t. 2, *s.v.* « Orestes », 2, p. 811-812 ; stemma 12, p. 1316 ; A. DEMANDT, *s.v.* « magister militum », *PW*, Suppl. 12 (1970), col. 681-682.

7. Il est sans doute inévitable qu'on nous pose des questions sur son pays d'origine, car c'est par là qu'on a coutume de mettre sur le métier le récit d'une vie. Sur ce pays je dois avouer que je ne possède aucun document sûr. **8.** Beaucoup de prêtres et de religieux ainsi que des laïcs nobles et pieux, des indigènes aussi bien que des voyageurs venus vers lui de régions lointaines étaient souvent perplexes et se demandaient entre eux à quelle nation appartenait l'homme qu'ils voyaient briller de tant de vertus, mais absolument personne n'osait le lui demander. Pourtant, à la fin, un certain Primenius[1], prêtre d'Italie, noble et universellement respecté, — il avait trouvé refuge auprès de Séverin à l'époque du meurtre inique du patrice Oreste[2], ayant tout à craindre des meurtriers car on disait qu'il avait joué le rôle d'un père auprès de la victime —, cet homme donc, après bien des jours passés dans l'intimité du saint, s'enhardit à le questionner, pour ainsi dire au nom de tous les assistants, et il s'enquit auprès de lui en ces termes : « Vénéré maître, de quelle province vient la lumière que Dieu a daigné envoyer à ces régions ? » **9.** L'homme de Dieu répondit d'abord sur un ton enjoué : « Si tu me prends pour un esclave fugitif, prépare donc la somme que tu es prêt à payer pour moi le jour où on me réclamera. » Puis, reprenant son sérieux, il ajouta : « Qu'importe à un serviteur de Dieu d'indiquer son lieu de naissance et sa race, quand il peut éviter plus facilement, en les taisant, de succomber à la vantardise, qui est toujours un mal ? Si la vantardise est tenue dans l'ignorance[3], il souhaite accomplir « toute

---

3. *utpote sinistram, qua nesciente.* L'auteur joue sur les deux sens du mot *sinister* : 1. (de main) gauche ; 2. funeste et sur la proximité de *sinistram* et de *nesciente* pour provoquer chez le lecteur une association avec un passage de l'Évangile de Matthieu : *te autem faciente elemosynam nesciat sinistra tua quid faciat dextera tua* (« que ta main gauche ignore ce que fait ta main droite », *Matth.* 6, 3).

tram, qua nesciente cupit *omne opus bonum*[a] Christo
donante perficere, quo mereatur dextris socius fieri[b] et
supernae patriae ciuis[c] adscribi ? Quam si me indignum
ueraciter desiderare cognoscis, quid te necesse est terre-
nam cognoscere, quam requiris ? Verum tamen scito quia
deus, qui te sacerdotem fieri praestitit, ipse me quoque
periclitantibus his hominibus interesse praecepit. »
10. Tali memoratus presbyter responsione conticuit, nec
quisquam ante uel postea beatum uirum super hac parte
percontari praesumpsit. Loquela tamen ipsius manifestabat hominem omnino Latinum, quem constat prius ad
quandam Orientis solitudinem feruore perfectioris uitae
fuisse profectum atque inde post ad Norici Ripensis oppida, Pannoniae superiori uicina, quae barbarorum crebris premebantur incursibus, diuina compulsum reuelatione uenisse, sicut ipse clauso sermone tamquam de alio
aliquo referre solitus erat, nonnullas Orientis urbes nomi-
nans et itineris inmensi pericula se mirabiliter transisse
significans. Haec igitur sola quae retuli, quotiens de beati
Seuerini patria sermo ortus est, etiam ipso superstite
semper audiui. **11.** Indicia uero mirabilis uitae eius, huic
epistolae coniuncto praelatis capitulis commemoratorio
recensita, fient, ut rogaui, libro uestri magisterii clariora.

Superest, ut eius orationibus tuas sociare non desinas
et indulgentiam mihi poscere non desistas.

---

a. II Tim. 2, 21   b. Cf. Matth. 25, 33   c. Cf. Éphés. 2, 19

œuvre de bien[a] » par le don du Christ, pour être digne de figurer parmi ceux qui sont à la droite du Seigneur[b] et d'être inscrit au nombre des citoyens de la patrie d'en haut[c]. Si tu reconnais que, moi indigne, j'aspire vraiment à cette patrie (d'en haut), pourquoi faut-il que tu connaisses ma patrie terrestre, sur laquelle tu me questionnes ? Sache seulement que Dieu, qui t'a fait prêtre, m'a donné à moi pour mission de secourir ces hommes dans les dangers qu'ils traversent. » **10.** À ces mots le prêtre en question se tut et, avant comme après, personne ne prit sur soi d'interroger le bienheureux homme sur ce point. Mais sa façon de parler prouvait qu'il était un vrai Latin ; il est certain qu'il était parti auparavant dans quelque désert d'Orient, brûlant du désir de la vie plus parfaite, et qu'ensuite il était venu de là-bas, mu par une révélation divine, dans les villes du Norique riverain voisines de la Pannonie supérieure, villes alors accablées par de fréquentes incursions de Barbares. C'est ce qu'il avait coutume de rapporter à mots couverts comme s'il parlait de quelqu'un d'autre, et il mentionnait au passage des villes d'Orient, laissant entendre qu'il avait surmonté par miracle les dangers d'un voyage interminable. Ainsi donc, quand la conversation venait sur la patrie du bienheureux Séverin, j'ai toujours entendu dire seulement ce que je viens de rapporter, et rien de plus, lorsqu'il était encore vivant. **11.** Quant aux notes que j'ai rassemblées sur sa vie admirable et qui sont contenues dans le mémoire que je joins à cette lettre, précédé d'un sommaire, elles gagneront encore en éclat dans le livre que j'ai demandé à votre magistral talent.

Il me reste à souhaiter que tu ne cesses pas d'unir tes prières aux siennes et que tu n'arrêtes pas d'implorer pour moi le pardon.

< PASCHASII EPISTOLA AD EUGIPPIUM >

Domino sancto semperque carissimo
Eugippio presbytero Paschasius diaconus

1. Frater in Christo carissime, dum nos peritiae tuae
facundia et otii felicitate perpendens amaritudines occu-
pationesque multiplices peccatorum retractare contem-
nis, pudoris iacturam dilectionis contemplatione sustineo.
2. Direxisti commemoratorium, cui nihil possit adicere
facundia peritorum, et opus, quod ecclesiae possit uniuer-
sitas recensere, breui reserasti compendio, dum beati
Seuerini finitimas Pannoniorum prouincias incolentis uitam moresque uerius explicasti et quae per illum diuina
uirtus est operata miracula diuturnis mansura temporibus tradidisti memoriae posterorum — nesciunt facta
priorum praeterire cum saeculo —, ut omnes praesentem
habeant et secum quodam modo sentiant commorari,
quibus eum relatio peruexerit lectionis. **3.** Et ideo, quia

---

1. Le sens de la forme *peccatorum* n'est pas clair ; est-ce le génitif
pluriel de *peccatum* ou de *peccator* ? Nous avons opté pour la première
solution et comprenons cette forme comme un génitif objectif : « les
amertumes et les tracas relatifs aux péchés » ; d'autres commentateurs
l'interprètent comme un génitif subjectif : « les amertumes et les tracas
que causent les pécheurs » et y voient une allusion aux déchirements que

LETTRE DE PASCHASE À EUGIPPE

Au saint seigneur et toujours très cher Eugippe,
prêtre, Paschase, diacre

1. Très cher frère dans le Christ, comme tu nous
mesures à l'aune de ton talent oratoire et de ton heureuse
retraite et que tu refuses de prendre en compte les
amertumes et les multiples tracas que nous donne le
péché[1], en considération de ton amour je supporte volontiers de faire le sacrifice de ma pudeur. **2.** Tu m'as envoyé
un mémoire auquel l'éloquence des doctes ne saurait rien
ajouter et c'est une œuvre que l'Église tout entière peut
lire que tu as publiée sous forme d'un bref résumé ; tu as
en effet présenté avec beaucoup de véracité la vie et le
caractère du bienheureux Séverin, qui habitait les provinces voisines de la Pannonie, et tu as transmis à la
postérité le souvenir des miracles à jamais mémorables
que la puissance de Dieu a opérés par son intermédiaire
— car les œuvres de nos prédécesseurs ne peuvent pas
passer avec le siècle. De la sorte, tous ceux qui l'ont
découvert à la lecture de ton récit ressentent sa présence
et ont, pour ainsi dire, l'impression d'être en sa compagnie. **3.** Aussi, puisque tu as exposé avec une grande

---

provoqua dans l'Église de Rome le schisme laurentien : cf. E. CASPAR,
Geschichte des Papsttums, t. 2, Tübingen 1933, p. 114.

tu haec, quae a me narranda poscebas, elocutus es simplicius, explicasti facilius, nihil adiciendum labori uestro studio nostro credidimus : siquidem aliter audita narramus, aliter experta depromimus. Facilius uirtutes magistrorum a discipulis exponuntur, quae suggeruntur crebrius conuersatione docentium. **4.** Diuinis charismatibus inspiratus, scis bonorum mentibus excolendis quantum gesta sanctorum utilitatis impertiant, quantum feruoris attribuant, quantum puritatis infundant. De qua re apostolicae uocis auctoritas latius innotescens : « *forma* », inquit, « *estote gregi* »[a], et beatus Paulus Timotheo praecipit : « *forma esto fidelibus*. »[b] Unde idem apostolus iustorum catalogum summa breuitate contexens ab Abel incipiens insignium uirorum pergit narrare uirtutes[c].

5. Sic et ille fidelissimus Mattathias[d] morti gloriosissimae iam propinquans filiis suis hereditario iure sanctorum exempla distribuit, quorum certaminibus admirandis celebrius excitati animas suas pro legibus sempiternis sanctitatis feruore contemnerent. Nec paterna liberos fefellit instructio ; tantum enim profuerunt memoratis facta maiorum, ut apertissima fide armatos principes deterrerent[e], castra sacrilega superarent, cultus arasque daemonicas longe lateque diruerent, ciuicamque coronam sertis decorati perennibus splendenti patriae prouiderent. **6.** Unde et nos ornamentis sponsae Christi quiddam

---

a. I Pierre 5, 3 ; [Vulgate : « *sed formae facti gregi* », (éd. R. WEBER, t. 2, p. 1868). *Vetus Latina* : « *sed forma estote gregis* » (*VL* 26/1, 1956-1969, p. 170]   b. I Tim. 4, 12 ; [Vulgate : « *sed exemplum estote fidelium* » (éd. WEBER, t. 2, p. 1834). *Vetus Latina* : « *forma esto fidelium* » (*VL* 25/1, 1978, p. 540)]   c. Cf. Hébr. 11   d. Cf. I Macc. 2, 49. La suite du passage est une paraphrase du testament de Mattathias etc...   e. Cf. II Macc. 8, 18. 24   f. Cf. Apoc. 21, 2. 9

---

1. Allusion à la couronne tressée de feuilles de chêne qui récompensait dans la Rome antique celui qui avait sauvé la vie à un autre citoyen romain.

simplicité et développé avec une grande aisance ce que tu me demandais de raconter, nous avons cru que nos efforts ne pouvaient rien ajouter à votre travail. En effet, c'est une chose de raconter ce qu'on a entendu dire, c'en est une autre de livrer ce qu'on a vécu. Il est plus facile aux disciples d'exposer les vertus de leurs maîtres, celles-ci se révélant plus fréquemment dans la compagnie de ceux qui les enseignent. **4.** Inspiré par des grâces divines tu sais quelle utilité présentent les hauts faits des saints quand il s'agit de cultiver l'esprit des gens de bien, quelle ferveur ils communiquent et quelle pureté ils répandent. À ce sujet la parole d'un apôtre fait autorité, qui déclare sans ambages : « Soyez le modèle de votre troupeau[a] », et le bienheureux Paul recommande à Timothée : « Sois un modèle pour les croyants[b]. » Voilà pourquoi le même apôtre, lorsqu'il dresse avec une souveraine brièveté la liste des justes, conduit, en commençant par Abel, un récit narrant les vertus des hommes illustres[c].

5. De même, lorsque Mattathias[d], ce héros de la foi, approcha de sa mort si glorieuse, il laissa à ses fils en guise d'héritage les exemples des saints, pour que, saisis d'un enthousiasme intense pour les combats admirables de ceux-ci, ils tinssent dans la ferveur de leur zèle sacré leur propre vie pour négligeable au regard des lois éternelles. Et cette instruction paternelle ne resta pas sans effet sur ses enfants ; en effet, les actions d'éclat de leurs ancêtres furent d'un tel secours aux personnages susdits que, confessant ouvertement leur foi, ils frappèrent d'épouvante les princes et leurs armées[e], prirent d'assaut les camps des impies, abattirent les cultes et les autels des démons et, parés de guirlandes éternelles ils acquirent à leur illustre patrie la couronne civique[1]. **6.** C'est pourquoi nous aussi nous nous réjouissons de voir que la beauté de l'épouse du Christ[f] soit ainsi rehaussée par le service d'un

fraterno ministerio prouideri gaudemus, non quod ullis, ut credo, temporibus defuerit clarior uita maiorum, sed quod domum magni regis plurimorum uexilla trophaeorum habere conueniat. Non enim uera uirtus excluditur numerositate uirtutum, sed optatis successibus eatenus ampliatur.

de nos frères ; ce n'est pas qu'aient jamais manqué, je crois, des ancêtres qui se soient illustrés par leur vie, mais il est bon que la maison d'un grand roi renferme les étendards d'innombrables victoires. Car la vraie vertu n'est pas diminuée par le grand nombre des vertus, au contraire, elle croît à la mesure des succès escomptés.

CAPITULA

1. Quomodo primum beatus Seuerinus in oppido, quod Asturis uocabatur, et saluberrima exhortatione bonorum operum et ueracissima futurorum praedicatione claruerit.

2. De oppido, cui erat uocabulum Comagenis, per eum mirabiliter ab hostibus liberato.

3. Quod habitatoribus ciuitatulae Fauianis diu fame laborantibus miro modo deus eius oratione subuenerit.

4. De praedonibus barbaris, qui etiam omnia arma sua cum praeda, quam extra muros Fauianensium ceperant, amiserunt, uel de instituto eius atque humilitate praecipua.

5. In quanta reuerentia eum Rugorum rex Flaccitheus habuerit, uel qualiter ab insidiis inimicorum ipsius sit liberatus oraculo.

6. De unico filio uiduae gentis praedictae Rugorum, quem per annos XII dolor excruciauerat, uiri dei oratione sanato.

7. Qualiter Odouacar adulescentulus, uilissimis pellibus opertus, ab eo praenuntiatus sit regnaturus.

8. Quod Feletheus, qui et Feua, Rugorum rex, antelati filius Flaccithei, pessimam coniugem rebaptizare catholi-

SOMMAIRE

1. Comment le bienheureux Séverin s'illustra d'abord dans une ville du nom d'Asturae par ses exhortations aux bonnes œuvres et par ses prédictions tout à fait conformes à la vérité.

2. À propos d'une ville du nom de Comagenae qui, grâce à lui, fut merveilleusement délivrée de ses ennemis.

3. Comment sur sa prière Dieu aida d'une manière merveilleuse les habitants de la petite cité de Favianae, qui souffraient depuis longtemps de la famine.

4. À propos des brigands barbares qui perdirent jusqu'à leurs armes avec le butin qu'ils avaient fait hors des murs de Favianae, ainsi que du genre de vie du saint et de son humilité extraordinaire.

5. Avec quel respect le traita Flaccitheus, le roi des Ruges, et comment grâce à un oracle du même il fut préservé de l'embuscade tendue par ses ennemis.

6. À propos du fils unique d'une veuve, de la nation des Ruges déjà citée, que la souffrance avait torturé pendant douze ans et qui fut guéri sur la prière de l'homme de Dieu.

7. Comment le jeune Odoacre, habillé de misérables peaux de bête, se vit prédire qu'il régnerait un jour.

8. Comment le roi des Ruges Feletheus, appelé aussi Feva, fils du roi Flaccitheus susnommé, interdit à sa méchante femme de rebaptiser les catholiques par crainte

cos metu sancti Seuerini uetuerit, uel quale periculum illa
de paruolo filio suo Frederico quadam die, dum de quibusdam intercessionem eius contempsisset, incurrerit.

9. De portitore reliquiarum sancti Geruasii et Protasii
martyrum mirifica uiri dei reuelatione monstrato, uel qua
responsione, dum rogaretur, episcopatus declinauerit
honorem.

10. De quodam ostiario uspiam egredi quadam die
prohibito, mox a barbaris capto ab isdemque suppliciter
restituto.

11. De miraculo, quod in castello Cucullis factum est,
ubi cereis diuinitus accensis sacrilegi, qui se primitus
occulerant, declarati sunt atque correcti.

12. Quemadmodum de finibus praefati castelli locustae
ieiunio et oratione atque elemosynis deo propitiato depul-
sae sint, abrasa mirabiliter segete cuiusdam pauperis
increduli contemptoris.

13. Quomodo cereus in manu serui dei orantis accensus
sit, dum uespertinae laudis officio ignis de more necessa-
rius minime fuisset inuentus.

14. De mirabili sanatione mulieris desperatae, quae
post inmanem diutinumque langorem ita uiri dei oratione
conualuit, ut ad opus agrale die tertio fortis accesserit.

15. Quemadmodum in baiulos postes a parte fluminis
ecclesiam sustentantes, quos aqua saepe superfluens
transcendebat, orans dei seruus crucis signaculum securi
scalpserit, quod signum numquam deinceps aqua penitus
excedebat.

16. De Siluino presbytero defuncto, cuius cadauer feretro impositum celebratis nocte uigiliis mox ad uocem

de Séverin et dans quels périls celle-ci se trouva un jour jetée au sujet de son jeune fils pour avoir dédaigné ses interventions en faveur de certaines personnes.

9. À propos du porteur des reliques des saints martyrs Gervais et Protais qui fut découvert par une révélation merveilleuse faite à l'homme de Dieu, et par quels mots ce dernier déclina l'honneur de l'épiscopat pour lequel il était sollicité.

10. À propos d'un portier à qui on interdit un jour de sortir et qui, capturé aussitôt par les Barbares, fut libéré par eux non sans supplications de leur part.

11. À propos d'un miracle qui se produisit dans le *bourg* de Cucullae où, par le moyen de cierges allumés par la volonté divine, des sacrilèges qui s'étaient d'abord cachés furent découverts et s'amendèrent ensuite.

12. Comment, Dieu une fois apaisé par le jeûne, la prière et les aumônes, les sauterelles furent chassées du territoire du *bourg* en question après qu'eut été ravagé le champ d'un pauvre homme incrédule et rebelle.

13. Comment un cierge s'alluma dans la main du serviteur de Dieu pendant qu'il priait, alors qu'on n'avait trouvé nulle part le feu dont on avait besoin selon l'usage pour célébrer l'office du soir.

14. À propos de la guérison merveilleuse d'une femme qui était dans un état désespéré et qui, après une terrible et longue maladie, se rétablit à la prière du saint au point que le troisième jour elle avait toute sa force pour travailler aux champs.

15. Comment le serviteur de Dieu, après une prière, traça le signe de croix avec une hache sur les pilotis qui soutenaient l'église du côté du fleuve et qui étaient souvent submergés par les inondations, et comment l'eau, par la suite, jamais ne dépassa ce signe.

16. À propos du défunt prêtre Silvinus dont le corps reposait sur un brancard et qui, pendant la veillée noc-

uocantis aperuit oculos, rogans dei famulum, quo uocante reuixerat, ne ulterius experta requie priuaretur.

17. Quam sollicita pauperibus cura ministrauerit, uel quod distributioni eius etiam Norici decimas dirigebant, quibus de more perlatis periculum his, qui dirigere distulerant, imminere praedixit.

18. Quemadmodum rubigo, quae messibus nocitura paruerat, per uirum dei ieiuniis et oratione depulsa sit.

19. Quod Gibuldus, Alamannorum rex, coram seruo dei magno sit tremore concussus et reddiderit multitudinem captiuorum.

20. Quomodo ei militum fuerit interfectio reuelata, propter quorum corpora sepelienda suos ignorantes direxit ad fluuium.

21. Paulinum presbyterum, qui de longinquo ad eum uenerat, reuertentem ad patriam praedixit mox episcopum ordinandum.

22. Quod, dum basilicae nouae sanctuaria quaererentur, ultro sibi sancti Iohannis baptistae benedictionem praenuntiauerit deferendam et illi oppido cladem se absente futuram, qua in baptisterio presbyter uaniloquax interfectus est.

23. Qualiter sanctuaria praedicta susceperit.

24. De mansoribus alterius oppidi, qui spreto mandantis oraculo mox ab Herulis interfecti sunt, quia locum praemoniti relinquere noluerunt.

25. Quemadmodum scriptis ad Noricum destinatis cas-

turne, ouvrit subitement les yeux à la voix qui l'appelait et demanda au serviteur de Dieu, qui l'avait rappelé par sa voix à la vie, de ne pas le priver plus longtemps du repos qu'il connaissait déjà.

17. Avec quelle sollicitude il prit soin des pauvres et comment les Noriciens lui envoyaient aussi la dîme pour ses distributions, et comment, un jour qu'on la lui apportait selon l'usage, il prédit un danger imminent à ceux qui avaient tardé à la lui envoyer.

18. Comment la rouille, dont l'apparition menaçait les récoltes, fut chassée par les prières et les jeûnes de l'homme de Dieu.

19. Comment Gibuld, le roi des Alamans, fut pris de violents tremblements en présence du serviteur de Dieu et libéra de nombreux prisonniers.

20. Comment lui fut révélée la mort de plusieurs soldats et comment il envoya vers le fleuve ses compagnons, qui ignoraient tout de l'affaire, pour ensevelir les corps.

21. Au prêtre Paulinus, qui était venu de loin pour le voir, il prédit qu'après son retour dans sa patrie il serait bientôt ordonné évêque.

22. Comment, alors qu'on avait besoin de reliques pour la nouvelle basilique, il prédit qu'une bénédiction de saint Jean-Baptiste serait fournie d'elle-même et que, en son absence, un désastre surviendrait dans cette ville et comment à cette occasion un prêtre impertinent fut tué dans le baptistère.

23. Comment il reçut les reliques en question.

24. À propos des habitants d'une autre ville, qui, après avoir négligé ses oracles et ses ordres, furent bientôt tués par les Hérules, parce que, avertis d'avoir à quitter les lieux, ils s'y étaient refusés.

25. Comment il envoya des lettres dans le Norique pour fortifier les *bourgs* par le jeûne et l'aumône, si bien

tella ieiuniis atque elemosynis praemunierit, quibus praenuntiata hostis irruptio nocere non potuit.

26. De leproso mundato, qui reuerti ad propria, ne
lepram peccati magis incurreret, euitauit.

27. De uictoria, quam apud Batauis de Alamannis
oratione sancti Seuerini sumpsere Romani, et quod post
triumphum, qui praedicentem sequi spreuerant, sint pe-
rempti.

28. Quemadmodum ministrante famulo dei pauperibus
oleum creuisse prouenerit.

29. De his, quibus collo uestes egenis erogandas a
Norico deferentibus ursus media hieme ducatum per niues
heremi usque ad humana habitacula praebuit, quos tali
duce uenire solita uir dei reuelatione cognouit.

30. Qualiter ad ciuitatem Lauriacum hostes futura
nocte uenturos praesenserit et male securis ciuibus uigilare uix suaserit, quod mane probantes infidelitati ueniam
cum gratiarum actione poscebant.

31. Quomodo Feuae, regi Rugorum, ad Lauriacum cum
exercitu uenienti occurrerit et in sua fide populos susceperit, ut eos ad inferiora oppida, id est Rugis uiciniora,
deduceret.

32. Quemadmodum Odouacar rex aliqua a se sperari
poscens Ambrosium quendam de exilio ad serui dei litte-

qu'ils n'eurent pas à souffrir de l'irruption ennemie qu'il leur avait annoncée.

26. À propos d'un lépreux purifié qui renonça à rentrer chez lui pour ne pas tomber davantage dans la lèpre du péché.

27. À propos de la victoire que les Romains remportèrent sur les Alamans près de Bataua grâce aux prières de saint Séverin et comment périrent après la victoire tous ceux qui négligèrent de le suivre malgré ses prédictions.

28. Comment il advint que l'huile augmenta en quantité pendant que le serviteur de Dieu la distribuait aux pauvres.

29. À propos de ceux qui transportaient à dos d'homme des vêtements collectés dans le Norique et destinés aux pauvres et qui, en plein hiver, furent conduits par un ours à travers des solitudes enneigées jusqu'aux habitations des hommes, et comment l'homme de Dieu, par une de ces révélations dont il avait l'habitude, sut qu'ils allaient venir sous la conduite d'un tel guide.

30. Comment il pressentit que l'ennemi s'approcherait la nuit suivante de la cité de Lauriacum et parvint à grand peine à convaincre les citoyens qui se sentaient à tort en sécurité de monter la garde et comment ceux-ci trouvèrent le lendemain la confirmation de ses prédictions et demandèrent au milieu des larmes le pardon de leur incrédulité.

31. Comment il vint à la rencontre de Feva, roi des Ruges, et de son armée qui approchaient de Lauriacum et prit la population sous sa protection pour la conduire dans les villes situées à l'aval du fleuve, c'est-à-dire dans les villes voisines du territoire des Ruges.

32. Comment le roi Odoacre lui demanda d'exprimer un souhait et, sur une lettre du serviteur de Dieu, rappela d'exil un certain Ambrosius et comment le même servi-

ras revocaverit et, quot annis regnaturus foret, laudatoribus eius idem dei seruus praedixerit.

33. De filio cuiusdam ex optimatibus regis Rugorum in oppido Comagenis uiri dei oratione sanato.

34. Qualiter elefantiosus quidam, nomine Teio, curatus sit.

35. De Bonoso monacho, qui, dum oculorum imbecillitatem quereretur, audiuit ab eo : « ora magis, ut corde plus uideas », mox mirabiliter effectum iugiter orandi promeruit.

36. De tribus superbientibus monachis, quos tradidit satanae, ut eorum spiritus saluaretur, de qua re prolatis duorum patrum exemplis uerissimam loco suo reddidit rationem.

37. Quemadmodum horam tribulationis Marciani et Renati monachorum suorum, quam in alia prouincia positi pertulerunt, oratione praesentibus ceteris fratribus indicta signauerit.

38. De periculis letalis papulae, quod ante quadraginta dies Urso monacho futurum et reuelatione praedixit et oratione curauit.

39. De habitaculo eiusdem beati uiri, stratu quoque uel cibo pauca tenuiter indicantur.

40. Qualiter, dum propinquare transitum suum deo sibi reuelante sensisset, regem Fevam noxiamque reginam fuerit adlocutus nec suos ex illo praemonere destiterit, generalem populi migrationem propinquare praenuntians suumque corpusculum pariter portari praecipiens.

41. Quomodo etiam diem transitus sui sancto Lucillo presbytero manifestius indicarit.

42. Quemadmodum Ferderuchum, fratrem praedicti regis Feuae, contestatus sit suosque monuerit.

teur de Dieu prédit aux laudateurs d'Odoacre le temps que durerait son règne.

33. À propos du fils de l'un parmi les nobles du roi des Ruges qui fut guéri sur la prière de l'homme de Dieu dans la ville de Comagenae.

34. Comment fut guéri un homme gonflé par la lèpre, du nom de Teio.

35. À propos du moine Bonosus qui, se plaignant d'une maladie des yeux s'entendit dire la chose suivante : « Tu ferais mieux de prier pour voir davantage dans ton cœur », et qui acquit bientôt de façon merveilleuse une grande persévérance dans la prière.

36. À propos de trois moines orgueilleux qu'il livra à Satan pour leur sauver l'esprit et comment, à l'endroit voulu, il justifia sur ce point très exactement sa conduite.

37. Comment il indiqua, en en précisant l'heure, le danger que couraient ses moines Marcianus et Renatus, qui séjournaient dans une autre province, et demanda à tous les autres moines présents de prier avec lui.

38. À propos d'une tumeur mortelle qu'il annonça quarante jours à l'avance au moine Ursus en vertu d'une révélation et qu'il guérit par ses prières.

39. Quelques brèves indications sur la cellule du bienheureux ainsi que sur son lit et sa nourriture.

40. Comment, grâce à une révélation divine, il sentit son trépas approcher, parla au roi Feva et à la mauvaise reine et ne cessa dès lors d'avertir les siens, leur annonçant l'évacuation prochaine de toute la population et leur demandant d'emporter son corps avec eux.

41. Comment il annonça même exactement le jour de son trépas au saint prêtre Lucillus.

42. Comment il adressa à Ferderuchus, le frère du roi Feva, déjà mentionné, un appel pressant et exhorta les siens.

43. De obitu eius uel qualibus monitis ultima suos et prolixa pius exhortatione fuerit prosecutus.

44. Qualia post discessum eius monasterio Ferderuchus intulerit qualiterue punitus sit, uel quatenus eius oraculum prospera populi fuerit migratione completum uel corpusculum eiusdem leuatum carpentoque deuectum.

45. De multorum tunc sanatione debilium, qua de singulis omissa unius tantum muti loquela refertur orando sub carro, quo adhuc erat corpusculum, reddita.

46. De fide inlustris feminae Barbariae susceptricis et occursu Neapolitani populi, ubi cum nihilominus multi tunc a diuersis fuerint sanati langoribus, trium tantum sanatio memoratur.

43. À propos de son départ et quels avertissements il adressa pieusement aux siens dans une dernière et longue exhortation.

44. Ce que Ferderuchus fit au monastère après son décès et comment il fut puni, et comment son corps fut exhumé et transporté sur un chariot.

45. À propos des nombreuses guérisons de malades qui s'opérèrent alors et qui ne sont pas rapportées dans le détail ; il n'est question que d'un muet à qui fut rendue la parole alors qu'il priait sous le chariot où reposait le corps.

46. À propos de la foi de Barbaria, une femme illustre, qui le reçut chez elle et du grand concours de peuple à Naples ; bien qu'en cette occasion nombreux aient été ceux qui furent guéris de diverses maladies, il est seulement fait mention de trois de ces guérisons.

< COMMEMORATORIUM >

1. 1. Tempore, quo Attila, rex Hunnorum, defunctus est, utraque Pannonia ceteraque confinia Danuuii rebus turbabantur ambiguis. Tunc itaque sanctissimus dei famulus Seuerinus de partibus Orientis adueniens in uicinia Norici Ripensis et Pannoniorum paruo, quod Asturis dicitur, oppido morabatur. Viuens iuxta euangelicam apostolicamque doctrinam, *omni pietate et castitate*[a] praeditus, in confessione catholicae fidei uenerabile propositum sanctis operibus adimplebat. 2. Dum ergo talibus exercitiis roboratus *palmam supernae uocationis*[b]

---

a. I Tim. 2, 2   b. Phil. 3, 14 (témoin de la *Vetus Latina* = *VL*)

---

1. Bien que ce titre ne soit pas d'Eugippe lui-même, le terme de mémoire nous semble le mieux correspondre aux intentions clairement exprimées par l'auteur à deux reprises : *Ep. Eug.* 11 ; *VS* 46, 6.

2. Les Huns atteignirent au sommet de leur puissance entre 434 et 453 ; ils exerçaient leur emprise sur un immense territoire allant de l'Asie centrale et du Caucase jusqu'au Danube et au Rhin. Le roi Attila lança en 451 un grand raid en Occident qui se termina par la défaite des Champs Catalauniques ; l'année suivante il ravagea l'Italie avant de revenir à sa base de départ, dans la région de la Tisza et du Körös, pour y mourir dans des conditions mystérieuses en 453. Cf. G. WIRTH, *s.v.* « Attila », *LexMA*, 1 (1979) col. 1179-1180.

3. L'« empire » hunnique ne survécut pas longtemps à la mort d'Attila ; son fils Ellak, après s'être débarrassé de ses deux frères, succomba vaincu par les tribus germaniques dirigées par le Gépide Ardaric. La bataille eut lieu sur la rivière *Nedao*, que certains croient pouvoir identifier avec la Leitha, en 455. C'est dans cette période troublée que

MÉMOIRE[1]

1. 1. À l'époque où mourut Attila, le roi des Huns[1], les deux provinces de Pannonie et les autres pays riverains du Danube étaient en plein bouleversement[2] par suite de l'incertitude de la situation[3]. C'est alors aussi que le très saint serviteur de Dieu, Séverin, venant d'Orient, séjournait dans le voisinage du Norique riverain et des Pannonies dans une petite ville du nom d'Asturae[4]. Sa vie était conforme à la doctrine des Évangiles et des apôtres, elle était « toute de piété et de dignité[a] » ; il confessait la foi catholique et s'acquittait par des œuvres pies du genre de vie très louable qu'il avait choisi. 2. Ainsi fortifié par de tels exercices, il recherchait par sa conduite irréprocha-

---

Séverin arriva dans le Norique riverain, venant d'Orient, sans doute par la route du Danube.

4. Ici se situe un passage généralement considéré comme interpolé : *ac primum inter filios eius de optinendo regno magna sunt exorta certamina, qui morbo dominationis inflati materiam sui sceleris aestimarunt patris interitum* (et dans un premier temps éclatèrent entre ses fils de grandes luttes pour obtenir le pouvoir royal ; ceux-ci, gagnés par l'enflure morbide de la domination, estimèrent que la mort de leur père leur donnait l'occasion de commettre le crime de leur côté). Cf. introd. II, p. 51.

5. Asturae tirait son nom de la *cohors I Asturum*, dont la présence est attestée à plusieurs reprises dans le Norique aux IIe et IIIe siècles sans qu'il soit permis de déterminer avec précision le lieu où elle tenait garnison. D'après H. UBL, « Die Erforschung der Severinsorte und das Ende der Römerzeit im Donau-Alpen-Raum », *Severin-Katalog*, p. 75, « l'identification de Zwentendorf (Basse-Autriche) avec Asturae est possible, mais elle n'est pas assurée ».

innocue sequeretur, quadam die ad ecclesiam processit ex
more. Tunc presbyteris, clero vel ciuibus requisitis coepit
tota mentis humilitate praedicere, ut hostium insidias
imminentes orationibus ac ieiuniis[c] et misericordiae fructibus inhiberent. Sed animi contumaces ac desideriis
carnalibus inquinati[d] praedicentis oracula infidelitatis
suae discrimine probauerunt. 3. Famulus autem dei
reuersus ad hospitium, quo ab ecclesiae fuerat custode
susceptus, diem et horam imminentis excidii prodens :
« de contumaci », ait, « oppido et citius perituro festinus
abscedo. » Inde ad proximum, quod Comagenis appellabatur, oppidum declinauit. 4. Hoc barbarorum intrinsecus
consistentium, qui cum Romanis foedus inierant, custodia

---

c. Cf. Tob. 12, 8   d. La terminologie combine I Pierre 2, 11 et II Cor.
7, 11

---

1. Les termes choisis pour qualifier la désobéissance et la rébellion du
peuple rappellent le thème biblique de l'endurcissement du cœur : cf. A.
HERMANN, « Das steinerne Herz », *JbAC,* 4 (1961), p. 77-107.

2. Cette maison des hôtes, dont s'occupait sans doute le gardien de
l'église, accueillait les pélerins et peut-être aussi des malades, selon
l'hypothèse de H. KOLLER, « Die Klöster Severins von Norikum », *Schild
von Steier,* 15/16 (1978/79), p. 203-204.

3. Forme caractéristique du plus-que-parfait passif dans le latin
tardif : le plus-que-parfait de l'auxiliaire (*fuerat* à l'indicatif, *fuisset* au
subjonctif) remplace l'imparfait (*erat* à l'indicatif, *esset* au subjonctif) ;
il en est de même pour le parfait au passif. Cf. E.M. RUPRECHTSBERGER,
art. cit., RÖ, 4 (1976), p. 272 et n. 96.

4. Comagenae, aujourd'hui Tulln (Basse-Autriche) est situé sur la
rive droite du Danube, à une vingtaine de kilomètres à l'ouest de Vienne.
La localité tirait son nom d'une aile de cavalerie (*ala I Commageno-
rum*) ; au Bas-Empire elle avait une garnison d'*equites promoti* (cavaliers) et était aussi le port d'attache d'une unité de la flottille du
Danube : *praefectus classis Arlapensis et (Co)maginensis (ND Occ.,*
XXXIV, 36, 42). Le *uicus* se trouvait au sud et à l'est du camp ; des
trouvailles archéologiques récentes attestent la présence d'une population chrétienne (anneau avec christogramme) et laissent supposer
l'existence d'une église (fragments d'un chancel). Cf. H. UBL, *art. cit.,*

ble « la récompense de sa vocation surnaturelle[b] » ; un jour, il se rendit à l'église comme il en avait l'habitude. Devant les prêtres, les membres du clergé et les citoyens convoqués pour la circonstance il se mit alors à prédire dans un esprit d'humilité totale que seuls les prières, les jeûnes et les œuvres de miséricorde[c] pouvaient empêcher une attaque de l'ennemi. Mais ils avaient le cœur endurci[1] et empoisonné par des désirs charnels[d] et, en choisissant l'infidélité, ils vérifièrent les prédictions qui leur avaient été faites. 3. Quant au serviteur de Dieu, il retourna à la maison des hôtes[2] où l'avait accueilli le gardien de l'église[3] et révéla le jour et l'heure de la catastrophe imminente : « Je me hâte », dit-il, « de quitter cette ville rebelle, vouée à une fin prochaine. » Il s'éloigna en direction de la ville la plus proche, qui avait nom Comagenae[4]. 4. Celle-ci était étroitement surveillée par des Barbares qui s'y étaient installés après avoir conclu un accord[5] avec les Romains

---

Severin-Katalog, p. 75-76 (plan p. 76) et catalogue n°s 8.31 p. 579 et 8.62 p. 590.

5. Les Barbares avaient conclu un accord aux termes duquel ils s'engageaient à défendre la ville moyennant des avantages en nature ou en argent ; ils étaient donc au sens propre des « fédérés ». Eugippe souligne à deux reprises (*VS*, 1, 4 ; 2, 1) que ces Barbares vivaient au milieu de la population de Comagenae et non à l'extérieur sur des terres qui leur auraient été attribuées. Le cantonnement des fédérés s'était sans doute effectué selon les règles de l'hospitalité ; le soldat était en effet autorisé à occuper le tiers de la maison où il était logé (*CTh* VII, 8, 5 [408] ; éd. Mommsen, 1904, p. 328-329). Sur le régime de l'hospitalité cf. F. LOT, « Du régime de l'hospitalité », *RBPH*, 7 (1928), p. 975-1011.

Il est en tout cas à remarquer que la garde des portes était laissée aux Romains (cf. *VS* 2, 1) ; les fédérés n'étaient donc pas vraiment les maîtres des lieux. Reste à savoir s'ils avaient traité directement avec les habitants de Comagenae (cf. E.A. THOMPSON, *Romans and Barbarians,* Madison 1982, p. 119) ou, ce qui est plus vraisemblable, avec des représentants du gouvernement impérial (cf. F. LOTTER, *op. cit.,* p. 268, qui voit en eux un reliquat de la *gens Marcomannorum* mentionnée dans la *ND Occ.,* XXXIV, 24). Le terme choisi par Eugippe : *Romani* (les Romains) permet les deux interprétations. Sur l'origine ethnique de ces Barbares on ne peut faire que des hypothèses.

seruabatur artissima nullique ingrediendi aut egredendi
facilis licentia praestabatur. A quibus tamen famulus dei,
cum esset ignotus, nec interrogatus est nec repulsus.
Itaque mox ingressus ecclesiam cunctos de salute propria
desperantes ieiunio et orationibus atque elemosynis hortabatur armari, proponens antiqua salutis exempla, quibus diuina protectio populum suum contra opinionem
omnium mirabiliter liberasset. 5. Cumque salutem omnium in ipso discriminis articulo promittenti credere
dubitarent, senex, qui dudum in Asturis tanti hospitis
susceptor exstiterat, uenit atque a portarum custodibus
sollicita interrogatione discussus interitum sui oppidi
habitu uerboque monstrauit, adiciens eadem die, qua
quidam homo dei praedixerat, barbarorum uastatione
deletum. Quo audito solliciti responderunt : « putas non
ipse est, qui desperatis rebus dei nobis subsidia pollice-
tur ? » Mox igitur in ecclesia recognito dei famulo senex
pedibus eius prostratus aiebat ipsius se meritis liberatum, ne cum ceteris oppidaneis subiret excidium.

*

2. 1. His auditis habitatores oppidi memorati incredu-
litati ueniam postulantes monitis uiri dei sanctis operibus
paruerunt ieiuniisque dediti et in ecclesia per triduum
congregati errata praeterita castigabant gemitibus et
lamentis. Die autem tertio, cum sacrificii uespertini sol-
lemnitas impleretur, facto subito terrae motu ita sunt

---

1. Un *triduum* est une période de trois jours consécutifs où les
chrétiens sont invités à observer le jeûne et à pratiquer certaines
dévotions pour obtenir des grâces particulières ou pour remercier le Ciel
des faveurs obtenues. Cf. G. Löw, *s.v.* « Triduo », *EC,* 12 (1954),
col. 516-517.

2. *Sacrificii uespertini solemnitas.* Cf. introd. VI, p. 000.

et qui ne donnaient pas facilement l'autorisation d'entrer
et de sortir. Et pourtant, le serviteur de Dieu, tout inconnu qu'il fût, ne fut ni interrogé ni arrêté. Sans perdre
un instant il pénétra donc dans l'église et les exhorta tous,
eux qui désespéraient de leur propre salut, à se faire une
arme du jeûne, de la prière et de l'aumône, leur proposant
des exemples anciens de salut et leur montrant que Dieu,
de sa main protectrice, y avait, contre toute attente,
merveilleusement délivré son peuple. 5. Ils hésitaient
encore à accorder crédit à celui qui leur promettait à tous
le salut en un moment aussi critique, quand arriva le
vieillard qui avait peu de temps auparavant hébergé cet
hôte illustre. Interrogé avec insistance par les gardes aux
portes de la ville, il leur révéla tant par son aspect que
par ses paroles l'anéantissement de sa ville ; il ajouta
qu'elle avait été dévastée et détruite par les Barbares le
jour même qui avait été prédit par un homme de Dieu. À
ces mots ils répondirent avec anxiété : « Ne crois-tu pas
que c'est justement l'homme qui, malgré notre situation
désespérée, nous a promis l'aide de Dieu ? » Lorsque le
vieillard reconnut peu après l'homme de Dieu dans
l'église, il se jeta à ses pieds et lui dit qu'il devait à ses
mérites d'avoir échappé au désastre subi par les autres
habitants de la ville.

*

2. 1. À ces mots les habitants de la ville en question
demandèrent pardon de leur incrédulité et obéirent aux
instructions de l'homme de Dieu en se livrant à des
pratiques de piété ; ils observaient des jeûnes et, réunis à
l'église trois jours de suite[1], corrigeaient leurs fautes
passées dans les pleurs et les gémissements. Mais le
troisième jour, au moment où l'on célébrait solennellement le sacrifice du soir[2], la terre se mit soudainement à

barbari intrinsecus habitantes exterriti, ut portas sibi
Romanos cogerent aperire uelociter. 2. Exeuntes igitur
conciti diffugerunt, aestimantes se uicinorum hostium
obsidione uallatos, auctoque terrore diuinitus noctis er-
rore confusi mutuis se gladiis conciderunt. Tali ergo
aduersariis internicione consumptis diuino plebs seruata
praesidio per sanctum uirum armis didicit pugnare caelestibus[e].

*

3. 1. Eodem tempore ciuitatem nomine Fauianis saeua
fames oppresserat, cuius habitatores unicum sibi reme-
dium affore crediderunt, si ex supra dicto oppido Comagenis hominem dei religiosis precibus inuitarent. Quos ille
ad se uenire praenoscens a domino ut cum eis pergeret
commonetur. 2. Quo cum uenisset, coepit ciuibus suadere
dicens : « paenitentiae fructibus[a] poteritis a tanta famis
pernicie liberari. » Qui cum talibus proficerent institutis,
beatissimus Seuerinus diuina reuelatione cognouit quandam uiduam nomine Proculum fruges plurimas occul-

a. Cf. II Cor. 10, 4   a. Cf. Lc 3, 8

1. L'allusion à une secousse tellurique peut-elle nous aider à dater
l'événement avec précision ? C'est ce que pensent F. LOTTER, « Zur Rolle
der Donausueben in der Völkerwanderungszeit », *MIÖG*, 76 (1968),
p. 284 n. 32 et I. BÓNA, « Severi(ni)ana », *AAntASH* 21 (1973), p. 310,
n. 102, qui mettent en relation l'épisode de Comagenae et la catastrophe
qui détruisit la ville de *Sauaria* (Steinamanger/Szombathely en Hon-
grie) le 7.9.456 (*Fasti Vindobonenses priores a.* 455, *MG AA* 9,
p. 304).

2. Cf. *supra* 1, 4, n. 1.

3. L'origine du nom est inconnue. La localité, qualifiée tantôt de
ciuitas (cité ; *ciuitatula* : petite cité, *capitula*/sommaire 3.), tantôt
d'*oppidum* (ville, *VS*, 22, 4), était située sur le Danube et correspond

trembler[1] ; les Barbares qui habitaient à l'intérieur de la
ville furent saisis d'une telle frayeur qu'ils forcèrent les
Romains à leur ouvrir les portes[2] sans délai. 2. Ils sortirent donc de la ville et, dans leur affolement, se répandirent dans toutes les directions, car ils croyaient être
encerclés par les ennemis qu'ils avaient dans le voisinage.
Leur terreur fut encore accrue par un effet de la volonté
divine et, dans la confusion due aux incertitudes de la
nuit, ils s'entretuèrent de leurs glaives. Les adversaires
ayant donc succombé dans ce carnage, le peuple sauvé
avec l'aide de Dieu apprit, grâce au saint, à combattre
avec des armes célestes[a].

*

3. 1. À la même époque une terrible famine s'était
abattue sur une cité du nom de Favianae[3] et les habitants
crurent que le seul remède était de faire appel, par de
saintes demandes, à l'homme de Dieu, et de le faire venir
de la ville de Comagenae, dont nous avons parlé plus
haut. Celui-ci savait par avance qu'ils allaient venir à lui
et il fut averti par le Seigneur d'avoir à les suivre.
2. Après son arrivée, il commença à adresser ses conseils
aux habitants de la cité : « C'est par les fruits de la
pénitence[a] que vous pourrez vous libérer du fléau de la
famine. » Alors qu'ils progressaient dans la voie qu'il leur
avait tracée, le bienheureux Séverin apprit par une révélation divine qu'une veuve nommée Procula avait caché

à la ville moderne de Mautern an der Donau (Basse-Autriche) ; dans la
seconde moitié du Ve siècle elle occupait un camp construit pour un
cohorte au Haut-Empire et agrandi au Bas-Empire pour abriter les
liburnarii de la *legio I Noricorum* (*ND Occ.*, XXXIV, 41 : *praefectus
legionis liburnariorum primorum Noricorum, Fafianae*). Le *uicus*
se trouvait au sud et à l'est du camp. Cf. H. UBL, *art. cit.*, *Severin-
Katalog*, p. 77 et catalogue p. 527.

tasse. Quam productam in medium arguit uehementer. « Cur », inquit, « nobilissimis orta natalibus cupiditatis te praebes ancillam et extas auaritiae mancipium, quae est docente apostolo *seruitus idolorum*[b] ? Ecce domino famulis suis misericorditer consulente tu quid de male partis facias non habebis, nisi forte frumenta dure negata in Danuuii fluenta proiciens humanitatem piscibus exhibeas, quam hominibus denegasti. Quam ob rem subueni tibi potius quam pauperibus ex his quae adhuc te aestimas Christo esuriente[c] seruare. » Quibus auditis magno mulier pauore perterrita coepit seruata libenter erogare pauperibus. 3. Igitur non multo post rates plurimae de partibus Raetiarum mercibus onustae quam plurimis insperatae uidentur in litore Danuuii, quae multis diebus crassa Aeni fluminis glacie fuerant colligatae : qua dei imperio mox soluta ciborum copias fame laborantibus detulerunt. Tunc coeperunt omnes deum insperati remedii largitorem continuata deuotione laudare, qui se tabe

b. Les termes *servitus idolorum* sont inversés par rapport à Col. 3, 5 (*VL*)   c. Cf. Matth. 25, 37

1. Procula était de « naissance noble » ; il faut entendre par là qu'elle était sans doute issue d'une famille curiale (ou veuve de curiale elle-même), le terme de *nobilis* étant pris dans un sens large, comme souvent dans la littérature tardive. Cf. E.A. THOMPSON, *op. cit.*, p. 132.

2. On n'a pas retrouvé de port à *Fauianae*/Mautern, mais il suffisait d'un débarcadère sur une grève (*litus*) pour permettre le déchargement des marchandises et le débarquement des voyageurs : cf. A. AIGN, *art. cit.*, *OBGM*, 6 (1962/63), p. 26, n. 101.

3. *Ratis* est un terme très vague qui désigne une embarcation assez élémentaire : cf. P.M. DUVAL, « La forme des navires romains d'après la mosaïque d'Althiburus », *MAH*, 61 (1949), p. 138, n° 14. Sur la navigation danubienne : cf. E. NEWEKLOWSKI, *Die Schiffahrt und Flößerei im Raume der oberen Donau*, t. 1, Linz 1952, p. 21-22.

4. Le pluriel *Raetiae* s'explique par la division de la Rhétie en deux provinces après la réforme de Dioclétien : *Raetia prima* (Rhétie première, avec comme capitale *Curia*/Chur/Coire) et *Raetia secunda* (Rhétie seconde, avec comme capitale *Augusta Vindelicum*/Augs-

de grandes quantités de grains. Il la fit comparaître en
public et lui fit de violents reproches : « Pourquoi », lui
dit-il, « toi qui es de naissance noble[1], te montres-tu la
servante de la cupidité, l'esclave de la convoitise, ce qui
est, selon l'enseignement de l'Apôtre, de ' l'idolâtrie[b] ' ? »
Voici que le Seigneur dans sa miséricorde veille sur ses
serviteurs et toi, tu ne pourras rien faire de ce que tu as
mal acquis, à moins que tu n'ailles jeter dans les flots du
Danube les provisions de grains que tu as dissimulées par
dureté de cœur et que tu ne témoignes ainsi à l'égard des
poissons d'une humanité que tu as refusée aux hommes :
Aide-toi donc toi-même plus encore que les pauvres
avec les réserves que tu as cru devoir faire jusqu'ici, alors
que le Christ a faim[c]. » À ces mots, cette femme, frappée
d'une grande terreur, se mit à distribuer de bon cœur aux
pauvres les réserves qu'elle avait amassées. 3. Peu de
temps après, contre toute attente, on vit apparaître sur
la rive[2] du Danube un grand nombre d'embarcations[3]
venues de Rhétie[4] et chargées d'une grande quantité de
marchandises ; elles avaient été bloquées par des glaces
épaisses sur l'Inn[5] pendant plusieurs jours. Sur l'ordre de
Dieu la glace avait fondu et elles apportaient des provisions en abondance[6] pour ceux qui souffraient de la faim.
Alors tous, avec une dévotion que rien ne pouvait inter-

---

bourg), la ligne de séparation étant formée par l'Arlberg et le Zillertal.

5. Ce passage est le seul témoin de la navigation sur l'Inn ; mais cette
rivière, comme les autres affluents de rive droite du Danube, était
certainement utilisée par les navires de commerce : cf. O. SCHLIPPSCHUH,
*Die Händler im römischen Kaiserreich in Gallien, Germanien und
in den Donauprovinzen Rätien, Noricum und Pannonien*, Amster-
dam 1974, p. 100-101.

6. L'arrivée d'un convoi de Rhétie, probablement chargé de grains,
indique que cette province avait une production plus que suffisante et
exportait à l'occasion ses surplus vers les régions voisines : cf. L.
RUGGINI, *Economia e Società nell' Italia Annonaria. Rapporti fra
agricoltura e commercio dal IV al VI secolo*, Milan 1961, p. 114, n. 311.

diuturnae famis interire crediderant, fatentes euidentius
rates extra tempus glaciali solutas frigore serui dei precibus aduenisse.

*

4. 1. Per idem tempus inopinata subreptione praedones barbari, quaecumque extra muros hominum pecu-
dumque reppererant, duxere captiua. Tunc plures e ciuibus ad uirum dei cum lacrimis confluentes inlatae calami-
tatis exitium retulerunt, simul ostendentes indicia recen-
tium rapinarum. 2. Ille uero Mamertinum percontatus
est, tunc tribunum, qui post episcopus ordinatus est,
utrum aliquos secum haberet armatos, cum quibus la-
trunculos sequeretur instantius. Qui respondit : « milites
quidem habeo paucissimos, sed non audeo cum tanta
hostium turba confligere. Quod si tua ueneratio praecipit,
quamuis auxilium nobis desit armorum, credimus tamen
tua nos fieri oratione uictores. » 3. Et dei famulus ait :
« etiam si inermes sunt tui milites, nunc ex hostibus
armabuntur : nec enim numerus aut fortitudo humana

---

1. Nous ne savons pas quelle était l'appartenance ethnique de ces
Barbares en maraude (F. LOTTER, *op. cit.*, p. 216, pense à des Ostrogoths).

2. Le tribun commandait une unité militaire dont nous ne savons rien.
Pour A. AIGN, *art. cit.*, *OBGM*, 6 (1962/63), p. 12, la petite troupe
(*milites... paucissimos*) était peut-être tout ce qui restait des *liburnarii* de la *legio I Noricorum* (*ND Occ.*, XXXIV, 41 ; cf. *VS* 3, 1, n. 3).
Le terme général de *milites* fait plutôt penser à une unité régulière de
caractère mal défini, comme on en trouve souvent à cette période
tardive : cf. F. LOTTER, *op. cit.*, p. 269.

3. Nous ne savons pas non plus de quel « diocèse » Mamertin reçut
plus tard la charge. Faut-il mettre son ordination en relation avec le
refus par Séverin de la dignité épiscopale (*VS* 9, 4) ? C'est une hypothèse qui n'a rien d'invraisemblable en soi, mais qui ne repose sur aucun
fait précis et qui ne nous avance guère dans la recherche d'une solution,

rompre, se mirent à louer Dieu qui leur avait prodigué un secours inespéré, car ils avaient bien cru mourir d'épuisement au bout de cette longue famine ; ils reconnaissaient comme une évidence que, si les embarcations avaient pu se libérer du froid et des glaces hors saison, c'était bien grâce aux prières du serviteur de Dieu.

*

4. 1. À la même époque une bande de pillards barbares[1] fit une incursion soudaine et emmena avec elle tout ce qu'elle trouva hors des murs, les hommes aussi bien que le bétail. De nombreux habitants de la cité se rassemblèrent alors chez l'homme de Dieu, tout en larmes, et lui racontèrent les pertes et les malheurs qu'ils venaient de subir en lui montrant les traces laissées par les derniers pillages. 2. Mais lui interrogea Mamertinus, qui était alors tribun[2] et qui fut par la suite ordonné évêque[3], pour savoir s'il avait à sa disposition des hommes armés qui pussent se lancer d'urgence à la poursuite des brigands. Celui-ci répondit : « J'ai bien encore quelques soldats à ma disposition, mais je n'ose pas engager le combat contre un ennemi aussi nombreux. Si toutefois Ta Vénération nous l'ordonne, nous croyons, malgré l'insuffisance de notre armement, pouvoir grâce à tes prières remporter la victoire. » 3. Et le serviteur de Dieu dit : « Même si tes soldats sont sans armes, ils en trouveront maintenant chez l'ennemi : en effet, il n'est besoin ni de la force du nombre ni du courage de l'homme lorsque Dieu se montre

---

puisque nous ignorons quel siège fut offert à Séverin ! I. ZIBERMAYR, *op. cit.*, p. 49, penche pour *Fauianae*, mais on pourrait tout aussi bien penser à une autre ville du Norique riverain. En réalité, nous ne connaissons dans cette province d'autres sièges que celui de *Lauriacum*. Autant dire que la question posée reste sans réponse dans l'état actuel de nos sources : cf. R. NOLL, *op. cit.*, p. 122-123 et 127.

requiritur, ubi propugnator deus per omnia comprobatur.
Tantum in nomine domini perge uelociter, perge fidenter :
nam deo misericorditer praeeunte debilis quisque fortissimus apparebit : ' *dominus pro uobis pugnabit et uos
tacebitis*[a]. ' Vade ergo festinus, hoc unum ante omnia
seruaturus, ut ad me, quos ex barbaris ceperis, perducas
incolumes. » 4. Exeuntes igitur in secundo miliaro super
riuum, qui uocatur Tiguntia, praedictos latrones inueniunt : quibus in fugam repente conuersis arma omnium
sustulerunt, ceteros uero uinctos ad dei famulum, ut
praeceperat, adduxere captiuos. Quos absolutos uinculis
cibo potuque refectos[b] paucis alloquitur : « ite et uestris
denuntiate complicibus, ne auiditate praedandi ultra hunc
audeant propinquare : nam statim caelestis uindictae
iudicio punientur, deo pro suis famulis dimicante[e], quos
ita consueuit superna uirtute protegere, ut tela hostium
non eis inferant uulnera, sed arma potius subministrent. »
5. Dimissis itaque barbaris ipse de Christi miraculis
gratulatur, de cuius et miseratione promittit numquam
illud oppidum hostium praedas ulterius experturum :
ciues tantum ab opere dei nec prospera nec aduersa
retraherent. 6. Deinde beatus Severinus in locum remo-
tiorem secedens[d], qui ad Vineas uocabatur, cellula parua

---

a. Ex. 14, 14 ; [Vulgate : « *Dominus pugnabit pro vobis et vos tacebitis* » (éd. WEBER, t. 1, p. 96)]   b. Cf. IV Rois 6, 23   c. Cf. Deut. 20,
4   d. Cf. Lc 5, 16

---

1. La rivière *Tiguntia* est sans doute identique à la Fladnitz, qui se
jette dans le Danube à l'est de Mautern ; le nom n'apparaît dans aucune
autre source de l'Antiquité et son étymologie est très discutée : cf. M.
FLUSS, *s.v.* « Tiguntia », *PW*, 6A (1936), col. 1024 et A. AIGN, *art. cit.*,
OBGM, 6 (1962/63), p. 29, n. 125.

2. Ce toponyme est généralement considéré comme le plus ancien
témoin de la culture de la vigne en Autriche : cf. E. POLASCHEK, *s.v.*

en toute circonstance notre défenseur. Tu n'as qu'une seule chose à faire : au nom de Dieu pars sans tarder, pars et garde confiance. Quand Dieu dans sa miséricorde marche en avant, même le plus faible des hommes devient un modèle de bravoure : ' Le Seigneur combattra pour vous et vous resterez cois[a]. ' Hâte-toi donc, mais n'oublie surtout pas une chose : ramène-moi sains et saufs ceux des Barbares que tu feras prisonniers. » 4. Ils sortirent donc de la ville et trouvèrent les bandits en question après deux milles, sur une rivière nommée Tiguntia[1] ; les uns prirent la fuite immédiatement et les soldats se saisirent de toutes leurs armes, quant aux autres, ils furent ligotés et ramenés au serviteur de Dieu, comme il le leur avait demandé. Celui-ci fit ôter leurs liens, leur fit servir à manger et à boire[b] et leur adressa ces quelques paroles : « Allez et dites à vos complices de ne plus se risquer dans les environs à la recherche d'un butin, sinon ils seront aussitôt punis par un décret de la justice divine, car Dieu combat pour ses serviteurs[c], et sa puissance surnaturelle les protège en général si bien que les traits de l'ennemi ne leur infligent aucune blessure et même deviennent des armes entre leurs mains. » 5. Il fait donc relâcher les Barbares, rend lui-même grâces au Christ pour ses miracles et promet que par sa miséricorde cette ville ne subira plus à l'avenir le pillage des ennemis, à condition toutefois que les habitants ne se soient laissé détourner du service de Dieu ni par la fortune ni par l'adversité. 6. Le bienheureux Séverin se retire[d] ensuite dans un lieu un peu à l'écart, qui porte le nom de Clos des Vignes[2] et où il se contente d'une petite cellule. Mais une

---

« Noricum », *PW*, 17/1 (1937), col. 1044. D'après A. Aign, *art. cit.*, *OBGM*, 6 (1962/63), p. 28, la petite cellule de Séverin près des vignes était sans doute identique à la retraite aménagée dans le *burgus* (cf. *infra VS* 4, 7), ce qui reste une hypothèse, sans plus.

contentus, ad praedictum oppidum remeare diuina reuelatione compellitur, ita ut, quamuis eum quies cellulae
delectaret, dei tamen iussis obtemperans monasterium
haud procul a ciuitate construeret, ubi plurimos sancto
coepit informare proposito, factis magis quam uerbis
instituens animas auditorum. 7. Ipse uero ad secretum
habitaculum, quod Burgum appellabatur ab accolis, uno
a Fauianis distans miliario, saepius secedebat, ut hominum declinata frequentia, quae ad eum uenire consueuerat, oratione continua[e] deo propius inhaereret. Sed
quanto solitudinem incolere cupiebat, tanto crebris reue-
lationibus monebatur, ne praesentiam suam populis de-
negaret afflictis. 8. Proficiebat itaque per singulos dies
eius meritum crescebatque fama uirtutum, quae longe
lateque discurrens caelestis in eo gratiae signa pandebat.
Nesciunt enim latere quae bona sunt, cum iuxta senten-
tiam saluatoris *nec lucerna sub modio contegi nec in
monte posita ciuitas possit abscondi*[f]. 9. Inter cetera
enim magnalia, quae illi saluator indulserat, praecipuum
abstinentiae munus accipiens carnem suam plurimis su-
biugabat inediis, docens corpus cibis abundantioribus
enutritum animae interitum protinus allaturum. 10. Cal-
ciamento nullo penitus utebatur : ita media hieme, quae in
illis regionibus saeuiore gelu torpescit, nudis pedibus
semper ambulare contentus singulare patientiae dabat
indicium. Ad cuius immanitatem frigoris comprobandam
testem constat esse Danuuium, ita saepe glaciali nimie-

---

e. Cf. I Thess. 5, 17   f. Matth. 5, 14 ; [Vulgat : « *non potest civitas
abscondi supra montem posita neque accendunt lucernam et ponunt
sub modio* » (éd. WEBER, t. 2, p. 1531)]

---

1. *Burgus* est vraisemblablement un terme d'origine grecque (πυρ-
γος ; cf. *TLL* 2, col. 2250, malgré O. SEECK, *s.v.* « burgus », *PW*, 3/1
(1887), col. 1066) ; il désigne ici une ancienne tour de guet, qui n'avait
pas nécessairement un usage militaire.

révélation divine le pousse à revenir dans la ville en question ; il avait beau aimer le silence de sa cellule, il obéit pourtant aux volontés de Dieu et construisit non loin de la cité un monastère où il commença à former un grand nombre de disciples à un genre de vie saint, instruisant leurs âmes plus par ses actes que par ses paroles. 7. Lui-même faisait souvent retraite[d] dans un lieu isolé, que les habitants appelaient *Burgus*[1] et qui était distant d'un mille de Favianae, pour échapper à la foule qui se pressait ordinairement pour le voir et pour se rapprocher de Dieu par la prière continue[e]. Mais plus il aspirait à vivre dans la solitude, plus il était incité par de fréquentes révélations à ne pas priver de sa présence les populations plongées dans l'affliction. 8. Ainsi, ses mérites allaient croissant de jour en jour, tout comme la réputation que lui donnaient ses vertus[2] ; celle-ci en se répandant en tous lieux était le signe évident de la grâce céleste qui l'habitait. Ce qui est bien, en effet, ne peut rester caché ; comme l'a dit notre Sauveur : « Une lampe ne peut être mise sous le boisseau et une ville située sur une montagne ne peut rester cachée[f]. » 9. Parmi toutes les merveilles que lui avait accordées le Sauveur, il avait reçu le don particulier de l'abstinence : il soumettait sa chair à d'innombrables jeûnes et enseignait qu'un corps trop richement nourri amènerait inévitablement la ruine de l'âme. 10. Il ne mettait jamais de chaussures ; même en plein hiver, qui dans ces régions s'accompagne de fortes gelées, il se contentait toujours d'aller pieds nus, donnant ainsi un exemple d'endurance unique en son genre. Pour confirmer la violence de ce froid le Danube lui-même s'offre comme

---

2. Le terme de *uirtus* est ici ambigu ; il peut désigner aussi bien les pouvoirs thaumaturgiques au sens du grec δυνάμεις que les vertus ascétiques dont il est question plus bas (*VS* 4, 9-10). Pour conserver cette ambiguïté nous avons traduit par « vertu ».

tate concretum, ut etiam plaustris solidum transitum
subministret. 11. Qui tamen talibus per dei gratiam uirtutibus sublimatus intima humilitate fatebatur dicens :
« ne putetis mei meriti esse quod cernitis : uestrae est
potius salutis exemplum. Cesset humana temeritas, ela-
tionis supercilium comprimatur. Vt aliquid boni possi-
mus, eligimur, dicente apostolo : ' *qui elegit nos ante
mundi constitutionem, ut essemus sancti et immacu-
lati in conspectu eius*[g]. ' Orate immo pro me, ut non ad
condemnationis cumulum, sed ad iustificationis augmen-
tum saluatoris mihi dona proficiant. » 12. Haec et his
similia solebat proferre cum fletibus, miro erudiens homines humilitatis exemplo, cuius uirtutis fundamento muni-
tus tanta diuini muneris claritate fulgebat, ut ipsi quoque
ecclesiae hostes haeretici reuerentissimis eum officiis
honorarent.

*

5. 1. Rugorum siquidem rex, nomine Flaccitheus, in
ipsis regni sui coepit nutare primordiis habens Gothos ex
inferiore Pannonia uehementer infensos, quorum innu-
mera multitudine terrebatur. Is ergo beatissimum Seueri-

---

g. Éphés. 1, 4 ; [Vulgate : « *elegit nos in ipso ante mundi constitutionem* » (éd. WEBER, t. 2, p. 1808)]

1. Les hérétiques auxquels il est fait ici allusion sont les Ruges,
mentionnés au chapitre suivant ; ceux-ci adhéraient en effet à l'ho-
méisme, doctrine condamnée en 381 au concile de Constantinople, qui
imposa le credo de Nicée à tout l'Empire. Les Ruges furent sans doute
convertis au christianisme par les Goths, à une date impossible à fixer
avec précision (après l'effondrement de l'empire d'Attila ?) : cf.
L. SCHMIDT, *Die Ostgermanen,* 2ᵉ éd., Munich 1941, p. 121.

témoin, lui qui est souvent pris par l'excès des glaces au point d'offrir un passage sûr aux chariots. 11. Et pourtant, lui qui était exalté de tant de vertus par la grâce de Dieu, reconnaissait avec la plus profonde humilité : « Ne croyez pas que ce que vous voyez soit à mettre à mon crédit, c'est plutôt un exemple destiné à votre salut. Que cesse l'humaine témérité et qu'il soit mis un frein à l'orgueil et à l'arrogance. Si nous sommes capables de faire le bien, c'est que nous sommes choisis pour cela, comme le dit l'Apôtre : « Il nous a choisis dès avant la création du monde, pour que nous soyons saints et irréprochables sous son regard[9]. » Priez plutôt pour moi, pour que les dons que m'a faits le Sauveur servent non à aggraver ma condamnation mais à parfaire ma justification. » 12. Il prononçait généralement ces paroles, et d'autres du même genre, avec des larmes dans la voix, donnant par son exemple une admirable leçon d'humilité aux hommes ; cette vertu était le fondement sur lequel il s'appuyait et la faveur divine brillait en lui d'un tel éclat que même les ennemis de l'Église, les hérétiques[1], lui prodiguaient les marques du plus grand respect.

*

5. 1. Ainsi le roi des Ruges, Flaccitheus, commença dès le début de son règne à trembler pour son pouvoir, parce que les Goths de Pannonie[2] lui étaient violemment hostiles et qu'il redoutait leur masse innombrable. Dans cette

---

2. Il s'agit d'Ostrogoths installés par l'empereur Marcien entre le lac Balaton et la Save après l'effondrement de l'empire hunnique (en 454). Une dizaine d'années plus tard ils s'étaient rapprochés des frontières du Norique et avaient réussi à bloquer la route d'Aquilée. C'est à ce moment (vers 467) qu'il faut situer cet épisode.

num in suis periculis tamquam caeleste consulebat oraculum. Ad quem, dum uehementius turbaretur, adueniens deflebat se a Gothorum principibus ad Italiam transitum postulasse, a quibus se non dubitabat, quia hoc ei denegatum fuerat, occidendum. 2. Tunc ergo a uiro dei hoc responsum praedictus accepit : « si nos una catholica fides annecteret, magis me de uitae perpetuitate debuisti consulere : sed quia de praesenti tantum salute sollicitus, quae nobis est communis, interrogas, instruendus ausculta. Gothorum nec copia nec aduersitate turbaberis, quia cito securus eis discedentibus tu desiderata prosperitate regnabis : tantum ne humilitatis meae monita praetermittas. Non te itaque pigeat pacem appetere etiam minimorum, numquam propriis uirtutibus innitaris. ' *Maledictus* ', inquit scriptura, ' *qui confidit in homine et ponit carnem brachium suum et a domino recedit cor eius*[a]. ' Disce igitur insidias cauere, non ponere : in lectulo quippe tuo pacifico fine transibis. » 3. Qui cum tali animatus oraculo laetus abscederet, perlato sibi, quod turba latronum aliquos captiuasset ex Rugis, uirum dei misit

----

a. Jér. 17, 5 ; [la citation est conforme au texte de la Vulgate à l'exception du mot *homo* omis entre *maledictus* et *qui* (éd. WEBER, t. 2, p. 1189)]

----

1. Sur l'itinéraire qu'entendait suivre le roi Flaccitheus : cf. P. CSENDES, « König Flaccitheus und die Alpenpässe », *Carinthia I,* 155 (1965), p. 289-294.

2. Il est remarquable que Séverin se borne à défendre les communautés chrétiennes du Norique riverain sans jamais chercher à convertir les Ruges à l'orthodoxie catholique, comme si le déclin de la puissance romaine dans la province rendait vaine, voire impossible, une telle entreprise missionnaire. Cet évident réalisme politique sait toutefois faire place à l'intransigeance dès que des points essentiels de la foi catholique sont en jeu, comme par exemple la question de la réitération du baptême (cf. *VS,* 8, 1).

situation si dangereuse pour lui, il consultait le bienheureux Séverin comme un oracle céleste. Un jour, sous le
coup d'une violente émotion, il vint le voir et lui dit en
pleurant qu'il avait demandé aux princes des Goths de le
laisser passer en Italie[1] et que, sa requête ayant été
rejetée, il ne doutait pas d'être bientôt tué par eux. 2. Il
reçut alors cette réponse de l'homme de Dieu : « Si nous
étions unis par la même foi catholique[2], tu aurais dû
plutôt me consulter sur la question de la vie éternelle,
mais puisque tu es uniquement préoccupé par ton salut
présent, préoccupation qui nous est d'ailleurs commune
à tous deux, écoute ce que j'ai à te dire. Tu n'as pas à
t'alarmer ni de la force ni de l'hostilité des Goths, car leur
départ va bientôt te laisser en paix et toi tu auras le règne
prospère auquel tu aspires. Mais ne néglige pas les avertissements que je t'adresse humblement : ne crains pas de
rechercher la paix, même avec les plus faibles, ne compte
jamais sur tes propres forces. « Maudit soit », dit l'Écriture, « l'homme qui se fie à un homme, qui fait de la chair
son appui, et dont le cœur est éloigné du Seigneur[a]. »
Apprends donc à te garder des embûches et à ne pas en
poser et tu trouveras une fin paisible dans ton lit. » 3. Il
repartait donc le cœur en joie, réconforté par cet oracle,
quand on lui rapporta qu'une bande de brigands[3] avait
capturé quelques Ruges. Il fit aussitôt consulter l'homme

---

3. Eugippe ne précise pas l'appartenance ethnique de ces brigands
(mais les manuscrits de la classe I sont plus explicites puisqu'ils
mentionnent des Barbares en maraude : *turba latrocinantium barbarorum*). Même si au paragraphe précédent il est question de la menace
que les Ostrogoths faisaient peser sur les Ruges, il ne s'ensuit pas
nécessairement que les assaillants appartiennent à ce peuple, le lien
entre les deux épisodes étant fourni par la recommandation du saint
(« Apprends donc à te garder des embûches et à ne pas en poser »). En
tout cas les brigands, après leur raid en pays ruge, ont traversé le
Danube, sans doute pour regagner leur base de départ (« Prends garde,
ne traverse pas le fleuve... ! »).

protinus consulendum. Qui sanctis eum mandatis, ne
praedones sequeretur, domino reuelante praemonuit dicens : « si eos secutus fueris, occideris, caue, ne amnem
transeas et insidiis, quae tibi in tribus locis paratae sunt,
improuida mente succumbas : nam cito nuntius fidelis
adueniet, qui te de his omnibus efficiat certiorem. »
4. Tunc duo captiuorum ab ipsis hostium sedibus fugientes ea per ordinem retulerunt, quae beatissimus uir
Christo sibi reuelante praedixerat. Igitur frustratis insidiis aduersantum Flaccitheus incrementis auctus prospe-
rioribus uitam rebus tranquillissimis terminauit.

*

6. 1. Post haec autem quidam Rugus genere per annos
duodecim incredibili ossium dolore contritus omni carue-
rat incolumitate membrorum, cuius cruciatus intolerabi-
lis circumquaque uicinis factus erat ipsa diuturnitate
notissimus. Itaque nihil proficiente diuersitate remedii
tandem uidua mater ad sanctum uirum uehiculo filium
deduxit impositum et ante ianuam monasterii proiciens
desperatum continuatis fletibus reddi sibi unicum filium
precabatur incolumem. 2. Sed uir dei sentiens a se magna
deposci fletu commotus aiebat : « quid opprimor opinione
fallaci ? Cur aestimor posse quod nequeo ? Non est uirtutis meae praestare tam grandia : *consilium tamen do
tamquam misericordiam consecutus a deo*[a]. » Tunc

---

a. I. Cor. 7, 25 ; [Vulgate : « *consilium autem do tamquam misericor-
diaem consecutus a Domino ut simfidelis* » (éd. WEBER, t. 2, p. 1776)]

---

1. Le roi des Ruges Flaccitheus n'est connu que par le texte d'Eugippe. Nous ne savons pas exactement quand il a commencé à régner ni
à quelle date il est mort : cf. J.R. MARTINDALE, *PLRE*, t. 2, *s.v.* Flaccitheus
p. 473 ; H. WOLFRAM, *Geschichte der Goten*, Munich 1979, p. 328, n. 32.

de Dieu. Celui-ci, sur une révélation divine, l'engagea par
ses saintes instructions à ne pas poursuivre les pillards :
« Si tu les poursuis, tu seras tué. Prends garde, ne traverse pas le fleuve, pour ne pas tomber à l'improviste
dans des embuscades qui t'ont été tendues en trois endroits différents : un messager fidèle va bientôt venir, qui
te donnera des informations plus précises sur toute cette
affaire. » 4. Sur quoi deux prisonniers qui s'étaient
échappés du campement ennemi confirmèrent, chacun à
leur tour, les prédictions que le bienheureux Séverin avait
faites à la suite d'une révélation du Christ. Ainsi fut
déjouée l'embuscade de l'ennemi et Flaccitheus, après
avoir vu son pouvoir s'accroître et prospérer, finit ses
jours dans une tranquillité parfaite[1].

*

6. 1. Après ces événements, voici ce qui arriva : un
Ruge, qui était tourmenté depuis douze ans par d'in-
croyables douleurs aux os, avait complètement perdu
l'usage de ses membres. Ses souffrances intolérables
étaient, en raison même de leur durée, connues de tout le
voisinage. Comme les divers remèdes qu'il avait essayés
ne servaient à rien, sa mère, une veuve, finit par l'amener
au saint sur une voiture ; elle déposa le malade incurable
devant la porte du monastère et, dans un flot de larmes,
supplia qu'on rendît la santé à son fils unique. 2. Mais
l'homme de Dieu, voyant qu'on exigeait de lui des exploits
et ému par ses larmes, lui dit : « Pourquoi faire pression
sur moi en invoquant une réputation trompeuse ? Pourquoi m'estimer capable de faire ce dont je suis en réalité
incapable ? Il n'est pas en mon pouvoir d'accomplir de
telles prouesses. « Je veux pourtant te donner un conseil,
comme un homme qui a obtenu la miséricorde de Dieu[a]. »

mandat mulieri, ut pauperibus aliquid pro suis uiribus largiretur. Illa nihil morata uestem, quam induta fuerat, se uelociter exuens egentibus diuidere properabat. 3. Quo audito uir dei feruorem eius admirans iterum mandat, ut suis operiretur amictibus, dicens : « cum filius tuus tecum domino sanante perrexerit, opere uota sup- plebis. » Indicto igitur paucorum dierum de more ieiunio, fusis ad deum precibus ilico sanauit infirmum atque inco- lumem suis gressibus ambulantem remisit ad propria. 4. Qui cum postea nundinis frequentibus interesset, stu- pendum miraculum cunctis uidentibus exhibebat. Non- nulli enim dicebant : « ecce ille, qui fuerat totius corporis putredine tabefactus » ; aliis autem, quod ipse esset, omnino negantibus grata contentio nascebatur. 5. Ex illo igitur tempore, quo est reddita sanitas desperato, uniuersa Rugorum gens ad dei famulum frequentans coe- pit gratulationis obsequium reddere et opem suis postu- lare langoribus. De aliis etiam gentibus, ad quas tanti miraculi fama peruenerat, multi Christi militem uidere cupiebant. 6. Qua deuotione etiam ante hoc factum qui- dam barbari, cum ad Italiam pergerent, promerendae benedictionis ad eum intuitu deuerterunt.

*

7. Inter quos et Odouacar, qui postea regnauit Italiae, uilissimo tunc habitu iuuenis statura procerus[a] aduene-

---

a. Cf. Nombr. 13, 33

---

1. *Indicere* est le terme technique en usage pour désigner la procla- mation du jeûne (ou de toute autre observance religieuse ou juridique) : cf. R. ARBESMANN, « Fasting and Prophecy in Pagan and Christian Antiquity », *Traditio*, 7 (1949-1951), p. 16, n. 32.

2. Il s'agit du futur « roi » Odoacre qui devait mettre fin à l'empire romain d'Occident en 476 Cf. A. NAGL, *s.v.* « Odoacer », *PW*, 17/2 (1937), col. 1888-1896 ; J.R. MARTINDALE, *PLRE*, t. 2, *s.v.* Odovacer, p. 791-793.

Il demande alors à la femme de faire, selon ses moyens, une offrande aux pauvres. Sans hésiter, celle-ci retira prestement les vêtements qu'elle avait sur elle et s'empressait déjà de les partager entre les indigents. 3. Quand l'homme de Dieu apprit la nouvelle, il admira le zèle de cette femme ; il lui demanda de remettre ses vêtements et ajouta : « Quand ton fils, après sa guérison par le Seigneur, sera rentré avec toi, tu accompliras ton vœu par un acte. » Puis il ordonna[1], comme à son habitude, quelques jours de jeûne, adressa de ferventes prières à Dieu, guérit sur le champ le malade et le renvoya chez lui en bonne santé, marchant sur ses jambes. 4. Quand par la suite celui-ci se montrait au marché, qui était très fréquenté, il offrait aux yeux de tous un miracle surprenant. Certains disaient : « regarde, c'est celui dont le corps était déjà pourri par la gangrène » ; mais d'autres niaient que ce fût bien lui et cela donnait lieu à des discussions sommes toutes bénéfiques. 5. Du jour où cet incurable eut recouvré la santé, le peuple ruge tout entier se mit à rendre visite en foule au serviteur de Dieu pour lui témoigner sa reconnaissance et sa déférence et lui demander de l'aide en cas de maladie. Parmi les autres peuples auxquels était parvenue la nouvelle d'un si grand miracle nombreux étaient aussi ceux qui désiraient voir le soldat du Christ. 6. Par un effet de cette dévotion et même avant cet événement, certains Barbares qui faisaient route vers l'Italie firent un détour pour le voir et obtenir sa bénédiction.

*

7. Parmi ceux qui firent le voyage il y avait notamment Odoacre[2] qui plus tard régna sur l'Italie ; alors misérablement vêtu, c'était un jeune homme de haute taille[a]. Il

rat. Qui dum se, ne humillimae tectum cellulae suo uertice contingeret, inclinasset, a uiro dei gloriosum se fore cognouit. Cui etiam ualedicenti : « uade », inquit, ad Italiam, uade, uilissimis nunc pellibus coopertus, sed multis cito plurima largiturus. »

*

8. 1. Feletheus quoque rex, qui et Feua, memorati filius Flaccithei, paternam secutus industriam sanctum uirum coepit pro regni sui frequentare primordiis. Hunc coniunx feralis et noxia, nomine Giso, semper a clementiae remediis retrahebat. Haec ergo inter cetera iniquitatis suae contagia etiam rebaptizare quosdam est conata catholicos, sed, ob sancti reuerentiam Seuerini non consentiente uiro, a sacrilega quantocius intentione defecit. 2. Romanos tamen duris condicionibus aggravans quosdam etiam Danuuio iubebat abduci. Nam cum quadam die in proximo a Favianis uico ueniens aliquos ad se transferri Danuvio praecepisset, uilissimi scilicet ministerii seruitute damnandos, dirigens ad eam uir dei ut eos dimitteret postulabat. Verum illa facibus feminei furoris exaestuans mandata reportari iussit asperrima. « Ora »,

---

1. *Feletheus... rex.* L. SCHMIDT, *op cit.*, p. 120, place l'accession de Feletheus/Feva au pouvoir vers 475.

2. Giso était peut-être une parente du roi ostrogoth Théodoric : cf. R. WENSKUS, *s.v.* « Amaler », *RGA*², 1 (1973), arbre généalogique p. 248 et H. WOLFRAM, *op. cit.*, p. 333, n. 53.

3. Les Ariens déniaient toute validité au baptême orthodoxe en faisant dépendre la valeur intrinsèque du sacrement de critères extrinsèques tels que l'intentionnalité de l'acte ou la pureté personnelle du ministre. Sur l'itération du baptême chez les Ariens : cf. M. MESLIN, *Les Ariens d'Occident*, Paris 1967, p. 388.

I. BÓNA, *art. cit.*, *AAntASH*, 21 (1973), p. 271, soutient que Giso visait par là uniquement les Ruges établis sur la rive droite du Danube

se courba pour ne pas heurter de la tête le toit de la très
humble cellule et apprit de la bouche de l'homme de Dieu
qu'il connaîtrait un jour la gloire. Quand il prit congé,
Séverin lui dit : « Va en Italie, va, aujourd'hui tu es couvert de misérables peaux de bêtes, mais bientôt tu répandras des largesses dont beaucoup profiteront. »

*

8. 1. Le roi Feletheus[1], connu également sous le nom de
Feva, et qui était le fils de Flaccitheus, déjà nommé, suivit
aussi l'exemple de son père et se mit à fréquenter le saint
homme dès le début de son règne. Mais il avait une femme
à l'humeur farouche et à l'esprit malfaisant, du nom de
Giso[2], qui le détournait toujours d'user de la clémence.
Entre autres inventions de son iniquité elle alla jusqu'à
essayer de rebaptiser[3] des catholiques, mais, comme son
mari, par respect pour saint Séverin, refusa de lui donner
son consentement, elle renonça bientôt à ses projets
sacrilèges. 2. Elle n'en rendait pas moins la vie dure aux
Romains et en fit même emmener de force de l'autre côté
du Danube[4], pour les réduire évidemment en servitude et
les astreindre aux plus viles corvées ; l'homme de Dieu lui
envoya un émissaire et lui demanda de leur rendre la
liberté. Mais celle-ci, prise d'un violent accès de fureur
bien féminine, lui fit remettre un message d'un ton très

---

et convertis au catholicisme. Rien dans le texte ne vient appuyer cette
hypothèse.

4. Il ressort de ce passage que le roi des Ruges avait sa résidence sur
la rive gauche du Danube, non loin de *Fauianae,* puisque les prisonniers
purent rentrer dans leurs foyers le jour même où ils avaient été capturés
(cf. *infra VS* 8, 4). Sur une localisation possible de cette résidence sur
l'Altenburg au-dessus de Krems a.d. Donau : cf. A. FUCHS, « Die Mi-
chaelskirche und die Altenburg in Stein a.d. Donau », *JLNÖ,* 15/16
(1916/1917), p. 338 s. ; A. AIGN, *art. cit., OBGM* 6 (1962/1963), p. 31.

inquit, « tibi, serue dei, in tua cellula delitescens : liceat nobis de seruis nostris ordinare quod uolumus. » 3. Haec igitur audiens homo dei : « confido », inquit, « in domino Iesu Christo, quia necessitate compelletur explere quod praua uoluntate despexit. » Velox itaque secuta correptio prostrauit animos arrogantis. Quosdam enim aurifices barbaros pro fabricandis regalibus ornamentis clauserat arta custodia. Ad hos filius memorati regis admodum paruulus, nomine Fredericus, eodem die, quo regina seruum dei contempserat, puerili motu concitus introiuit. Tunc aurifices infantis pectori gladium posuere dicentes, quod, si quis ad eos absque iuramenti praesidio ingredi conaretur, paruulum regium primitus transfigentes semet ipsos postea trucidarent, quippe cum sibi nullam spem uitae promitterent, macerati diuturnis ergastulis. 4. His auditis regina crudelis et impia, uestibus dolore conscissis[a], talia clamitabat : « o serue domini Seuerine, sic, sic a deo tuo inlatae uindicantur iniuriae ! Hanc mei contemptus ultionem effusis precibus postulasti, ut in mea uiscera uindicares ! » Itaque multiplici contritione ac miserabili lamentatione discurrens fatebatur se pro scelere contemptus, quod in seruum dei commiserat, plagae praesentis ultione percelli confestimque directis equitibus ueniam petitura et Romanos, quos eodem die tulerat, pro quibus et rogantem contempserat, retransmisit et aurifi-

a. Cf. II Sam. 1, 2

1. Ces orfèvres, dont l'origine ethnique n'est pas connue, n'étaient pas de condition libre ; ils étaient tenus sous étroite surveillance pour permettre au roi de mieux contrôler l'utilisation des métaux précieux et l'exécution des travaux commandés. Ils ne sont pas sans rappeler les orfèvres employés dans les ateliers impériaux.

dur : « Prie pour toi-même », dit-elle, « serviteur de Dieu, terre-toi dans ta cellule et laisse-nous disposer de nos serviteurs comme nous l'entendons. » 3. À ces mots l'homme de Dieu s'écria : « Je fais confiance à notre Seigneur Jésus-Christ pour qu'elle soit contrainte par la nécessité à ce que, dans son mauvais vouloir, elle a rejeté avec mépris. » Le châtiment ne se fit pas attendre et il rabaissa cette âme orgueilleuse. Il y avait en effet des orfèvres barbares qui étaient employés à la fabrication des ornements royaux[1] et qu'elle tenait étroitement sur-veillés. Le jour où la reine avait marqué son mépris au serviteur de Dieu, le fils du roi en question, qui était encore très jeune et qui avait pour nom Fredericus, s'introduisit, poussé par une curiosité bien enfantine, chez les orfèvres. Ceux-ci mirent leur glaive sur sa poitrine et déclarèrent que, si jamais quelqu'un essayait d'approcher sans la garantie d'un serment, ils transperceraient d'abord l'enfant royal et se tueraient eux-mêmes ensuite, puisqu'ils n'avaient plus aucun espoir dans la vie, épuisés comme ils l'étaient par des travaux sans fin. 4. À cette nouvelle la reine, malgré sa cruauté et son impiété, déchira ses vêtements[a] dans sa douleur et s'écria : « Ô Séverin, ô serviteur de Dieu, c'est ainsi, oui c'est ainsi que ton Dieu venge les injustices qui ont été commises ! Pour me punir du mépris que je t'ai montré tu as obtenu en répandant tes prières de te venger sur le fruit de mes entrailles ! » Elle courait en tous sens, en proie à un grand remords et au milieu de lamentations pitoyables, recon-naissant que le coup qui la frappait à présent était la punition du crime qu'elle avait commis en marquant du mépris pour le serviteur de Dieu.

Elle dépêcha sur l'heure des cavaliers pour demander son pardon, renvoya les Romains qu'elle avait fait enlever le jour même et pour qui Séverin était intervenu en se heurtant à son mépris ; quant aux orfèvres, ils reçurent

ces accipientes protinus sacramentum ac dimittentes
infantulum pariter et ipsi dimissi sunt. 5. His auditis
reuerentissimus Christi seruus gratias creatori referebat
inmensas, qui ob hoc interdum differt uota poscentium, ut
fide, spe et caritate[b] crescente, dum minora petitur,
maiora concedat[e]. Id namque egit omnipotentia saluatoris, ut, dum liberos saeua mulier subicit seruituti, seruien-
tes cogeretur reddere libertati. 6. Quibus mirabiliter im-
petratis regina statim ad seruum dei properans cum
marito monstrat filium, quem fatebatur illius orationibus
de mortis confinio liberatum, promittens se nequaquam
ultra eius iussionibus obuiare.

*

9. 1. Magna quoque famulo dei prophetiae gratia
praedito in redimendis erat captiuis industria. Studiosius
etenim insistebat barbarorum dicione uexatos genuinae
restituere libertati. Interea cuidam cum coniuge liberis-
que redempto praecepit transuadare Danuuium, ut hominem ignotum in nundinis quaereret barbarorum, quem in
tantum diuina reuelatione didicerat, ut etiam signa statu-

---

b. Cf. I Cor. 13, 13   c. Cf. Lc 11, 9-10

---

1. Le rachat des captifs était un souci constant de Séverin (cf. *infra*
VS 10, 1. 2 ; 17, 1 ; 19, 3). Le secours aux prisonniers avait pris à cette
époque une grande importance en raison des rafles opérées par les
Barbares (cf. *VS* 4, 1 ; *infra* 24, 3) et il était considéré, dans la tradition
de l'Ancien Testament, comme l'une des principales « œuvres de miséricorde » : cf. S. ARBANDT - W. MACHEINER, *s.v.* « Gefangenschaft », *RAC,* 9
(1977), col. 343.

2. *Nundinae* est le terme classique pour désigner un marché reve-
nant tous les neuf jours. Ce marché, qui se tenait au nord du Danube,
rappelle les *emporia,* lieux obligés du commerce entre Romains et

sans tarder une promesse sous serment, libérèrent l'enfant et furent ainsi libérés du même coup. 5. Quand il apprit cette nouvelle, le très vénérable serviteur du Christ ne cessa de rendre grâces au Créateur qui, parfois, tarde à exaucer les vœux de ceux qui l'invoquent pour faire croître la foi, l'espérance et la charité[b], et accorder alors de grands bienfaits là où n'étaient faites que de petites demandes[c]. Telle fut l'œuvre du Seigneur dans sa toute-puissance : une femme qui, dans sa cruauté, avait réduit des hommes libres en servitude, fut contrainte de rendre des serviteurs à la liberté. 6. Après ce dénouement merveilleux la reine se rendit en hâte chez le serviteur de Dieu avec son mari pour lui montrer son fils qui, avouait-elle, grâce aux prières du saint avait échappé de peu à la mort, et elle lui promit de ne jamais plus s'opposer à ses ordres.

*

9. 1. Le serviteur de Dieu, doué d'une grâce prophétique, déployait de la sorte une grande activité en vue du rachat des captifs[1]. Il s'appliquait en effet avec un zèle particulier à rendre à leur liberté première ceux qui, pour leur malheur, étaient tombés sous la sujétion des Barbares. C'est ainsi qu'il chargea un homme qu'il avait racheté avec femme et enfants de traverser le Danube pour aller chercher sur le marché des Barbares[2] un homme tout à fait inconnu ; mais le saint, grâce à une révélation divine, avait si bien appris qui il était qu'il donnait même des

Barbares ; il atteste la persistance d'un courant d'échanges entre les deux rives du fleuve. Sur l'objet des transactions (grains, tissus ?) et sur les modes de paiement (troc, monnaie en nature ?) on ne peut faire que des suppositions : cf. G. DEMBSKI, « Münzprägung und Münzumlauf in Donauraum des 5. Jh. », *Severin-Katalog,* p. 210.

rae capillorumque colorem, uultus eius ac uestis habitum
indicaret et in qua parte nundinarum reperturus eum
foret ostenderet, addens, ut, quicquid ei reperta diceret
persona, reuersus sibi maturius intimaret. Profectus itaque cuncta sic, ut uir dei praedixerat miratus inuenit.
2. Is igitur ab eodem homine, quem repperisse se miraba-
tur, interrogatus audiuit dicentem : « putasne possum
inuenire hominem, qui me ad uirum dei, cuius ubique fama
diffunditur, qua uoluerit mercede perducat ? Diu est enim,
quod ipsos sanctos martyres, quorum reliquias fero,
suppliciter interpello, ut a tali ministerio tandem aliquando soluar indignus, quod huc usque non temeraria
praesumptione, sed religiosa necessitate sustinui. » Tunc
nuntius hominis dei eius se aspectibus praesentauit.
3. Qui debito sanctorum Geruasii et Protasii martyrum
reliquias honore suscipiens in basilica, quam in monasterio construxerat, collocauit officio sacerdotum. Quo loco
martyrum congregauit sanctuaria plurimorum, quae ta-

---

1. La personne et le rôle de cet intermédiaire sont entourés de
mystère. Qui est-il ? D'où vient-il ? De qui tient-il ces reliques ? Comment expliquer sa présence sur le marché ? Quelle raison l'empêche de
se rendre directement auprès de Séverin ? Il ne nous est pas présenté
comme un simple marchand d'objets de piété, puisqu'il déclare lui-même
qu'il est indigne de cette mission et qu'il l'assure par une pieuse nécessité. On peut se demander si Eugippe n'a pas enrichi son récit d'un
épisode supplémentaire, destiné à authentifier pleinement l'invention
des reliques. La prédiction de Séverin et sa réalisation auraient alors une
fonction de légitimation ; elles garantiraient aussi bien l'authenticité des
reliques que la pureté des intentions du porteur.

2. Les corps des martyrs milanais Gervais et Protais furent découverts par Ambroise le 17.6.386 et transférés solennellement dans la
basilica Ambrosiana : cf. E. DASSMANN, « Ambrosius und die Märty-
rer », *JbAC*, 18 (1975), p. 49-68, en part. 52-57. Ces reliques connurent
une diffusion extraordinaire dans tout l'Occident grâce à la générosité
d'Ambroise et en raison d'une circonstance particulière : la présence de

précisions sur les particularités de sa stature, sur la couleur de ses cheveux, sur les traits de son visage et sur ses vêtements et indiquait dans quelle partie du marché il le trouverait ; il ajouta qu'il devait lui rapporter sans tarder tout ce que lui dirait cette personne, une fois qu'il l'aurait trouvée. 2. L'homme partit donc et, à son grand étonnement, tout se passa comme l'avait prédit l'homme de Dieu. Et il entendit cette interrogation de la part de celui qu'à sa grande surprise il avait découvert : « Crois-tu que je puisse trouver quelqu'un qui me mène — quel qu'en soit le prix — à l'homme de Dieu dont la réputation s'est répandue en tous lieux ? Il y a longtemps en effet que je supplie les saints martyrs, dont je porte les reliques[1], de me décharger enfin de cette fonction dont je suis indigne et que j'ai assurée jusqu'ici non par une téméraire présomption, mais par une pieuse nécessité. » 3. Le messager de l'homme de Dieu se présenta alors à ses regards. Ce dernier reçut les reliques des saints martyrs Gervais et Protais[2] avec la vénération qui leur était due et les déposa par le ministère des prêtres dans la basilique[3] qu'il avait fait construire dans le monastère. Il rassembla en ce lieu les restes saints de très nombreux martyrs ; il n'en acquit cependant jamais sans une révéla-

---

sang recueilli sous forme de taches ; cf. P. COURCELLE, *Histoire litté-raire des grandes invasions*, 3ᵉ éd., Paris 1964, p. 287-291. Selon L. ECKHART, « Die Heiligen der Lorcher Basilika und die Archäologie », *OÖHb*, 36 (1982), p. 39, Séverin aurait reçu les reliques non de Milan mais de Ravenne.

3. *basilica, quam in monasterio construxerat*. Au sud-est du camp de *Fauianae* (Mautern) des fouilles ont permis de retrouver les fonda-tions de deux bâtiments, dont l'un était vraisemblablement la basilique du monastère (avec banc des prêtres semi-circulaire et base d'un autel) : cf. H. UBL, « Frühchristliches Österreich », *Severin-Katalog*, p. 301, ill. n° 4 (plan) et n° 5 (maquette) p. 314.

men praeeunte semper reuelatione promeruit, sciens
aduersarium saepe subrepere sub nomine sanctitatis.
4. Episcopatus quoque honorem ut susciperet postulatus
praefinita responsione conclusit, sufficere sibi dicens,
quod solitudine desiderata priuatus ad illam diuinitus
uenisset prouinciam, ut turbis tribulantium frequentibus
interesset. Daturus nihilominus monachis formam sollici-
tius admonebat beatorum patrum uestigiis inhaerere,
quibus sanctae conuersationis adquireretur instructio,
adhibendamque operam, ne is, qui parentes reliquit et
saeculum, pompae saecularis inlecebras retrorsum respi-
ciendo[a] cuperet, quas uitauerat, et ad hoc uxoris Loth[b]
exemplum terribile proponebat. 5. Memorabat etiam ti-
more domini mortificanda esse incentiua libidinum nec
aliter superanda corporeae delectationis asserebat incen-
dia, nisi fuissent per dei gratiam lacrimarum fonte[c] res-
tincta.

*

10. 1. Quidam uero nomine Maurus basilicae monasterii fuit aedituus, quem beatus Seuerinus redemerat de
manibus barbarorum. Huic quadam die praecepit uir dei
dicens : « caue, ne hodie digrediaris alicubi : alioquin im-

---

a. Cf. Gen. 19, 26 (*VL*)   b. Cf. Gen. 19, 26 ; Lc 17, 32   c. Cf. Jér.
9, 1

---

1. Cette précaution n'était sans doute pas inutile, le trafic des reliques — vraies ou fausses — étant alors en plein développement. Les
moines semblent d'ailleurs s'être illustrés dans ce commerce assez
spécial, si l'on en croit Augustin (*de opere monachorum*, 28, 36, *CSEL*
41, p. 585, cité par B. Kötting, *Peregrinatio religiosa*, Münster 1950,
p. 342, n. 243).

2. Nous ne savons pas quel siège épiscopal fut proposé à Séverin ;
toutes les tentatives d'attribution (*Fauianae, Lauriacum*) sont donc
de pures spéculations.

tion préalable[3], tant il savait que l'Adversaire s'insinue souvent sous prétexte de piété.

4. Aux souhaits de le voir accepter aussi la dignité épiscopale[1] il mit un terme par une réponse mûrement réfléchie ; il disait qu'il lui suffisait d'avoir été privé de la solitude à laquelle il aspirait en venant à l'appel de Dieu dans cette province pour être au milieu de foules nombreuses de ceux qui sont oppressés par l'angoisse. Néanmoins, désireux de donner une forme de vie à ses moines, il les engageait instamment à suivre les traces des bienheureux Pères, par là ils acquerraient les fondements d'une vie selon la sainteté[2] ; celui qui avait quitté ses parents et renoncé au monde devait veiller à ne pas regarder en arrière[a] et à ne pas se laisser séduire par les pompes d'un monde qu'il avait voulu fuir ; et, à cet effet, il leur proposait l'exemple terrible de la femme de Loth[b]. 5. Il leur rappelait aussi que la crainte de Dieu doit mortifier les ardeurs des passions et affirmait que le feu des plaisirs corporels ne peut être vaincu que s'il s'éteint par la grâce de Dieu à la source des larmes[c].

*

10. 1. Un homme du nom de Maurus était portier à l'église du monastère ; le bienheureux Séverin l'avait racheté des mains des Barbares. Un jour, l'homme de Dieu lui fit cette recommandation pressante : « Garde-toi de sortir aujourd'hui pour aller où que ce soit, sinon tu

---

3. Le terme de *conuersatio*, accompagné de l'adjectif *sanctus* appartient au vocabulaire monastique ; il apparaît déjà dans la plus ancienne traduction latine de la *Règle de Pachôme*. Selon J. FONTAINE, *Vie de Saint Martin*, t. 3, *SC* 135, p. 977, « *conuersatio sanctae uitae*, transposant l'intraduisible ἄσκησις, désigne la pratique de la vie ascétique ou, comme le dit l'un des derniers commentateurs du texte de Pachôme, ' l'effort vers un style de vie saint ' ».

minenti periculo non carebis. » Hic ergo contra praeceptum tanti patris saecularis cuiusdam hominis persuasu
meridie ad colligenda poma in secundo a Fauianis miliario
egressus mox a barbaris Danuuio transuectus est cum suo
persuasore captiuus. 2. In illa hora uir dei, dum in cellula
legeret, clauso repente codice : « Maurum », ait, « cito
requirite. » Quo nusquam reperto ipse quantocius Histri
fluenta praetermeans latrones properanter insequitur,
quos uulgus scamaras appellabat. Cuius uenerandam
praesentiam non ferentes supplices quos ceperant reddi-
dere captiuos.

*

11. 1. Dum adhuc Norici Ripensis oppida superiora
constarent et paene nullum castellum barbarorum uitaret
incursus, tam celeberrima sancti Seuerini flagrabat opi-
nio, ut certatim eum ad se castella singula pro suis
munitionibus inuitarent, credentes quod eius praesentia
nihil eis eueniret aduersi. Quod non sine nutu diuini
muneris agebatur, ut omnes eius monitis quasi caelestibus
terrerentur oraculis exemploque illius bonis operibus
armarentur. 2. In castellum quoque, cui erat Cucullis
uocabulum, deuotionibus accolarum uir sanctus aduene-
rat euocatus, ubi factum grande miraculum nequeo reti-

---

1. Le terme de *scamarae* ne désigne pas un peuple barbare en
particulier, mais des brigands dont l'origine ethnique n'est pas autrement précisée. Le nom apparaît rarement dans les sources de la fin de
l'Antiquité et — le fait est notable — toujours dans la région danubienne ; on le retrouve chez Jordanès (*Getica*, 58, *MG AA* 5, p. 135) et
chez Ménandre (ch. 19, *Excerpta de legationibus*, éd. de Boor, I/2,
p. 460) ; cf. Du Cange, *Glossarium mediae et infimae Latinitatis*, t. 7,
Berlin 1886 éd. 1954, p. 330. Le mot est, semble-t-il, d'origine grecque
(σκάμμα = fossé).

2. Dans l'Antiquité tardive *castellum* est un terme au sens vague qui
désigne un village, un bourg (traduction que nous avons choisie).

3. Le bourg de *Cucullae* était situé sur le territoire de la commune de

n'échapperas pas à un péril imminent. » Mais malgré les recommandations d'un tel père, il se laissa convaincre par un laïc de sortir à midi pour aller cueillir des fruits à deux milles de Favianae ; il fut aussitôt emmené au-delà du Danube par les Barbares et fait prisonnier avec celui qui l'avait entraîné à sortir. 2. À cette heure-là l'homme de Dieu lisait dans sa cellule ; soudain il referma le livre et dit : « Allez vite chercher Maurus. » Comme on ne le trouvait nulle part, il traversa lui-même le fleuve sans perdre un instant et partit en toute hâte à la poursuite des brigands auxquels le peuple donne le nom de scamares[1]. Et ceux-ci, incapables de supporter cette vénérable présence et réduits à la supplication, relâchèrent les prisonniers qu'ils avaient capturés.

*

11. 1. Lorsque les villes du Norique riverain situées sur le cours supérieur du Danube existaient encore et que presque aucun bourg[2] n'était épargné par les incursions des Barbares, la renommée de saint Séverin était si éclatante que les bourgs se disputaient l'honneur de l'inviter, pour qu'il leur serve de rempart ; ils croyaient en effet qu'en sa présence il ne leur arriverait rien de fâcheux. Cela ne pouvait se faire sans un dessein de la grâce de Dieu, afin que tous fussent saisis de frayeur par ses avertissements, comme s'ils étaient des oracles célestes, et qu'à son exemple ils se fissent une arme de leurs bonnes œuvres. 2. Ainsi, le saint homme était venu sur les instances des habitants dans un bourg du nom de Cucullae[3] ; il s'y produisit un grand miracle que je ne peux

Kuchl, dans la vallée de la Salzach, à 28 km au sud de Salzbourg, probablement sur la hauteur du Georgenberg. Mais il est impossible d'avoir la moindre certitude sur ce point tant que n'aura pas paru la publication définitive des fouilles entreprises dans ce secteur : cf. H. UBL, *art. cit.*, *Severin-Katalog*, p. 85.

cere : quod tamen Marciani, post presbyteri nostri, ciuis eiusdem loci, stupenda relatione cognouimus. Pars plebis in quodam loco nefandis sacrificiis inhaerebat. Quo sacrilegio comperto uir dei multis plebem sermonibus adlocutus ieiunium triduanum per presbyteros loci persuasit indici ac per singulas domos cereos afferri praecepit, quos propria manu unusquisque parietibus affixit ecclesiae. 3. Tunc psalterio ex more decurso ad horam sacrificii presbyteros et diacones uir dei hortatus est tota cordis alacritate secum communem dominum deprecari, quatenus ad sacrilegos discernendos lumen suae cognitionis ostenderet. Itaque cum multa largissimis fletibus cum eis fixis genibus precaretur, pars maxima cereorum, quos fideles attulerant, subito est accensa diuinitus, reliqua vero eorum, qui praedictis sacrilegiis infecti fuerant uolentesque latere negauerant, inaccensa permansit. 4. Tunc ergo qui eos posuerant, diuino declarati examine protinus exclamantes secreta pectoris satisfactionibus prodiderunt et suorum testimonio cereorum manifesta

---

1. Nous avons ici un témoignage unique sur la persistance de pratiques païennes dans une population chrétienne assistant régulièrement aux offices et encadrée par un clergé nombreux (il est question de « prêtres et de diacres » au paragraphe suivant). Il semble bien que malgré l'interdiction officielle (*CTh* XVI, 10, 4 et 10, 5) les sacrifices continuaient dans des endroits retirés ; s'agissait-il des vieux cultes naturistes, d'évocation des morts ou de magie noire ? Il est impossible de répondre à la question, puisque Eugippe ne nous donne aucun détail sur ce qu'il appelle plus loin un « sacrilège ». Sur le paganisme populaire : cf. J. GAUDEMET, *L'Église dans l'Empire romain*, Paris 1958, p. 637 ; K. BAUS - E. EWIG, Die Reichskirche nach Konstantin dem Großen, HbKG, t. 2/1, Fribourg 1973, p. 342.

2. *per singulas domos cereos afferri praecepit.* Ce passage a souvent été mal interprété. Contrairement à ce qu'écrit K. GAMBER, *art. cit.*, *RQ,* 65 (1970), p. 149, il ne s'agit pas là d'un usage liturgique propre au Norique ; les cierges ne remplacent pas les lampes à huile pour la célébration de la messe, ils sont apportés par les fidèles pour être solennellement allumés au début de l'office du lucernaire. Il faut d'ailleurs rapprocher ce passage d'un autre chapitre où il est également

passer sous silence : du reste nous en avons eu connaissance par la relation stupéfiante que nous en fit Marcianus, qui fut par la suite notre prêtre et qui habitait cette localité. Une partie du peuple pratiquait encore en un certain lieu des sacrifices impies[1]. Lorsqu'il apprit ce sacrilège, l'homme de Dieu, après avoir multiplié les sermons à l'adresse du peuple, persuada les prêtres du lieu d'ordonner un jeûne de trois jours et demanda à chaque foyer d'apporter des cierges[2] que chacun fixa de sa propre main aux murs de l'église. 3. Après le traditionnel chant des psaumes, l'homme de Dieu, à l'heure du sacrifice, exhorta les diacres et les prêtres[3] à mettre tout l'élan de leur cœur à prier avec lui leur Seigneur commun ; ainsi, pour désigner les sacrilèges, il enverrait la lumière de sa connaissance. Après qu'il eut longuement prié avec eux, à genoux et le visage inondé de larmes, la plupart des cierges apportés par les fidèles s'allumèrent brusquement par la volonté divine ; quant aux autres — ils appartenaient à ceux qui avaient été souillés par les pratiques sacrilèges en question et s'en étaient disculpés dans l'espoir de n'être pas découverts — ils restèrent éteints. 4. Ainsi donc ceux qui avaient posé ces cierges, quand ils se virent clairement désignés par le jugement de Dieu, se mirent à crier, révélant les secrets de leur cœur par leurs excuses mêmes, et contraints par le témoignage

---

question de l'office du soir (cf. *VS* 13, 1). Et comment ne pas évoquer à ce sujet la description que nous a laissée Égérie de cet office à Jérusalem : « à la dixième heure qu'on appelle ici *licnicon* — nous disons lucernaire —, toute la foule se rassemble de même à l'Anastasie. On allume tous les flambeaux et les cierges, ce qui fait une immense clarté » (*Journal de voyage*, 24, 4, éd. P. Maraval 1982, *SC* 296, p. 238-239) ?

3. La présence des prêtres et des diacres montre bien que le clergé tout entier participait à cet office quotidien, qui ne pouvait d'ailleurs se tenir que dans une église : cf. 9e canon du concile de Tolède (400) (Mansi, *Hist. conc.*, III, col. 1 000).

confessione conuicti propria sacrilegia testabantur. 5. O
clemens potentia creatoris cereos animosque flamman-
tis ! Accensus est ignis in cereis et refulsit in sensibus :
uisibilis lux naturam cerae liquabat in flammas, at inuisi-
bilis corda fatentum soluebat in lacrimas. Quis credat
amplius eos quos sacrilegus error inuoluerat postea claruisse bonis operibus, quam eos, quorum cerei fuerant
accensi diuinitus ?

*

12. 1. Alio rursus tempore in finibus eiusdem castelli
locustae, frugum consumptrices, insederant copiosae,
noxiis morsibus cuncta uastantes. Tali ergo peste perculsi
mox presbyteri ceterique mansores sanctum Seuerinum
summis precibus adierunt dicentes : « ut tantae plagae
auferatur atrocitas, orationum tuarum experta suffragia
postulamus, quae magno dudum miraculo in accensis
caelitus cereis multum apud dominum ualere conspexi-
mus. » 2. Quos ipse religiosius allocutus : « non legistis »,
ait, « quid auctoritas diuina peccanti populo praeceperit
per prophetam : ' *conuertimini ad me in toto corde
uestro, in ieiunio et fletu*[a] ', et post pauca : ' *sanctificate* ', inquit, ' *ieiunium, uocate coetum, congregate
ecclesiam*[b] ' et cetera, quae sequuntur ? Explete itaque
dignis operibus quae docetis, ut malitiam facile praesentis
temporis euadatis : nullus sane ad agrum exeat, quasi
humana locustas sollicitudine uetiturus, ne diuina am-

---

a. Joël 2, 12 ; [la citation est tronquée par rapport au texte de la
Vulgate : *in ieiunio et in fletu et in planctu* (éd. WEBER, t. 2, p. 1386)]
b. Joël 2, 16 ; [la citation représente une combinaison de deux versets :
« *congregate populum / sanctificate ecclesiam* » (éd. WEBER, t. 2,
p. 1386)]

de leurs cierges à une confession publique, ils reconnurent les sacrilèges qu'ils avaient commis. 5. Ô clémence et puissance du Créateur qui enflamme les cierges et les cœurs ! Le feu s'alluma sur les cierges et resplendit dans les esprits : la lumière visible faisait fondre la cire sous la flamme et la lumière invisible faisait fondre en larmes le cœur de ceux qui avouaient leur crime. Qui le croirait ? Ceux qui étaient prisonniers d'une erreur sacrilège se distinguèrent ensuite par leurs bonnes œuvres plus encore que ceux dont les cierges avaient été allumés par Dieu.

*

12. 1. Une autre fois, un nuage de sauterelles, destructrices de récoltes, s'était abattu sur le territoire du même bourg, dévastant tout par leurs morsures nuisibles. Accablés par un tel fléau, les prêtres et les autres habitants allèrent aussitôt trouver saint Séverin et lui adressèrent d'instantes prières : « Pour être délivrés de cette terrible plaie nous demandons le secours éprouvé de tes prières ; nous avons en effet constaté leur influence auprès du Seigneur à l'occasion d'un grand miracle il y a peu de temps, quand les cierges se sont allumés sur ordre du Ciel. » 2. Il leur dit alors ces paroles empreintes de la plus grande piété : « N'avez-vous pas lu ce que Dieu dans sa toute-puissance a ordonné au peuple par la voix du prophète : ' Convertisses-vous de tout votre cœur dans le jeûne et dans les larmes[a] ' et ensuite ' Prescrivez un jeûne ', dit-il, ' convoquez l'assemblée, réunissez la communauté[b] ' et ainsi de suite ? Mettez donc en pratique ce que vous enseignez par des œuvres méritoires pour échapper sans dommage au malheur présent ; que personne n'aille dans son champ en se disant que l'homme par ses efforts peut venir à bout des sauterelles, cela ne

plius indignatio prouocetur. » 3. Nec mora, omnibus in ecclesia congregatis unusquisque in ordine suo psallebat ex more. Omnis aetas et sexus, qui etiam uoce non poterat, precem deo fletibus offerebat, elemosynae fieri non cessabant, quicquid bonorum operum praesens necessitas exigebat, sicut famulus dei praeceperat, implebatur. 4. Omnibus igitur huiusce modi studiis occupatis quidam pauperrimus opus dei coeptum deserens ad agrum propriae segetis inuisendi causa, quae perparua inter aliorum sata iacebat, egressus est totoque anxius die locustarum nubem impendentem qua potuit exturbauit industria moxque ecclesiam communicaturus intrauit, sed segetem eius exiguam, multis uicinorum circumdatam frugibus, locustarum densitas deuorauit^c. Quibus ea nocte ab illis finibus exterminatis imperio diuino probatum est, quanti ualeat fidelis oratio. 5. Mane quippe sancti operis temerator atque contemptor rursus ad agrum suum male securus egrediens eum locustarum pernicie funditus inuenit abrasum et omnium circumquaque sationes integras : uehementer admirans ad castellum luctuosa uociferatione reuertitur, cumque id quod acciderat indicasset, ad huiusce modi uidendum cuncti exiere miraculum, ubi quasi ad lineam regularem contumacis hominis segetem locustarum morsus ostenderant. 6. Tunc omnium uestigiis prouolutus intercessionibus eorum delicti sui ueniam fusa lamentatione poscebat. Ob quam rem monendi occasionem homo dei reperiens doce-

---

c. Cf. Deut. 28, 38

---

1. Il s'agit, selon toute apparence, de la communion reçue dans le cadre d'une liturgie eucharistique. L'usage voulait en effet que les jours de jeûne la messe fût reportée le soir, la célébration eucharistique marquant ainsi la fin des exercices de piété que s'imposait la communauté chrétienne. Cf. E. DEKKERS, « La messe du soir à la fin de l'Antiquité et au Moyen Âge », *Sacris Erudiri,* 7 (1955), p. 99-130.

pourrait que provoquer plus encore la colère divine. »
3. Sans tarder tout le monde se rassembla à l'église et
chacun de chanter un psaume, selon l'habitude. Chacun,
sans distinction l'âge ni de sexe, fût-il même privé de la
parole, offrait sa prière à Dieu au milieu des pleurs, les
aumônes affluaient sans cesse et, conformément aux
recommandations du serviteur de Dieu, on faisait toutes
les bonnes œuvres qu'exigeait la situation. 4. Alors que
tout le monde se livrait à de telles pratiques, un homme
très pauvre quitta l'office divin une fois commencé et alla
voir son champ pour inspecter sa récolte, toute maigre
parmi les autres emblavures ; toute la journée, en proie à
la peur, il chassa la nuée de sauterelles qui l'entourait
avec toute l'énergie dont il était capable, puis retourna à
l'église pour communier[1]. Mais l'essaim de sauterelles
dévora[c] sa misérable récolte entourée de l'opulente production des voisins. Quand, cette nuit-là, sur l'ordre de
Dieu, les sauterelles disparurent de ce pays, on vit bien ce
que valait une prière faite avec foi. 5. En effet, le lendemain matin, quand cet homme, qui n'avait montré qu'hy-
pocrisie et irrespect dans les œuvres de piété, retourna
dans son champ, sûr de lui, il le trouva complètement rasé
par ce fléau que sont les sauterelles, alors que les champs
de tous ses voisins alentour étaient restés intacts ; frappé
de stupeur, il revint au bourg en poussant des cris de
lamentation. Quand il eut raconté ce qui était arrivé, tous
sortirent pour voir ce miracle : les sauterelles en effet,
dans leur voracité, avaient marqué le champ de l'homme
au cœur endurci comme par une ligne tirée à la règle.
6. Alors celui-ci se jeta aux pieds de tous les assistants,
se répandit en lamentations et demanda leur intercession
pour que lui fût accordé le pardon de sa faute. L'homme
de Dieu saisit ainsi l'occasion de leur adresser une admo-

bat uniuersos, ut omnipotenti domino discerent oboedire, cuius imperiis obtemperant et locustae. Pauper uero praedictus flebiliter allegabat post se mandatis oboedire de cetero, si ulla sibi spes qua uiueret remansisset. 7. Tunc ergo uir dei ceteros allocutus : « iustum est » inquit « ut qui proprio supplicio humilitatis uobis et oboedientiae dedit exemplum, liberalitate uestra anni praesentis alimenta percipiat. » Collatione itaque fidelium et correptus homo pauperrimus et ditatus didicit, quantum dispendii incredulitas inferat, quantum beneficii suis cultoribus conferat diuina largitio.

*

13. 1. Item iuxta oppidum, quod Iuuao appellabatur, cum quadam die intrantes basilicam aestatis tempore sollemnitatem uespere reddituri ad accendenda luminaria ignem minime repperissent, flammam concussis ex more lapidibus elicere nequiuerunt, in tantum alterutra [ferri ac petrae] conlisione tardantes, ut tempus uespertinae sollemnitatis efflueret. At vir dei genibus humi fixis orabat attentius. 2. Mox igitur in conspectu trium spiri-

---

1. La forme *Iuuao* (locatif de *Iuuauum*) est une variante de *Iuuauum.* Sur l'histoire de *Iuuauum*/Salzbourg : cf. N. HEGER, « Die Römerzeit », dans *Geschichte Salzburgs, Stadt und Land,* t. 1/1, Salzbourg 1981, p. 75-91 ; t. 1/3, Salzbourg 1983, p. 1185-1196.

2. On sait que dans le latin des chrétiens l'usage constant est de réserver le terme de *basilica* à une église cémétériale ou monastique *extra muros.* La présence ici de trois *spiritales* peut-elle nous aider à préciser la fonction de cette basilique ? L'expression de *uiri spiritales* apparaît déjà dans la lettre à Paschasius, où elle forme un couple avec *sacerdotes* et sert à opposer clercs et moines aux laïcs (*Ep. Eug.,* 8). Les *spiritales,* qu'Eugippe prend bien soin de distinguer des *sacerdotes,* sont donc des moines, ermites ou cénobites ; à cet égard il faut signaler un parallèle frappant dans l'emploi que fait de ce terme la Règle du Maître : cf. A. DE VOGÜÉ, *La Règle du Maître, SC* 105, p. 102-103. Mais il n'est pas dit que ces moines soient attachés en permanence à la basilique. On peut très bien imaginer qu'ils aient accompagné Séverin à

nestation et leur dit qu'ils devaient tous apprendre à obéir au Dieu tout-puissant dont les ordres sont respectés même des sauterelles. Mais le pauvre homme en question protestait au milieu des pleurs qu'il obéirait plus tard en tout aux commandements si on lui laissait quelque espoir de rester en vie. 7. L'homme de Dieu dit alors aux autres : « Il est juste que l'homme qui par son châtiment vous a été un exemple au sujet de l'humilité et de l'obéissance reçoive grâce à votre générosité de quoi se nourrir pour toute l'année. » On fit donc une collecte parmi les fidèles et le pauvre homme, tout à la fois corrigé et enrichi, comprit tous les dommages que cause l'incrédulité et tous les bienfaits que Dieu dans sa libéralité accorde à ses fidèles.

*

13. 1. Il en fut de même près de la ville de Iuvavum[1], alors que, un jour d'été, les gens arrivaient dans la basilique[2] le soir pour l'office et qu'on ne trouvait pas de feu pour allumer les lampes ; on ne parvint pas à produire d'étincelles en frottant les pierres les unes contre les autres, comme à l'ordinaire, et on s'attarda si bien à battre le briquet [du fer et de la pierre] qu'on laissa passer l'heure de l'office du soir[3]. Mais l'homme de Dieu s'agenouilla et se plongea en prières. 2. Aussitôt, au

---

l'heure du lucernaire dans un sanctuaire où le culte n'était célébré qu'en certaines occasions (fêtes des saints, par exemple). Et il n'est même pas sûr que ces moines aient été d'obédience séverinienne.

La basilique se trouvait près de la ville ; mais cette indication demeure trop vague pour nous permettre de situer l'édifice sur le terrain. Il n'y a en tout cas aucune relation à établir avec les vestiges mis au jour sur la rive droite de la Salzach dans les années soixante : Cf. R. NOLL, « Die Anfänge des Christentums », dans *Geschichte Salzburgs,* t. 1/1, p. 96-96 et t. 1/3, p. 1197.

3. *tempus uespertinae sollemnitatis.* Cf. introd. VI p. 115.

talium qui aderant tunc uirorum cereus, quem manu idem
sanctus Seuerinus tenebat, accensus est. Quo lucente
sacrificio uespertini temporis ex more suppleto gratiae
deo referuntur in omnibus. Quod factum licet memoratos,
qui huic interfuere miraculo, celare uoluerit sicut multa
magnalia, quae per illum diuinis sunt effectibus celebrata,
claritas tamen tantae uirtutis occultari non potuit, sed ad
magnam fidem ceteros excellenter accendit.

*

14. 1. Accidit etiam eiusdem loci quandam mulierem
diuturno langore uexatam iacere seminecem, exequiis
iam paratis, cuius proximi maesto silentio uoces funereas
quodam fidei clamore presserunt et ante ostium cellulae
sancti uiri corpus iam paene exanime deposuere languen-
tis. 2. Videns itaque homo dei clausum aditum opposi-
tione lectuli ait ad eos : « quidnam est, quod facere uoluis-
tis ? » Responderunt : « ut oratione tua uitae reddatur
exanimis. » Tunc ipse lacrimabundus : « quid », inquit, « a
paruo magna deposcitis ? Agnosco me prorsus indignum.
Utinam merear veniam pro meis inuenire peccatis ! » Et
illi : « credimus », inquiunt, « quo, si oraueris, reuiuiscet. »
3. Tunc sanctus Seuerinus fusis ilico lacrimis in oratione
prostratus est et muliere protinus assurgente allocutus
est eos : « nolite quicquam horum meis operibus appli-
care : hanc enim gratiam fidei uestrae feruor emeruit, et
hoc fit in multis locis et gentibus, ut cognoscatur, quod

---

1. Le terme de *cellula* peut désigner aussi bien le monastère dans son
ensemble (cf. *VS*, 19, 1 ; 22, 1 : *Boiotro ; VS*, 39, 1 ; 42, 1 : *Fauianae*)
que la cellule de l'ermite proprement dite (cf. *VS* 4, 6 ; 7, 1 ; 8, 2 ; 10, 2 ;
20, 2). Dans ce passage l'adjonction du génitif *sancti uiri* pourrait
laisser penser à un ermitage habité par Séverin pendant son séjour à
Iuuauum ; mais il s'agit plus vraisemblablement d'une cellule occupée
par le saint dans le complexe de la *domus basilicae* (cf. *CTh* IX, 45, 4).
Il est en tout cas bien improbable que nous ayons là une fondation
monastique séverinienne analogue à celles de *Fauianae* ou de *Boiotro*.

regard des trois religieux présents à ce moment-là, le cierge que saint Séverin tenait en main s'alluma. À la lumière de ce cierge on célébra comme à l'ordinaire le sacrifice du soir et on rendit grâce pour tout cela. Certes, Séverin souhaitait que les religieux témoins de ce miracle gardassent le silence sur ce fait, comme sur d'autres merveilles qu'il avait accomplies avec l'aide de Dieu, mais l'éclat d'une telle vertu ne put rester caché, bien au contraire, il enflamma puissamment tous les autres et les fortifia dans la foi.

*

14. 1. Il y avait aussi dans la même localité une femme affligée depuis longtemps par la maladie et qui gisait là à l'agonie ; on préparait déjà ses obsèques et ses proches, étouffant dans un silence douloureux leurs clameurs funèbres pour ne laisser entendre que ce cri de leur foi, déposèrent le corps presque inanimé de la malade devant la porte de la cellule du saint[1]. 2. Quand l'homme de Dieu vit l'entrée de sa cellule barrée par le lit qu'ils y avaient déposé, il leur dit : « Que voulez-vous que je fasse, au juste ? » Ils répondirent : « Que par tes prières ce corps inanimé soit rendu à la vie. » Il leur dit alors tout en larmes : « Pourquoi exiger des hauts faits d'un homme de rien ? Je reconnais pleinement mon indignité. Puissé-je trouver le pardon pour mes péchés ! » Mais eux de répondre : « Nous croyons que si tu pries elle renaîtra à la vie. » 3. Saint Séverin, fondant en larmes, se plongea aussitôt en prières, et, la femme s'étant relevée sur-le-champ, il leur dit : « N'attribuez rien de ceci à mon action ; cette grâce, c'est la ferveur de votre foi qui l'a obtenue, et de tels faits se produisent dans bien d'autres lieux et parmi bien d'autres peuples, pour qu'il soit reconnu qu'il n'y a

unus sit deus, faciens in caelo et in terra prodigia, excitans perditos in salutem et mortuos uitae restituens. »[a]
Mulier uero sanitate recepta opus agrale die tertio iuxta morem prouinciae propriis coepit manibus exercere.

*

15. 1. Quintanis appellabatur secundarum municipium Raetiarum, super ripam Danuuii situm : huic ex alia parte paruus fluuius, cui Businca nomen est, propinquabat. Is crebra inundatione Danuuii superfluentis excrescens nonnulla castelli spatia, quia in plano fundatum fuerat, occupabat. Ecclesiam etiam loci eius mansores extra muros ex lignis habuere constructam, quae pendula extensione porrecta defixis in altum stipitibus sustentabatur et furculis, cui ad uicem soli tabularum erat leuigata coniunctio, quam, quotiens ripas excessisset, aqua superfluens occupabat. **2.** Quintanensium itaque fide sanctus Seuerinus illuc fuerat inuitatus. Ubi, cum tempore siccitatis uenisset, interrogat, cur tabulata nudatis obstaculorum tegminibus apparerent. Accolae responderunt, quod frequenti fluminis alluuione quicquid fuisset superstratum continuo laberetur. At ipse : « sternatur », inquit, « super tabulata nunc in Christi nomine pauimentum : iam uidebitis amodo fluuium caelesti iussione prohibitum. »

---

a. Cf. Joël 2, 30

---

1. Le *municipium* de *Quintanae* était situé sur le territoire de la commune moderne de Künzing en Basse-Bavière, à une trentaine de kilomètres en amont de Passau ; son nom vient peut-être d'un cohorte V (*quinta*) stationnée en ces lieux au IIe ou au IIIe siècle. *Quintanae* a connu à partir du IVe siècle une histoire topographique mouvementée : cf. H. UBL, *art. cit.*, *Severin-Katalog*, p. 82-83 et R. CHRISTLEIN, « Die rätischen Städte Severins », *ibid.*, p. 237-240, avec photo aérienne p. 238 et plan p. 239 (bibliographie p. 252-253).

qu'un seul Dieu, qui fait des prodiges sur la terre comme au ciel[a], ramenant les âmes perdues au salut et rendant les morts à la vie. » Quant à la femme qui venait de recouvrer la santé, elle se mit aux travaux des champs trois jours après, mettant elle-même la main à l'ouvrage, comme le voulait l'usage de la province.

*

15. 1. Quintanae[1] était le nom d'un municipe de Rétie seconde situé sur la rive du Danube ; tout près, de l'autre côté, coulait une petite rivière dont le nom est Businca. Celle-ci, gonflée par les eaux du Danube en période de crue, débordait souvent et inondait certaines parties du bourg, car celui-ci avait été bâti en plaine. Les habitants de cette localité avaient également construit hors des murs une église en bois[2] qui formait une plate-forme en surplomb et reposait sur des pieux et des perches fichés en terre ; à la place du sol il y avait un assemblage de planches rabotées que les hautes eaux inondaient chaque fois que la rivière débordait. 2. Aussi les habitants de Quintanae pleins de confiance, avaient-ils invité saint Séverin à y aller. Comme il était venu par temps de sécheresse, il demanda pourquoi le plancher était dépourvu de ce qui en cacherait les aspérités. Les habitants répondirent que par suite des fréquentes inondations tout ce qu'on pouvait poser pour recouvrir ce plancher était toujours emporté. Mais il leur dit alors : « Au nom du Christ recouvrez maintenant ce plancher d'un pavage et vous verrez que désormais par la volonté du Ciel le fleuve

---

2. L'église avait été bâtie sur pilotis en raison des risques d'inondation. Sur ce type de construction en général : cf. W. ZIMMERMANN, « Ecclesia lignea und ligneis tabulis fabricata », *Bonner Jahrbücher*, 158 (1958), p. 416-417 et liste I p. 426.

3. Pauimento itaque perfecto ipse subter naui descendens accepta securi postes facta oratione percussit atque ad aquam fluminis uenerandae crucis expresso signaculo dixit : « non te sinit dominus meus Iesus Christus hoc signum crucis excedere. » 4. Ex illo itaque tempore, cum ex more fluuius creuisset in cumulos ambissetque uiciniam, quam solebat, ita spatiis ecclesiae erat inferius, ut numquam sancti patibuli signaculum, quod impresserat homo dei, prorsus excederet.

*

16. 1. Accidit autem, ut castelli presbyter memorati admodum uenerabilis, Siluinus nomine, moreretur, et cum in ecclesia feretro posito noctem psallentes duxissent ex more peruigilem, iam clarescente diluculo rogauit uir dei fessos presbyteros et diacones uniuersos parumper abscedere, ut post laborem uigiliarum somno se aliquantulum recrearent. 2. Quibus egressis homo dei ostiarium, Maternum nomine, interrogat, utrum omnes, ut dixerat, abscessissent. At illo respondente cunctos abisse : « nequaquam », ait, « sed latet hic quaedam. » Tunc ianitor ecclesiae saepta secundo perlustrans nullum intra ea remansisse testatur. Verum Christi miles domino sibi reuelante : « nescio quis », ait, « hic delitescit. » Tertio itaque diligentius perscrutans[a] quandam invenit uirginem

---

a. Cf. Deut. 19, 18

---

1. *Feretrum* (κλίνη en grec) est le terme qui désigne la civière servant à porter les morts aux obsèques (cf. Grég. de Nysse, *Vie de sainte Macrine*, c. 35, *SC* 178, p. 254 ; Hilaire d'Arles, *Vie de saint Honorat*, *SC* 235, p. 166-167). Cf. J. Kollwitz, *s.v.* « Bestattung », *RAC,* 2 (1954), col. 210.

2. Sur l'usage de la veillée funèbre à l'église : cf. A.C. Rush, *Death and Burial in Christian Antiquity*, Washington 1941, p. 160-162.

sera arrêté. » 3. Quand ils eurent fini de recouvrir le
plancher d'un pavage, il descendit lui-même sous l'église
en bateau, prit une hache et, après une prière, en marqua
les pieux ; puis, le signe de la croix vénérable ayant été
tracé, il dit aux eaux du fleuve : « Mon Seigneur Jésus-
Christ ne vous permet pas de dépasser ce signe de croix. »
4. Aussi, depuis ce temps-là, quand le fleuve était en crue
et inondait le voisinage comme à l'accoutumée, il restait
dans le secteur de l'église à un niveau tel qu'il ne dépassa
jamais plus le signe de la sainte croix tracé par l'homme
de Dieu.

*

16. 1. Il arriva aussi qu'un prêtre du lieu, nommé
Silvinus, homme digne de la plus grande vénération,
mourut. On déposa le brancard mortuaire[1] dans l'église et
la nuit, selon l'usage, s'était passé à veiller et à chanter
des psaumes[2] ; au petit jour l'homme de Dieu demanda à
tous les prêtres et les diacres, qui tombaient de fatigue,
de se retirer un moment afin de prendre un peu de repos
après les efforts de la veillée funèbre. 2. Quand ils furent
sortis, l'homme de Dieu demande au portier, un nommé
Maternus, si tous s'étaient retirés, comme il l'avait dit.
Celui-ci lui répond qu'ils sont tous partis, mais il réplique : « Non, il y a ici une femme qui se cache. » Le portier
de l'église fait une seconde fois le tour du *presbyterium*[3]
et affirme qu'il ne reste plus personne. Mais le soldat de
Dieu, sur une révélation du Seigneur, réplique : « Je ne
sais qui se cache ici. » Pour la troisième fois le portier fait
un tour, avec plus d'attention encore[a], et découvre une

---

3. Nous avons traduit *saepta* par le terme technique de *presbyterium* ; il s'agit de la partie de l'église réservée aux prêtres et séparée du
reste de la nef par un chancel.

consecratam locis se occultioribus abdidisse. 3. Hanc
ergo memoratus sic increpauit aedituus : « cur istic famulo dei posito tuam credideras potuisse latere praesentiam ? » At illa : « pietatis », inquit, « amor talia me facere
persuasit : Videns enim cunctos foras expelli cogitaui
mecum, quod seruus Christi inuocata diuina maiestate
praesentem mortuum suscitaret[b]. » 4. Exeunte igitur
memorata uirgine homo dei cum presbytero et diacono
ianitoribusque duobus in oratione curuatus orauit fletu
largissimo, ut opus solitae maiestatis superna uirtus
ostenderet. Tunc orationem complente presbytero ita
cadauer uir beatus alloquitur : « in nomine domini nostri
Iesu Christi, sancte presbyter Siluine, loquere cum fratribus tuis. » 5. At ubi oculos defunctus aperuit, uix praesentibus homo dei tacere prae gaudio persuasit. Et denuo
ad eum : « uis », inquit, « rogemus dominum, ut te adhuc
seruis suis in hac uita condonare dignetur ? » At ille ait :
« per dominum te coniuro, ne hic diutius tenear et frauder
quiete perpetua, in qua me esse cernebam. » 6. Statimque
reddita oratione quieuit exanimis. Hoc autem factum ita
sancti Seuerini adiuratione celatum est, ut ante mortem
eius non potuisset agnosci : ego tamen haec quae retuli
Marci subdiaconi et Materni ianitoris relatione cognoui.
Nam presbyter et diaconus, tanti testes miraculi, ante
uirum sanctum, cui iurauerant nulli se quod uiderant
prodituros, obisse noscuntur.

*

b. Cf. Matth. 10, 8

2. Le qualificatif de *consecrata* implique l'idée d'une consécration
solennelle conférée par l'évêque et manifestée par la prise de voile. Sur
cette forme de vie consacrée le témoignage d'Eugippe est le seul que
nous possédions pour le Norique avec une épitaphe datée de 527 :
Colu(m)ba uirgo (*CIL V*, 1822).

vierge consacrée[2] qui s'était dissimulée dans un recoin tout à fait caché. 3. Alors le portier lui dit d'un ton plein de reproche : « Comment as-tu pu croire que ta présence échapperait au serviteur de Dieu qui est ici ? » Mais elle : « C'est la piété et l'amour de Dieu qui m'ont poussée à agir ainsi. Quand j'ai vu que tous étaient obligés de sortir, je me suis dit que le serviteur de Dieu invoquerait la divine majesté pour ressusciter le mort[b] ici présent. » 4. La vierge une fois sortie, l'homme de Dieu resta courbé en prière avec un prêtre, un diacre et deux portiers et versa des larmes abondantes ; il implora la puissance divine de manifester par son action sa majesté habituelle. Le prêtre ayant fini ses prières, le bienheureux Séverin s'adresse ainsi au cadavre : « Au nom de notre Seigneur Jésus-Christ, saint prêtre Silvinus, parle à tes frères ! » 5. Quand le défunt ouvrit les yeux, l'homme de Dieu eut quelque mal à persuader les assistants de se taire, tant était grande leur joie. Et de nouveau s'adressant au défunt : « Veux-tu », dit-il, « que nous demandions au Seigneur qu'il daigne te rendre à ses serviteurs dans cette vie d'ici-bas ? » Mais, lui, de répondre : « Au nom du Seigneur, je t'en conjure, ne m'oblige pas à rester plus longtemps ici-bas et ne me prive pas du repos éternel où je me voyais déjà parvenu. » 6. Sur cette prière il s'endormit, inanimé. Ce fait est resté caché à la demande instante de saint Séverin, si bien que personne n'a pu en avoir connaissance avant sa mort ; quant à moi, je le tiens du sous-diacre Marcus et du portier Maternus. Car le prêtre et le diacre, les deux autres témoins de ce grand miracle, sont morts, comme on le sait, avant le saint homme à qui ils avaient juré de ne révéler à personne ce qu'ils avaient vu.

*

17. 1. Talibus igitur beatus Seuerinus per Christi gratiam muneribus opulentus captiuorum etiam egenorumque tantam curam ingenita sibi pietate susceperat, ut paene omnes per uniuersa oppida vel castella pauperes ipsius industria pascerentur : quibus tam laeta sollicitudine ministrabat, ut tunc se crederet tantummodo saturari [uel abundare bonis omnibus], quando uidebat egentum corpora sustentari. **2.** Et cum ipse hebdomadarum continuatis ieiuniis minime frangeretur, tamen esurie miserorum se credebat afflictum. Cuius largitionem tam piam in pauperes plurimi contemplantes, quamuis ex duro barbarorum imperio famis angustias sustinerent, deuotissime frugum suarum decimas pauperibus impendebant. Quod mandatum licet cunctis ex lege notissimum, tamen quasi ex ore angeli praesentis audirent, grata deuotione servabant. **3.** Frigus quoque uir dei tantum in nuditate pauperum sentiebat, siquidem specialiter a deo perceperat, ut in frigidissima regione, mirabili abstinentia castigatus, fortis et alacer permaneret. **4.** Pro decimis autem, ut diximus, dandis, quibus pauperes alerentur, Norici quoque populos missis exhortabatur epistolis. Ex qua consuetudine cum ad eum nonnullam erogandarum uestium copiam direxissent, interrogauit eos qui uenerant, si ex oppido quoque Tiburniae similis collatio

---

1. Eugippe mentionne à quatre reprises l'obligation qui était faite aux habitants du Norique de verser un dixième des fruits de la terre au profit des pauvres (*VS* 17, 2 ; 17, 4 ; 18, 1 ; 18, 2). À cette part des récoltes s'ajoutaient des vêtements (neufs ou usagés ? *VS* 17, 4 *infra*), qui, normalement, ne faisaient pas partie de la dîme. Il faut souligner à cet égard que le produit des collectes était destiné aux pauvres et non au clergé, comme c'était le cas en Gaule à la même époque. Enfin, Séverin présente le précepte de la dîme comme étant connu de tous ; c'était de fait une obligation de conscience, d'origine vétéro-testamentaire, dont le non-respect ne fut sanctionné par des peines canoniques qu'à partir du concile de Mâcon (585) : cf. H. LECLERCQ, *s.v.* « dîme », *DACL*, 4 (1920), col. 995-998.

2. *Tiburnia* (*Teurnia* dans les textes plus anciens) était situé sur la

17. 1. Le bienheureux Séverin, pourvu de tant de dons par la grâce du Christ, avait pris avec sa bienveillance innée un tel soin des prisonniers et des nécessiteux qu'il n'y avait presque pas de pauvres dans toutes les villes et dans tous les bourgs qui n'eussent été nourris par ses soins. Il les servait avec une telle joie et une telle sollicitude qu'il ne se tenait pour rassasié [et comblé de tous les biens] que lorsqu'il voyait les malheureux restaurés dans leurs corps même. 2. Alors qu'il n'était lui-même nullement affaibli par ses jeûnes prolongés tout une semaine, il se sentait tourmenté par la faim des miséreux. Nombreux étaient ceux qui, voyant une telle largesse et une telle bonté pour les pauvres, alors qu'ils avaient à souffrir eux-mêmes les angoisses de la faim par suite de la lourde domination des Barbares, sacrifiaient avec une grande dévotion un dixième du fruit de leur récolte[1]. Certes, ce commandement était connu de tous par la Loi, mais, comme s'ils l'avaient reçu de la bouche d'un ange descendu parmi eux, ils s'y pliaient avec dévotion et avec joie. 3. Le froid aussi, l'homme de Dieu ne le ressentait que dans la nudité des pauvres, car il avait reçu de Dieu le don particulier de rester robuste et alerte dans cette région extrêmement froide, en dépit des rigueurs de son admirable abstinence. 4. Il exhortait également par ses lettres la population du Norique à verser les dîmes qui lui permettaient de nourrir les pauvres. Un jour, où, l'habitude s'étant prise, on lui avait fait parvenir une bonne quantité de vêtements pour qu'il les distribuât, il demanda aux porteurs si ceux de Tiburnia[2] allaient envoyer

---

colline du Holzerberg, dans la vallée de la Drave, à cinq kilomètres environ de Spittal a.d. Drau (Carinthie). La ville, qui succéda à un *oppidum* celtique, reçut le droit de cité sous Claude ; elle ne prit une certaine importance qu'au ve siècle, lorsqu'elle recueillit l'héritage de *Virunum* et devint la capitale de la province du Norique (cf. *VS*, 21, 2). Cf. R. EGGER - F. GLASER, *Teurnia. Die römischen und frühchristlichen Altertümer Oberkärntens*, 8e éd. Klagenfurt 1979.

mitteretur. Respondentibus etiam inde protinus affuturos uir dei nequaquam eos uenire signauit, sed dilatam eorum oblationem praedixit barbaris offerendam. Itaque non multo post ciues Tiburniae uario cum obsidentibus Gothis certamine dimicantes uix inita foederis pactione inter cetera etiam largitionem iam in unum collatam, quam mittere famulo dei distulerant, hostibus obtulerunt.

*

18. 1. Ciues quoque ex oppido Lauriaco crebra quondam sancti Seuerini exhortatione commoniti frugum decimas pauperibus offere distulerant. Quibus fame constrictis iam maturitate messium flauescente uicina subsidia monstrabantur. At ubi rubiginis inprouisae corruptio frugibus nocitura comparuit, mox ad ipsum conuenere prostrati, poenas suae contumaciae confitentes. 2. Miles uero Christi fessos uerbis spiritalibus alleuabat dicens : « si decimas obtulissetis pauperibus, non

---

1. L'événement se place sans doute vers 472 quand les Ostrogoths quittèrent leurs établissements de Pannonie pour tenter leur chance dans d'autres régions de l'Empire. Un de leurs groupes, dirigé par Vidimer, partit pour l'Italie et, au passage, ravagea méthodiquement le Norique intérieur.

2. L'accord en question a pour objet de mettre fin au siège de la ville et non d'installer des fédérés à *Tiburnia* ou dans les environs, comme c'était le cas à *Comagenae* (cf. *VS*, 1, 4). C'est donc là un accord purement local, conclu entre les habitants et les assiégeants. Cf. E.A. Thompson, *op. cit.*, p. 286, n. 16.

3. Le terme de *largitio* désigne toute espèce de libéralité de la part de personnes privées et surtout de l'empereur ; cette libéralité se marque notamment par des distributions de vivres : cf. W. Ensslin, *s.v.* « largitio », *PW*, 12/1 (1937), col. 835. Ici le terme s'applique à une collecte de vêtements (cf. *supra* : « une bonne quantité de vêtements... ceux de Tiburnia allaient envoyer une semblable contribution »). Cet épisode, par ailleurs, jette une lumière crue sur les sérieuses difficultés de ravitaillement rencontrées par les Ostrogoths au cours de leur « descente » en Italie : cf. H. Wolfram, *op. cit.*, p. 335.

eux aussi semblable contribution. Ils lui répondirent que les envoyés de cette ville seraient bientôt là ; l'homme de Dieu annonça qu'ils ne viendraient pas et prédit qu'ils seraient obligés de remettre aux Barbares l'offrande qu'ils avaient tardé à présenter. Et, de fait, peu de temps après, les citoyens de Tiburnia se mesurèrent avec les Goths qui les assiégeaient dans une lutte à l'issue incertaine[1] ; et, par une clause de l'accord laborieusement mis au point[2], ils livrèrent, entre autres, à l'ennemi les dons[3] qu'ils avaient réunis et qu'ils avaient tardé à envoyer au serviteur de Dieu.

18. 1. De même, les citoyens de la ville de Lauriacum[4], malgré les avertissements répétés de saint Séverin, avaient un jour tardé à verser les dîmes de leur récolte pour les pauvres. Déjà les blés mûrs jaunissaient et apparaissait à cette population réduite à la famine l'aide qu'elle pouvait attendre de la prochaine moisson. Mais voici qu'apparut à l'improviste la catastrophe de la rouille, prête à ruiner la récolte ; aussitôt, dans leur abattement, ils vinrent le trouver et confessèrent que c'était là le châtiment de leur indocilité. 2. Mais le soldat du Christ consola ces hommes dans leur détresse en leur adressant ces paroles spirituelles : « Si vous aviez offert

---

4. *Lauriacum,* aujourd'hui Lorch, près de la ville d'Enns (Haute-Autriche), à proximité du confluent de l'Enns et du Danube abrita un camp légionnaire à partir du IIIe siècle. À l'époque de Séverin la garnison avait disparu, puisque les habitants étaient obligés d'assurer eux-mêmes leur défense (cf. *VS*, 20, 2). En cas de danger l'ancien camp était assez grand pour accueillir la population de la ville civile, située hors des murs (cf. *VS*, 30, 1). Cf. H. VETTERS, « Lauriacum », *ANRW*, II 6, 1977, p. 377 ; H. UBL, *art. cit., Severin-Katalog,* p. 78-79 (et l'inventaire p. 512-521).

solum aeterna mercede frueremini, uerum etiam commo-
dis possetis abundare praesentibus. Sed quia culpam
confessione propria castigatis, de domini pietate polli-
ceor, quod rubigo praesens tam ualida penitus non noce-
bit : tantum fides uestra ulterius non uacillet. » Verum
ciues ad persoluendas ex illo decimas haec promissio
reddidit promptiores. Tunc, ut solebat, hortatus est indici
ieiunium : quo expleto placidus imber desperatae messis
amputauit incommoda.

*

19. 1. Batauis appellatur oppidum inter utraque flu-
mina, Aenum uidelicet atque Danuuium, constitutum, ubi
beatus Seuerinus cellulam paucis monachis solito more
fundauerat, eo quod ipse illuc saepius rogatus a ciuibus
adueniret, maxime propter Alamannorum incursus assi-

---

1. *indici ieiunium.* Cf. *VS*, 6, 3 n. 1.

2. *Bataua*, aujourd'hui Passau (Basse-Bavière), était situé sur une presqu'île au confluent de l'Inn et du Danube, dans la province de Rhétie. À l'époque de Séverin, la ville, qui tirait son nom de la *cohors IX Batauorum*, était inscrite dans le périmètre du camp militaire. Elle possédait une église dont les substructions ont été découvertes dans l'enceinte de l'église Sainte-Croix au cours d'une récente campagne de fouilles (1978-1981) : cf. R. Christlein, *art. cit.*, *Severin-Katalog*, p. 220-230 (plan de *Bataua* p. 221).

3. Eugippe mentionne trois chapitres plus loin, et presque dans les mêmes termes, l'existence d'une cellule à *Boiotro*, de l'autre côté de l'Inn (cf. *VS*, 22, 1). Si la présence de deux petites colonies monastiques de chaque côté du fleuve n'a en soi rien d'invraisemblable, il nous semble que la première mention, plus générale, et la deuxième, plus précise, se rapportent à un seul et même établissement : cf. M. Heuwieser, *Geschichte des Bistums Passau*, t. 1, Passau 1939, p. 51, n. 72 ; en sens contraire R. Noll, *op. cit.*, p. 20.

4. Les Alamans sont un peuple germanique installé dans la deuxième moitié du Vᵉ siècle en Rhétie, d'abord entre Iller et Lech, puis plus à l'est vers l'Inn. Le texte témoigne en plusieurs endroits de cette poussée des Alamans vers l'est ; ils menacent les villes danubiennes de Rhétie (*Bataua, VS*, 19 ; *Quintanae, VS*, 27, 1), puis se répandent dans le Norique

vos dîmes aux pauvres, non seulement vous seriez assurés d'une récompense éternelle, mais vous pourriez aussi
avoir en abondance les biens de la vie terrestre. Mais,
puisque vous vous punissez de votre faute par un aveu
volontaire, je vous promets au nom de la bonté du Seigneur que cette rouille dont la menace pèse présentement
si fort sur vous ne causera aucun dommage ; mais que
votre foi ne chancelle plus à l'avenir ! » Cette promesse fit
que les citoyens furent plus prompts désormais à s'ac-
quitter de leurs dîmes. Puis, comme à son habitude, il fit
ordonner un jeûne[1] ; à l'expiration de celui-ci une pluie
fine fit disparaître les dommages qui faisaient considérer
la moisson comme perdue.

*

19. 1. Bataua[2] est le nom d'une ville située entre deux
rivières, l'Inn et le Danube ; le bienheureux Séverin,
comme à son habitude, y avait fondé une cellule pour
quelques moines[3] ; lui-même en effet y séjournait souvent
à l'appel des citoyens de la ville, avant tout en raison des
incursions continuelles des Alamans[4], dont le roi Gibuld[5]

---

intérieur, dévastant tout sur leur passage (cf. *VS*, 25, 3), faute de
pouvoir s'en prendre aux habitants retranchés dans leurs bourgs (cf.
VS, 25, 3). Sur les Alamans cf. H. JÄNICHEN - H. STEUER, *art.* « Alemannen », *RGA*[2], 1 (1973), col. 136-163.

5. On ne sait à peu près rien du roi Gibuld, sinon que son autorité
s'étendait à toute la province de Rhétie (cf. *infra VS*, 19, 5 : « au terme
d'une inspection de la province »). Certains chercheurs voient en lui un
« grand roi » aux larges pouvoirs avec une « cour » et des « secrétaires » :
cf. R. WENSKUS, « Die Alemannen », dans *Handbuch der europäischen
Geschichte*, t. 1, Stuttgart 1976, p. 229.

F. LOTTER, *op. cit.*, p. 128, croit retrouver ce personnage dans la *Vie
de saint Loup de Troyes* sous le nom de Gebavult (*Vita Lupi Trecen-
sis*, c. 10, *MG SRM* 3, p. 123) ; sur ce point cf. E. EWIG, « Bemerkungen
zur Vita des Bischofs Lupus von Troyes », dans *Geschichtsschreibung
und geistiges Leben im Mittelalter, Festschrift Heinz Löwe*, Colo-
gne-Vienne 1978, p. 22-23.

duos, quorum rex Gibuldus summa eum reuerentia dilige-
bat. 2. Qui etiam quodam tempore ad eum uidendum
desideranter occurrit. Cui sanctus obuiam, ne aduentu
suo eandem ciuitatem praegrauaret, egressus est, tanta-
que constantia regem est allocutus, ut tremere coram eo
uehementius coeperit, secedensque suis exercitibus indi-
cauit numquam se nec in re bellica nec aliqua formidine
tanto fuisse tremore concussum[a]. 3. Cumque dei famulo
daret optionem imperandi quae uellet, rogauit doctor
piissimus, ut sibi potius praestaturus gentem suam a
Romana uastatione cohiberet et captiuos, quos sui tenue-
rant, gratanter absolueret. Tunc rex constituit, ut ex suis
aliquem dirigeret ad id opus maturius exsequendum,
statimque missus Amantius diaconus e uestigio regem
subsequitur eiusque pro foribus excubans multis diebus
non potuit nuntiari. 4. Cui re, pro qua directus fuerat,
non peracta tristissimo reuertenti apparuit quidam, effi-
giem sancti praeferens Seuerini, qui eum minaci compella-
tione perterritum sequi se iussit. Cumque pauens et
concitus sequeretur, peruenit ad ianuam regis[b] statimque
dux ille praeuius ex oculis mirantis euanuit. Verum regis
internuntius diaconem unde esset uel quid speraret interrogat. Ille rem breuiter insinuans oblatis [regis] receptis-
que remeauit epistolis. 5. Dimissus igitur reuexit fere
septuaginta captiuos, insuper promissionem regis gratam
deferens, qua spopondit se, cum diligenter prouinciam
peragrauerit, remissurum quantos in eadem reperturus
fuisset numeros captiuorum. Pro qua re postmodum

---

a. Cf. Eccl. 16, 19 (= Sir. 16, 19)   b. Cf. Esther 2, 19-21

lui témoignait le plus grand respect. 2. Un jour, celui-ci survint, manifestant aussi le désir de le voir. Le saint partit à sa rencontre pour éviter à la ville le fardeau que représentait sa venue et il parla au roi avec une telle fermeté que celui-ci se mit à trembler de tous ses membres en sa présence et qu'il se retira avec son armée en avouant que jamais il n'avait été saisi d'une telle frayeur[a], ni à la guerre ni devant quelque autre cause d'effroi. 3. Il accorda au serviteur de Dieu la faveur de demander ce qu'il voulait et ce maître si pieux le pria, dans son intérêt à lui, d'empêcher son peuple de dévaster le territoire romain et de relâcher spontanément les prisonniers que ses hommes tenaient en leur pouvoir. Le roi lui ordonna alors d'envoyer un de ses compagnons pour mener à bien cette opération dans les meilleurs délais ; aussitôt le diacre Amantius est désigné et il s'attache aux pas du roi ; mais il eut beau attendre de nombreux jours à sa porte, il ne put obtenir audience. 4. Alors qu'il était sur le chemin du retour, tout triste de n'avoir pu accomplir la mission pour laquelle on l'avait envoyé, un homme lui apparut qui ressemblait à saint Séverin ; après l'avoir épouvanté par ses reproches et ses menaces, il lui ordonna de le suivre. Dans sa grande frayeur il se dépêcha de le suivre et parvint à la porte du roi[b] et aussitôt, à sa plus grande surprise, le guide qui le précédait disparut à ses yeux. Un messager du roi demanda au diacre d'où il venait et ce qu'il désirait. Il exposa brièvement l'affaire, présenta les lettres dont il était porteur, reçut celles du roi et s'en retourna. 5. Après avoir pris congé, il ramena environ soixante-dix prisonniers et rapporta en outre cette agréable promesse : le roi s'engageait à relâcher tous les prisonniers, si nombreux fussent-ils, au terme d'une inspection de la province. C'est le saint prêtre

sanctus Lucillus presbyter destinatus magnam miserorum copiam a captiuitate reuocauit.

*

20. 1. Per idem tempus, quo Romanum constabat imperium, multorum milites oppidorum pro custodia limitis
publicis stipendiis alebantur ; qua consuetudine desinente
simul militares turmae sunt deletae cum limite, Batauino
utcumque numero perdurante : ex quo perrexerant quidam ad Italiam extremum stipendium commilitonibus
allaturi, quos in itinere peremptos a barbaris nullus
agnouerat. 2. Quadam ergo die, dum in sua cellula sanctus legeret Seuerinus, subito clauso codice cum magno
coepit lacrimare suspirio. Astantes iubet ad fluuium
properanter excurrere, quem in illa hora humano firma-
bat cruore respergi, statimque nuntiatum est corpora
praefatorum militum fluminis impetu ad terram fuisse
delata.

*

---

1. *sanctus Lucillus presbyter*. Cf. Introd. VI p. 94.

2. Les Alamans semblent avoir pratiqué dès le IVᵉ siècle des rafles
systématiques dans les provinces romaines, sans doute pour des raisons
économiques ; dans toutes leurs négociations avec les Romains la restitu-
tion des prisonniers de guerre occupe à chaque fois une place considérable : cf. R. WENSKUS, *art.* « Beute », § 7 « Menschenbeute », *RGA*², 2 (1976),
p. 326 (avec nombreuses références).

3. Cette phrase a fait l'objet d'interprétations contradictoires. M.
BÜDINGER, *art. cit.*, *SB AWW*, 91 (1978), p. 797, suivi par R. NOLL, *op.
cit.*, p. 26, y voit la preuve que, pour Eugippe, l'Empire romain avait
irrémédiablement cessé d'exister en 476 et que l'Empire byzantin ne
pouvait en aucun cas être considéré comme un substitut possible à l'État
détruit par les Barbares. Cette thèse est combattue par M.A. WES, *Das
Ende des Kaisertums im Westen des römischen Reiches*, La Haye
1967, p. 147, n. 2, qui, restreignant le sens du terme *imperium Roma-*

Lucillus[1] qui fut par la suite préposé à cet office et fit revenir de captivité une multitude de ces malheureux[2].

*

20. 1. À cette même époque — l'empire romain existait encore[3] — les soldats chargés de la garde des frontières dans un grand nombre de villes étaient rémunérés sur les fonds publics ; lorsque cet usage prit fin, les unités militaires disparurent en même temps que la frontière ; seul le corps de troupe[4] stationné à Bataua subsista. Certains soldats de cette unité étaient partis pour l'Italie[5] afin de chercher la dernière solde destinée à leurs camarades ; ils furent tués en chemin par les Barbares sans que personne en fût averti. 2. Un de ces jours-là, saint Séverin lisait dans sa cellule ; il referma brusquement le livre et se mit à pleurer en poussant de longs soupirs. Il ordonna à ceux qui l'entouraient de sortir en toute hâte vers le fleuve, qui, à cette heure, affirmait-il, était rougi par du sang humain. Et on annonça bientôt que les corps des soldats en question venaient d'être rejetés sur la rive par le courant.

*

---

num dans ce contexte, l'applique non à l'empire d'Occident mais à la seule domination romaine sur le Norique. F. LOTTER, *Severimus*, p. 205-206, a montré que ces objections n'étaient pas justifiées et qu'Eugippe établissait clairement un lien entre la chute de l'Empire et l'effondrement du *limes*, dû à l'interruption du versement régulier des soldes.

4. *Numerus*, depuis le IVe siècle, est un terme qui finit par désigner les unités les plus diverses : cf. A.H. M. JONES, *The Later Roman Empire*, 2e éd., Oxford 1973, t. 1, p. 610. Il s'agit en tout cas d'une unité régulière, sans doute de *limitanei*.

5. On peut se demander où les soldats sont allés chercher cette dernière solde. Milan, Ravenne, ou Aquilée ? Cf. G. DEMBSKI, *art. cit.*, *Severin-Katalog*, p. 209.

21. 1. Paulinus quidam presbyter ad sanctum Seuerinum fama eius latius excurrente peruenerat. Hic in
consortio beati uiri diebus aliquot remoratus, cum redire
uellet, audiuit ab eo : « festina, uenerabilis presbyter, quia
cito dilectionem tuam, populorum desideriis, ut credimus,
obluctantem, dignitas episcopatus ornabit. » 2. Moxque
remeante ad patriam sermo in eo praedicentis impletus
est. Nam ciues Tiburniae, quae est metropolis Norici,
coegerunt praedictum uirum summi sacerdotii suscipere
principatum.

*

22. 1. Basilicae extra muros oppidi Batavini in loco
nomine Boiotro trans Aenum fluuium constitutae, ubi
cellulam paucis monachis ipse construxerat, martyrum

---

1. Le terme de *Noricum* sans qualificatif supplémentaire désigne
toujours chez Eugippe la province méridionale, le *Noricum mediterraneum* : Cf. R. NOLL, *op. cit.*, p. 131. Sur *Tiburnia* cf. *VS*, 17, 4, n. 2.

2. Il ressort de ce passage que le prêtre Paulin fut porté à l'épiscopat
contre son gré. Sur la résistance de l'élu, qui n'est pas seulement un topos
littéraire : cf. Y. CONGAR, « Ordinations *inuitus et coactus* de l'Église
antique au canon 214 », *RSPT*, 50 (1966), p. 169-197, en part. p. 174-175.

Les témoignages de la fin de l'Antiquité montrent que le peuple, dans
certaines régions tout au moins, pouvait prendre une part déterminante
au choix de l'évêque. Certes, il n'est pas aisé de suivre dans le détail la
procédure qui était appliquée pour une élection épiscopale. Le terme
d'*electio* ne doit d'ailleurs pas être pris dans l'acception moderne d'un
vote à la pluralité des suffrages, il signifie simplement « choix » et ne
préjuge pas du mode de désignation adopté : cf. J. GAUDEMET (éd.), *Les
élections dans l'Église latine des origines au XVIe siècle*, Paris 1979,
p. 22. Dans la pratique ce choix est le fruit de la collaboration entre le
clergé et le peuple : cf. F.L. GANSHOF, « Note sur l'élection des évêques aux
IVe et Ve siècles » dans *Mélanges F. de Visscher = RIDA*, 4 (1950),
p. 467-498.

21. 1. Un certain prêtre Paulinus était venu un jour trouver saint Séverin, dont la réputation ne cessait de s'étendre. Il passa quelques jours en compagnie du bienheureux et, quand il voulut repartir, celui-ci lui dit : « Hâte-toi, vénérable prêtre, car, à ce que je crois, Ta Grâce ne va pas tarder à revêtir la dignité épiscopale, quelle que soit la résistance opposée aux suffrages populaires. » 2. Et peu après son retour dans sa ville d'origine, cette parole prophétique s'accomplit. Car les citoyens de Tiburnia, qui est la métropole du Norique[1], contraignirent[2] cet homme à accepter le premier rang dans la plénitude du sacerdoce.

22. 1. On cherchait des reliques des martyrs pour une basilique[3] élevée hors des murs de Bataua, au lieudit Boiotro[4], au-delà de l'Inn, là où il avait établi lui-même une cellule pour quelques moines. Aussi, lorsque des prêtres se proposaient pour être renvoyés en mission et

---

3. Depuis la dernière campagne de fouilles à Passau on a de bonnes raisons de penser que la basilique en question était une église cémétériale, aujourd'hui Saint-Séverin, à laquelle Séverin s'était contenté d'adjoindre une cellule pour ses moines : cf. W. SAGE, « Die Ausgrabungen in der Severins kirche zu Passau-Innstadt 1976 », *OBGM*, 21 (1979), p. 5-48 avec deux dessins représentant des essais de reconstitution p. 32 et 35 ; R. CHRISTLEIN, *art. cit.*, *Severin-Katalog*, p. 233, plans nᵒˢ 14 et 15 p. 235.

4. *Boiotro* était situé à l'emplacement de l'Innstadt, un quartier de Passau qui fait face à la Vieille-Ville, sur la rive droite de l'Inn. Le nom est d'origine celtique ; la forme primitive *Boiodurum* devint au Bas-Empire *Boiotro* et elle survit encore dans les toponymes modernes de Beiderwies et Beiderbach.

Des découvertes récentes ont montré qu'un ouvrage défensif, édifié vers la fin du IIIᵉ siècle, servait encore de refuge à la population civile au Vᵉ siècle : cf. R. CHRISTLEIN, « Das spätrömische Kastell Boiotro zu Passau-Innstadt » dans *Von der Spätantike zum frühen Mittelalter, VF*, 15, Constance 1979, p. 91-123, en part. p. 100-104 avec plan p. 101.

reliquiae quaerebantur. Ingerentibus ergo se presbyteris,
ut mitterentur ad sanctuaria deferenda, haec beatus
Seuerinus monita proferebat : « quamuis cuncta morta-
lium opere constructa praetereant, haec tamen aedificia
prae ceteris celerrime relinquenda sunt » : et ideo pro
reliquiis sanctorum nullum laborem debere suscipere,
quia ultro eis sancti Iohannis benedictio deferretur. 2. Interea beatum uirum ciues oppidi memorati suppliciter
adierunt, ut pergens ad Febanum, Rugorum principem,
mercandi eis licentiam postularet. Quibus ipse : « tempus », inquit, « huius oppidi propinquauit, ut desertum
sicut cetera superiora castella cultore destituta rema-
neat. Quid ergo necesse est locis mercimonia prouidere,
ubi ultra non poterit apparere mercator ? » 3. Respondentibus illis non se debere contemni, sed consueto su-
bleuari regimine quidam presbyter haec diabolico spiritu
repletus adiecit : « perge, quaeso, sancte, perge uelociter,
ut tuo discessu parumper a ieiuniis et uigiliis quiesca-
mus. » Quo dicto uir dei lacrimis urguebatur ingentibus,
quod in ridiculam uanitatem cunctis audientibus sacerdos
eruperit. Aperta namque scurrilitas latentium est testifi-
catio delictorum. Sanctus itaque uir cur ita fleret interrogatus a fratribus : « uideo », inquit, « plagam grauissimam
nobis absentibus huic loco protinus euenturam, et Christi
sacraria, quod non sine gemitu cogor exprimere, humano
sanguine redundabunt in tantum, ut etiam locus iste
uiolandus sit. » Nam in baptisterio loquebatur. 4. Ad
antiquum itaque et omnibus maius monasterium suum
iuxta muros oppidi Favianis, quod centum et ultra mili-

---

1. La présence ou la mention d'un baptistère ne prouve en rien l'exis-
tence d'un siège épiscopal ; elle suppose tout au plus la visite périodique
de l'évêque à la communauté locale ; cf. T. ULBERT, « Der kirchliche
Baukomplex auf dem Hügel von Vranje » dans P. PETRU - T. ULBERT,
*Vranje bei Sevnica, Frühchristliche Anlagen auf dem Ajdovski
Gradec*, Ljubljana 1975, p. 68.

rapporter des restes saints, le bienheureux Séverin leur donnait cet avertissement : « Toutes les constructions faites par les mortels sont périssables, mais ces bâtiments devront être avant les autres très rapidement abandonnés. » Pour cette raison ils n'avaient pas de soucis à se faire quant aux reliques des saints, sans compter que la bénédiction de saint Jean leur serait accordée. 2. En attendant, les citoyens de la ville en question vinrent supplier le bienheureux d'aller trouver Feva, le roi des Ruges, pour qu'il leur obtînt l'autorisation de commencer. Il leur répondit : « Le temps est venu où cette ville sera déserte, tout comme les autres bourgs situés en amont qui n'ont plus leurs habitants. Pourquoi donc approvisionner en marchandises des lieux où le marchand ne pourra plus se montrer ? » 3. Ils lui répliquèrent qu'il ne devait pas les traiter en quantité négligeable et qu'il devait les soutenir de toute son autorité, comme à l'accoutumée ; et un prêtre rempli de l'esprit du démon ajouta : « Va t'en, je t'en prie, toi le saint homme, va t'en vite que nous puissions un peu nous reposer des jeûnes et des veillées après ton départ. » À ces mots l'homme de Dieu fut secoué d'une crise de larmes parce qu'un prêtre s'était laissé aller en présence de tous à un ridicule accès de prétention. Car une extravagance en public est la preuve de vices cachés. Aussi, quand ses frères demandèrent au saint homme pourquoi il pleurait, il leur répondit ceci : « Je vois qu'un grand malheur surviendra bientôt en ces lieux en mon absence et que les sanctuaires du Christ — et je ne peux réprimer mes gémissements en disant cela — seront éclaboussés de sang humain au point que même ce lieu sera profané. » Il parlait en effet dans le baptistère[1]. 4. Ainsi, pour regagner son ancien monastère, qui était le plus grand de tous et qui était situé devant les murs de la ville de Favianae à plus de cent milles de là, il descendit

bus aberat, Danuuii nauigatione descendit. Mox igitur eo discedente Hunumundus paucis barbaris comitatus oppidum, ut sanctus praedixerat, Batauis inuasit ac paene cunctis mansoribus in messe detentis quadraginta uiros oppidi, qui ad custodiam remanserant, interemit. 5. Presbyterum quoque illum, qui tam sacrilega contra famulum Christi in baptisterio fuerat elocutus, ad eundem locum confugientem insequentes barbari peremerunt. Frustra enim illuc offenso deo ueritatis inimicus accessit, ubi tam impudenter excesserat.

*

23. 1. Igitur sanctissimus Seuerinus, dum in monasterio Fauianis euangelium legeret, oratione suppleta consurgens scafam sibi iubet ilico praeparari et mirantibus ait : « *sit nomen domini benedictum*[a] : sanctuariis beatorum martyrum nos oportet occurrere. » Nec mora, transmeato Danuuio inueniunt hominem considentem in ripa ulteriore fluminis ac multis eos precibus postulantem, ut ad seruum dei, ad quem fama uulgante olim uenire cuperet, duceretur. 2. Mox itaque ei Christi famulo demonstrato suppliciter sancti Iohannis Baptistae reliquias optulit multis apud se seruatas temporibus. Quas dei seruus debita ueneratione suscipiens basilicam sancti

---

a. Ps. 112, 2

1. Nous avons ici un autre témoignage sur la navigation danubienne, cette fois sur le transport des personnes. Cf. *VS*, 3, 3, n. 2.

2. L'absence de précision sur l'identité des assaillants peut s'expliquer par la diversité d'origine d'un groupe formé au gré des circonstances autour d'un chef entreprenant, sans considération de liens ethniques, ou tout simplement par l'ignorance des informateurs d'Eugippe. F. Lotter, *op. cit.*, p. 203 n. 99, soutient que ce Hunumund n'était autre que le roi

le Danube en bateau[1]. Peu de temps après son départ, Hunumundus, accompagné de quelques Barbares[2], s'empara de la ville de Bataua, comme le saint l'avait prédit ; et, alors que presque tous les habitants étaient occupés à la récolte, il tua les quarante hommes chargés de garder la ville. 5. Quant au prêtre qui avait tenu les propos si sacrilèges contre le serviteur du Christ dans le baptistère, il fut rattrapé et tué par les Barbares alors qu'il cherchait refuge en ce lieu. En effet, Dieu ayant été offensé, c'est en vain que l'ennemi de la vérité approcha de ce lieu où son impudence avait dépassé toute mesure.

*

23. 1. Un jour que le très saint Séverin lisait l'Évangile dans le monastère de Favianae, il se leva, la prière une fois achevée, et donna l'ordre qu'on lui préparât une barque sur-le-champ ; et, comme on s'étonnait, il dit : « ' Que le nom du Seigneur soit béni[a] ' : il faut que nous allions au-devant des restes sacrés des bienheureux martyrs. » Sans tarder ils traversent le Danube et trouvent assis sur l'autre rive un homme qui leur demanda avec force supplications de le conduire au serviteur de Dieu, dont la réputation, partout répandue, lui avait depuis longtemps inspiré le désir de le voir. 2. On lui présenta aussitôt le serviteur du Christ et il lui remit à genoux les reliques de saint Jean-Baptiste qu'il avait longtemps conservées par-devers soi. Le serviteur de Dieu les reçut avec les marques de vénération qui leur étaient dues et consacra la basilique par le ministère des

des Suèves Hunimund, instigateur de la coalition anti-ostrogothique de 469 (cf. JORDANÈS, *Get.*, 280, *MG AA* V, p. 130). Après la défaite de la Bolia Hunumund aurait quitté la Pannonie pour échapper aux représailles des Ostrogoths et se serait réfugié en Rhétie, au nord des Alpes, d'où il aurait lancé son raid dévastateur sur Batava. Hypothèse reprise par H. WOLFRAM, *op. cit.*, p. 333.

Iohannis, sicut praedixerat, ultronea benedictione collata sacrauit officio sacerdotum.

*

24. 1. Ad habitatores praeterea oppidi, quod Iouiaco uocabatur, uiginti et amplius a Batauis milibus disparatum, solita uir dei reuelatione commonitus Moderatum nomine cantorem ecclesiae destinauit praecipiens, ut habitationem loci illius omnes sine cunctatione relinquerent : mox enim perituros fore, si contemnerent imperata. 2. Aliis ergo de tanto praesagio dubitantibus, aliis prorsus non credentibus iterum misit Quintanensium quendam, cui et inlacrimans ait : « perge uelocius, denuntians eis : si hac ibidem nocte manserint, sine dilatione capientur. » Sanctum quoque Maximianum spiritalis uitae presbyterum instantius imperat admoneri, ut saltem ipse contemptoribus derelictis properaret caelesti misericordia liberari : de quo sibi dei famulus magnam dicebat inesse maestitiam, ne forte salutiferum differendo mandatum imminenti subiaceret exitio. 3. Praedictus itaque pergens imperata suppleuit, et reliquis incredulitate nutantibus nuntius uiri dei presbytero retinenti se atque hospitalitatis gratiam praebere cupienti nullatenus ad-

---

1. La précision *in fine* (« comme il l'avait annoncé ») met expressément en relation l'invention des reliques et la prédiction faite par Séverin au ch. 22 (cf. *supra VS*, 22, 1). Or la prédiction a pour cadre *Boiotro*, tandis que l'invention des reliques a lieu en face de *Fauianae*, sur la rive nord du Danube. Pour que la prédiction du saint soit pleinement réalisée, il faut supposer que les reliques ont été transférées à *Boiotro* et que la basilique en question est celle de cette localité : cf. R. Noll, *op. cit.*, p. 135. De fait, les fouilles sous l'église Saint-Séverin de Passau-Innstadt ont permis de retrouver au milieu de l'abside du bâtiment une cavité à reliques sous l'autel : cf. R. Christlein, *art. cit.*, *Severin-Katalog*, p. 233 et plan n° 15 p. 235.

prêtres, la bénédiction de saint Jean ayant été accordée
par surcroît, comme il l'avait annoncé[1].

*

24. 1. En outre, aux habitants d'une ville appelée
Iouiacum[2] et située à plus de vingt milles de Bataua,
l'homme de Dieu, instruit comme à l'ordinaire par une
révélation, dépêcha un chantre nommé Moderatus. Il
ordonnait à tous de quitter sans délai leur demeure en ce
lieu, ajoutant qu'ils courraient à leur perte si jamais ils
dédaignaient ses injonctions. 2. Certains exprimèrent des
doutes devant une prédiction si grave, d'autres ne lui
accordèrent aucun crédit ; aussi leur envoya-t-il un nouveau messager, un homme de Quintanae, auquel il dit, le
visage en larmes : « Va, dépêche-toi et déclare que, s'ils
restent sur place cette nuit, ils seront pris au piège à
l'heure même. » Il commande d'insister plus encore auprès du saint prêtre Maximianus, homme adonné à la vie
spirituelle, pour qu'au moins lui-même, abandonnant les
railleurs, se mette rapidement en sûreté avec l'aide de la
miséricorde divine. Le serviteur de Dieu disait que son
cœur était pris d'une grande tristesse à l'idée qu'il pourrait tarder à suivre un ordre salutaire et succomber ainsi
au trépas imminent. 3. L'homme en question se mit donc
en route et accomplit sa mission ; tandis que les autres
habitants, dans leur incrédulité, n'arrivaient pas à se
décider et que le prêtre le retenait et essayait de lui offrir
la grâce de son hospitalité, le messager de l'homme de
Dieu ne voulut prendre aucun repos. Cette nuit-là, les

---

2. La localisation de l'antique *Iouiacum* n'est pas aisée. L'identification traditionnelle avec Schlögen (Haute-Autriche) a été mise en doute
par l'archéologue responsable des fouilles sur ce site : L. ECKHART, *Das
römische Donaukastell Schlögen*, *RLiÖ* 15, Vienne 1969, p. 65-70. On
incline plutôt à localiser *Iouiacum* à Aschach a.d. Donau : cf. G. WINKLER,
s.v. « Iouiacum », *PW*, Suppl. 14 (1974), col. 205-206.

quieuit. Qua nocte Heruli insperate protinus irruentes oppidumque uastantes plurimos duxere captiuos, presbyterum memoratum patibulo suspendentes[a]. Quo audito seruus dei grauiter doluit praemonitos non curasse.

*

25. 1. Deinde quidam de Norico Maximus nomine ad seruum dei frequentare solitus cum uenisset et pro familiaritate, quam meruerat, in monasterio sancti uiri diebus aliquot moraretur, eius informatur oraculis patriam suam graue repente exitium subituram. Qui acceptis litteris ad sanctum Paulinum episcopum destinatis remeauit instantius. 2. Igitur memoratus antistes litterarum tenore praestructus uniuersa diocesis suae castella scriptis propriis uehementer admonuit, ut triduano ieiunio, quod litterae uiri dei signauerant, exitio uenturae cladis occurrerent. 3. Quibus iussa complentibus terminato ieiunio ecce Alamannorum copiosissima multitudo feraliter cuncta uastauit, castella uero nullum sensere periculum, quae lorica[a] fidelis ieiunii et laudanda cordis humilitas per uirum propheticum aduersus hostium ferociam fidenter armauerat.

*

a. Cf. Esther 7, 10   b. Cf. I Thess. 5, 8

1. Les Hérules étaient un peuple germanique établi après 454 dans l'est du Weinviertel en Basse-Autriche et dans le sud de la Moravie (en Tchécoslovaquie), donc au nord du territoire occupé par les Ruges. Le raid contre *Iouiacum*, que L. SCHMIDT, *op. cit.*, p. 531, place vers 480, avait pour objet la capture des habitants, qui allèrent ainsi grossir les rangs des populations dominées par les guerriers hérules. Sur l'hégémonie régionale des Hérules : cf. W. POHL, « Gepiden und *gentes* an der mittleren Donau nach dem Zerfall des Attilareiches », dans *Die Völker an der mittleren und unteren Donau im 5. u. 6 Jh.* (éd. F. DAIM - H. WOLFRAM), Vienne 1980, p. 277-278.

Hérules[1] attaquèrent à l'improviste ; ils ravagèrent la ville, emmenèrent la plupart des habitants en captivité et pendirent le prêtre en question à un gibet[a]. À cette nouvelle le serviteur de Dieu éprouva une grande peine de ce qu'on n'eût pas écouté ses avertissements.

*

25. 1. Peu après arriva du Norique un homme du nom de Maximus qui rendait souvent visite au serviteur de Dieu ; au nom de l'amitié qu'il s'était acquise il resta quelques jours au monastère du saint homme ; il lui est prédit par celui-ci qu'un grand malheur allait soudain fondre sur sa patrie. Il repartit sans tarder, emportant une lettre destinée au saint évêque Paulinus. 2. Le dit évêque, instruit par le contenu de la lettre, écrivit de sa main à tous les bourgs de son diocèse[2] pour leur prescrire un jeûne de trois jours[3], comme l'avait indiqué l'homme de Dieu dans sa lettre, et cela afin de s'opposer au drame d'une catastrophe imminente. 3. Ils exécutèrent ses ordres, et, le jeûne une fois terminé, voilà qu'une masse innombrable d'Alamans dévasta tout le pays avec la plus grande sauvagerie. Cependant les bourgs n'eurent pas à souffrir du danger : la cuirasse[b] d'un jeûne observé dans la foi et une admirable humilité de cœur leur avaient été, par l'entremise de l'homme prophétique, un sûr armement contre la férocité de l'ennemi.

*

---

2. Le diocèse en question représente le territoire soumis à la juridiction de l'évêque Paulin ; il faut donc entendre *diocesis* au sens moderne du terme, sans plus de référence aux grandes circonscriptions administratives créées par la réforme de Dioclétien : cf. A. SCHEUERMANN, *s.v.* « Diözese », *RAC*, 3 (1957), col. 1059.

3. *triduano ieiunio.* Cf. *VS*, 2, 1, n. 1.

26. 1. Post haec leprosus quidam Mediolanensis territorii ad sanctum Seuerinum fama eius inuitante perrexerat : hunc sanitatis remedia suppliciter implorantem monachis suis indicto ieiunio commendauit : qui continuo dei gratia operante mundatus est. Cumque recepta sanitate redire suaderetur ad patriam, prostrauit se pedibus sancti uiri, petens, ne ulterius ad sua redire cogeretur, cupiens scilicet, ut lepram quoque peccatorum sicut carnis effugeret uitamque in eodem loco fine laudabili terminaret. 2. Cuius animum religiosum uir dei uehementer admirans paucis monachis paterna iussione praecepit frequentatis cum eo ieiuniis in oratione continua permanere, ut dominus ei quae essent opportuna concederet. Tantis itaque remediis praemunitus intra duorum mensium spatium uitae mortalis est compedibus absolutus.

*

27. 1. Eodem tempore mansores oppidi Quintanensis, creberrimis Alamannorum incursionibus iam defessi, sedes proprias relinquentes in Batauis oppidum migrauerunt. Sed non latuit eosdem barbaros confugium praedictorum : qua causa plus inflammati sunt credentes, quod duorum populos oppidorum uno impetu praedarentur. Sed beatus Seuerinus orationi fortius incubans Romanos exemplis salutaribus multipliciter hortabatur, praenuntians hostes quidem praesentes dei auxilio superandos, sed post uictoriam eos qui contemnerent eius monita perituros. 2. Igitur Romani omnes sancti uiri praedic-

---

1. Le terme de *lepra* (λέπρα en grec) désigne un grand nombre de maladies de peau, dont notamment la vraie lèpre.

2. *indicto ieiunio.* Cf. *VS* 6, 3, n. 1.

3. L'emploi du terme de *mundare* (purifier ; καθαρίζω en grec) est conforme à l'usage des Évangiles en la matière (cf. *Matth.* 10, 8 ; 11, 5. *Lc* 4, 27 ; 5, 13 ; 7, 22 ; 17, 14. 15. 17).

26. 1. Quelque temps après était arrivé un lépreux[1]
qui venait de la région de Milan et qui avait été attiré par
la réputation de saint Séverin ; comme il le suppliait en
implorant un remède à ses maux, Séverin le confia à ses
moines après avoir prescrit[2] un jeûne : il fut guéri[3] aussitôt par la grâce de Dieu. On lui conseilla alors de rentrer
dans son pays, maintenant qu'il avait recouvré la santé.
Mais il se jeta aux pieds du saint, lui demandant de ne plus
le forcer à rentrer chez lui, car il souhaitait se débarrasser
de la lèpre du péché comme il avait été guéri de celle du
corps et terminer ses jours en ce lieu pour y trouver une
fin digne de louange. 2. L'homme de Dieu admira fort ses
sentiments de piété et demanda paternellement à quel-
ques-uns de ses moines de demeurer avec cet homme en
oraison continuelle tout en observant des jeûnes répétés,
afin d'obtenir du Seigneur les grâces dont il avait besoin.
Et c'est muni de tels remèdes qu'il fut délivré deux mois
plus tard des entraves de la vie terrestre.

*

27. 1. À la même époque les habitants de la ville de
Quintanae, déjà épuisés par les incursions incessantes des
Alamans, quittèrent leurs foyers pour chercher asile à
Bataua. Mais leur refuge ne resta pas longtemps caché
aux Barbares : ceux-ci n'en furent que plus excités à
l'idée de pouvoir dépouiller en un seul assaut la population réunie de deux villes. Mais le bienheureux Séverin
demeurait plus que jamais en prières, ne cessant d'encourager les Romains en leur rappelant les exemples tirés de
l'histoire du Salut et annonçant qu'ils vaincraient bien
avec l'aide de Dieu les ennemis présents autour d'eux,
mais que périraient après la victoire ceux qui méprise-
raient ses avertissements. 2. Tous les Romains, confortés
par la prédiction du saint homme et espérant la victoire

tione firmati spe promissae uictoriae aduersus Alaman-
nos instruxerunt aciem, non tam materialibus armis[a]
quam sancti uiri orationibus praemuniti. Qua congres-
sione uictis ac fugientibus Alamannis uir dei ita uictores
alloquitur : « filii, ne uestris uiribus palmam praesentis
certaminis imputetis, scientes idcirco uos dei nunc praesidio liberatos, ut hinc paruo interuallo temporis, quasi
quibusdam concessis indutiis, discedatis. Mecum itaque
ad oppidum Lauriacum congregati descendite. » Haec
homo dei plenus pietate commonuit. 3. Sed Batauinis
genitale solum relinquere dubitantibus sic adiecit : « quamuis et illud oppidum, quo pergimus, ingruente barbarie
sit quantocius relinquendum, hinc tamen nunc pariter
discedamus. » Talia commonentem secuti sunt plurimi,
quidam uero reperti sunt contumaces, nec defuit
contemptoribus gladius inimici. Quicumque enim ibidem
contra hominis dei interdicta manserunt, Thoringis ir-
ruentibus in eadem hebdomada alii quidem trucidati, alii
in captiuitatem deducti poenas dedere contemptui.

*

28. 1. Igitur post excidium oppidorum in superiore
parte Danuuii omnem populum in Lauriacum oppidum
transmigrantem, qui sancti Seuerini monitis paruerat,

---

a. Cf. II Cor. 10, 4

1. Tous les habitants n'ont pas suivi les conseils pressants de Séverin ;
les fouilles récentes ont montré qu'une partie de la population avait
survécu à une « catastrophe locale » à la fin du ve siècle : cf. R. CHRISTLEIN,
art. cit., dans *Von der Spätantike* etc., *VF*, 15 (1979), p. 114-118.

2. À l'époque de sa plus grande extension le royaume des Thuringiens
atteignait au sud le Haut-Palatinat et la Forêt de Bavière ; c'est de ces
bases avancées vers la Rhétie et le Norique qu'ils lancèrent leurs raids
sur *Bataua* et *Lauriacum* : cf. L. SCHMIDT, *op. cit.*, p. 103 ; E. DEMOUGEOT,

promise, se rangèrent en ordre de bataille contre les Alamans ; leur force était moins dans les armes matériel-les[a] que dans les prières du saint homme. Les Alamans une fois vaincus et mis en fuite dans ce combat, l'homme de Dieu adresse aux vainqueurs ces paroles : « Mes fils, n'imputez pas à vos propres forces la palme remportée en ce présent combat ; vous savez que, si vous avez été aujourd'hui délivrés avec l'aide de Dieu, c'est pour que vous abandonniez ces lieux en profitant de ce court laps de temps comme d'un répit qui vous serait accordé. Descendez donc tous avec moi jusqu'à Lauriacum. » Telle fut l'exhortation prononcée par l'homme de Dieu en toute piété. 3. Mais certains habitants de Bataua hésitaient à quitter le sol natal ; aussi ajouta-t-il ces mots : « Même si un jour, par suite des attaques barbares, nous devons aussi quitter au plus vite la ville où nous allons nous réfugier, il nous faut néanmoins partir d'ici dès mainte-nant. » La plupart suivirent[1] celui qui les avait ainsi avertis ; certains cependant se montrèrent rebelles, mais le glaive de l'ennemi n'épargna pas ces railleurs. Quant à ceux, en effet, qui étaient restés sur place malgré l'inter-diction faite par l'homme de Dieu, les Thuringiens[2] qui firent irruption cette même semaine, massacrèrent les uns, et traînèrent en captivité les autres, tous payant ainsi le prix de leur raillerie.

*

28. 1. Après la chute des villes situées en amont du Danube, toute la population s'était donc réfugiée dans la ville de Lauriacum, pour autant qu'elle avait obéi aux instructions de saint Séverin. Par ses exhortations inces-

assiduis hortatibus praestruebat, ne in sua uirtute confi-
derent[a], sed orationibus et ieiuniis atque elemosynis insis-
tentes armis potius spiritalibus munirentur. 2. Praetera
quadam die uir dei cunctos pauperes in una basilica
statuit congregari, oleum prout poscebat ratio largiturus : quam speciem in illis locis difficillima negotiatorum
tantum deferebat euectio. Igitur tamquam benedictionis
accipiendae gratia maior egenorum turba confluxit : pre-
tiosius quippe ibidem huius liquoris alimentum auxit
turbam numerumque poscentium. 3. Tunc uir beatus
oratione completa signoque crucis expresso solitum sibi
scripturae sanctae sermonem cunctis audientibus expri-
mens ait : « *sit nomen domini benedictum*[b]. » Tunc coepit oleum propria manu ministris implere portantibus,
imitatus fidelis seruus dominum suum, *qui non ministrari uenerat, sed potius ministrare*[c], sequensque ues-
tigia saluatoris gaudebat augeri materiem, quam officio
dextrae sinistra nesciente[d] fundebat. Completis quippe
uasculis pauperum nihil minuebatur in manibus minis-
trantum. 4. Tantum igitur dei beneficium dum circumstantes tacite mirarentur, unus eorum, cui nomen erat
Pientissimus, nimio stupore perterritus exclamauit :
« domine mi, crescit hic cacabus olei et in modum fontis

---

a. Cf. Judith 4, 13 ; Ps. 48, 8　　b. Ps. 112, 2　　c. Matth. 20, 28
d. Cf. Matth. 6, 3

---

1. Il n'est pas sûr que cette basilique soit identique à la « *Basilica II* »
découverte sous l'église Saint-Laurent à Lorch-Enns, comme le pense
L. ECKHART, « Die St. Laurentius-Kirche zu Lauriacum-Lorch/Enns »,
JOÖMV, 120 (1975), p. 39. D'après cet auteur, en effet, la « *basilica II* »
était l'église épiscopale de Constance ; or, Eugippe utilise le terme
d'*ecclesia* pour désigner l'église locale « *intra muros* », réservant celui
de *basilica* à l'église du cimetière ou de la cellule monastique « *extra
muros* ». Comme nous n'avons, en dehors de la mention d'un moine
Valens (cf. *VS*, 30, 2), aucune autre indication sur l'existence d'une
fondation monastique à *Lauriacum*, nous devons supposer que Séverin

santes il lui enseignait à ne pas compter sur ses propres forces[a] et à se munir plutôt des armes spirituelles en persévérant dans la prière, le jeûne et l'aumône. 2. De plus il décida un jour de réunir tous les pauvres dans une basilique[1] pour leur distribuer de l'huile selon une sage estimation ; dans cette région les marchands ne pouvaient livrer cette denrée qu'au prix des plus grandes difficultés[2]. Aussi, comme pour recevoir une bénédiction, les pauvres affluèrent-ils en masse : l'importance de ce précieux liquide ne fit qu'augmenter le nombre et la masse des demandeurs. 3. Le bienheureux Séverin prononça alors une prière, fit le signe de croix et, conformément à son habitude, reprit devant la foule assemblée les paroles de l'Écriture : « Que le Seigneur soit béni[b]. » Il se mit alors à remplir lui-même les récipients qu'apportaient les serviteurs, serviteur imitant lui-même fidèlement son Maître, qui « n'était pas venu pour être servi mais pour servir[c] » ; et, suivant les traces du Sauveur, il se réjouissait de voir augmenter la matière qu'il versait de la main droite sans que la gauche en sache rien[d]. Car les vases des pauvres avaient beau être pleins, le liquide n'avait en rien diminué à passer par les mains des serviteurs. 4. Les assistants admiraient en silence ce si grand bienfait accordé par Dieu, mais l'un d'entre eux, du nom de Pientissimus, ne pouvant contenir davantage son émerveille-

---

avait rassemblé les pauvres dans une église (cémétériale ?) autre que l'église épiscopale.

2. Le terme de *largiturus* implique qu'il s'agissait là d'une distribution gratuite, d'un acte de libéralité de Séverin (ou de l'évêque ?). Mais le plus extraordinaire dans cet épisode est encore la mention des négociants qui avaient transporté l'huile au prix, il est vrai, de grandes difficultés. Nous avons là un témoignage sur la consommation d'un produit de luxe (comment qualifier autrement l'huile d'olive dans une province danubienne ?) et sur le maintien de relations commerciales avec l'Italie d'où venait certainement le précieux liquide. Sur l'exportation d'huile italienne en Norique : cf. L. RUGGINI, *op. cit.*, p. 113 s.

exundat. » Sic liquor ille gratissimus prodita uirtute sub-
tractus est. 5. Statim Christi famulus exclamans ait :
« quid fecisti, frater ? Obstruxisti commoda plurimorum :
ignoscat tibi dominus Iesus Christus. » Sic aliquando
mulier uidua debitis onerata Helisei prophetae iussis ins-
truitur ex olei stilla, quam habebat, uasa replere quam
plurima. Quod cum fecisset et adhuc a filiis uasa deposce-
ret, ubi audiuit defecisse numerum uasorum, mox stetit et
oleum[e].

*

29. 1. Per idem tempus Maximus Noricensis, cuius
fecimus in superioribus mentionem, fidei calore succensus
media hieme, qua regionis illius itinera gelu torpente
clauduntur, ad beatum Seuerinum audaci temeritate uel
magis, ut post claruit, intrepida deuotione uenire conten-
dit, conductis plurimis comitibus, qui collo suo uestes
captiuis et pauperibus profuturas, quas Noricorum religiosa collatio profligauerat, baiularent. Itaque profecti ad
summa Alpium cacumina peruenerunt, ubi per totam
noctem nix tanta confluxit, ut eos magnae arboris protec-
tione uallatos uelut ingens fouea demersos includeret.
2. Et cum de uita sua penitus desperarent, nullo scilicet

---

e. Cf. IV Rois 4, 2-6 ; [« *stetit et oleum* » représente sans doute une
variante du texte scripturaire : « *stetitque oleum* » (IV Rois 4, 6 ; éd.
WEBER, t. 1, p. 507)]

---

1. Le convoi dirigé par Maximus venait certainement de *Tiburnia* ;
pour rejoindre *Lauriacum* la route empruntait le Liesertal et par le col
du Katschberg (1 641 m) descendait vers la vallée de la Mur. À partir de
là deux itinéraires s'offraient aux voyageurs ; le premier menait par les
Radstädter Tauern (1 738 m) vers la vallée de la Salzach et de là par
Iuuauum (Salzbourg) et *Ouilava* (Wels) aboutissait à *Lauriacum* ; le
second suivait la Mur pour remonter ensuite vers le nord par Hohen-

ment, s'écria : « Ō Maître, cette cruche d'huile a changé de volume, elle coule comme une source. » À ces mots, le liquide si précieux se tarit, une fois révélée sa vertu miraculeuse. 5. Aussitôt le serviteur du Christ s'écria : « Qu'as-tu fait, mon frère ? Tu as enlevé leur bien à tant de gens. Que notre Seigneur Jésus-Christ te pardonne. » C'est ainsi qu'autrefois une veuve chargée de dettes reçut du prophète Élisée l'ordre de remplir une grande quantité de vases avec la goutte d'huile qu'elle possédait. Quand elle eut fini et qu'elle demanda à ses fils d'autres vases, on lui dit qu'il n'y en avait plus, et soudain l'huile cessa de couler[e].

*

29. 1. À la même époque Maximus de Norique, dont nous avons fait mention plus haut, se mit en route pour rendre visite au bienheureux Séverin ; enflammé d'une foi ardente, au beau milieu de l'hiver, alors que des gels rigoureux rendent les chemins de ces régions impraticables, il était d'une folle témérité, ou plutôt, comme on le vit plus tard, d'une dévotion intrépide. Il avait réuni plusieurs compagnons qui portaient sur leur dos les vêtements amoncelés par une pieuse collecte auprès des habitants du Norique et destinés aux pauvres et aux captifs. Ils partirent donc et parvinrent sur les sommets des Alpes[1] ; là, il tomba toute la nuit tant de neige que eux qui s'étaient retranchés à l'abri d'un grand arbre s'y trouvaient comme des prisonniers plongés dans une fosse profonde. 2. Ils désespéraient déjà tout à fait de leur salut, ne voyant aucun moyen de se tirer d'affaire, quand

---

tauern (1 265 m) et le col de Pyhrn (945 m). Sur le tracé des routes romaines : cf. H. UBL, « Österreich zur Römerzeit », *Severin-Katalog* carte p. 438.

subueniente remedio, uidit ductor comitum per soporem quendam in effigie uiri dei stantem ac dicentem sibi : « nolite timere[a], pergite quo coepistis. » Hac ergo reuelatione protinus animati cum coepissent fide magis quam gressibus proficisci, subito diuino nutu ingentis formae ursus e latere ueniens uiam monstraturus apparuit, qui se tempore hiemis speluncis abdere consueuit. Mox cupitum reserat iter et per ducenta ferme milia non ad sinistram deuians, non ad dexteram uiam demonstrauit optabilem. 3. Tanta enim eos intercapedine praecedebat, quanta recenti uestigio semitam praepararet. Itaque progrediens bestia per heremi uastitatem uiros, qui egenis deferebant solacia, non reliquit, sed usque ad habitacula hominum qua potuit humanitate perduxit et mox in unam partem officio diuertit expleto, ostendens tanto ducatus officio, quid homines hominibus praestare debeant, quantum caritatis impendere, cum desperantibus iter bestia saeua monstrauerit. 4. Igitur cum seruo dei nuntiarentur qui uenerant, ait : « *sit nomen domini benedictum*[b]. Ingrediantur quibus uiam, qua uenirent, ursus aperuit. » Quo audito illi stupore nimio mirabantur uirum dei referre id quod in absenti prouenerat.

*

---

a. Cf. Apoc. 1, 17   b. Ps 112, 2

---

1. La présence d'ours dans cette région est bien attestée ; cet animal était particulièrement recherché des Romains pour les jeux du cirque, comme en témoigne l'inscription du *uestigator Profuturus* dans le narthex de St. Peter à Salzbourg : cf. A. KÖNIG, « Römersteine in Salzburger Kirchen », *Amtsblatt der Landeshauptstadt Salzburg*, 1971, Nr. 13.

2. Par une inversion de la symbolique ordinaire l'ours qui, dans l'Antiquité, est l'image même de la sauvagerie animale (cf. *infra* « une bête

le chef de convoi aperçut dans son sommeil une forme
humaine qui ressemblait à l'homme de Dieu et qui lui
disait : « Ne craignez pas[a], allez jusqu'au bout de votre
route. » Retrouvant par cette révélation tout leur courage, ils se remettaient en marche, soutenus plus par leur
foi que par la force de leurs jambes, quand, par la volonté
de Dieu, apparut soudain à leur côté un ours de grande
taille[1], qui normalement en hiver reste caché dans des
cavernes, pour leur montrer le chemin. Il leur ouvre
bientôt la voie qu'ils cherchaient et, pendant presque
deux cents milles, sans dévier ni sur la gauche ni sur la
droite, il leur montra le meilleur chemin possible. 3. Il les
précédait en effet en laissant juste assez de distance pour
leur frayer un chemin par ses traces toutes fraîches. Et
l'animal de traverser ainsi ces vastes étendues désertes
sans abandonner les hommes qui apportaient un soula-
gement pour les pauvres ; il les conduisit jusqu'aux habitations des hommes avec toute l'humanité dont il était
capable[2], puis, quand il eut accompli sa tâche, il partit à
l'écart, montrant par les services qu'il avait rendus
comme guide l'entraide que les hommes doivent aux
hommes et la charité qu'il leur faut pratiquer, car c'est
une bête sauvage qui avait montré le chemin à des hommes acculés au désespoir. 4. Quand on annonça au serviteur de Dieu l'arrivée des visiteurs, il dit : « *Que le nom
du Seigneur soit béni*[b]. Qu'ils entrent, ceux à qui un ours
a ouvert la voie pour venir à nous. » À ces mots, ils furent
frappés de stupeur, admirant que l'homme de Dieu parlât
d'un événement qui s'était déroulé en son absence.

*

---

sauvage »), donne ici à des hommes un exemple d'humanité. Sur le thème
de l'ours dans l'Antiquité païenne et chrétienne cf. S. ZENKER, *s.v.* « Bär »,
RAC, 1 (1950), col. 1143-1147.

30. 1. Ciues item oppidi Lauriaci et superiorum trans-
fugae castellorum ad suspecta loca exploratoribus destinatis hostes quantum poterant humana sollicitudine
praecauebant. Quos seruus dei diuinitatis instinctu commonitus praesaga mente praestruxit, ut omnem pauper-
tatis suae sufficientiam intra muros concluderent, quatenus inimicorum feralis excursus nihil humanitatis inue-
niens statim fame compulsus immania crudelitatis coepta
desereret. 2. Haec per quadriduum contestatus aduespe-
rascente iam die[a] Valentem nomine monachum mittens ad
sanctum Constantium eiusdem loci pontificem et ad ceteros commanentes : « hac », inquit, « nocte dispositis per
muros ex more uigiliis districtius excubate, superuenien-
tis hostis cauentes insidias. » At illi nihil aduersi per
exploratores sentire se penitus affirmabant. 3. Sed
Christi famulus praemonere non desinens dubitantibus
uoce magna clamabat, eadem nocte eos asserens capien-
dos, nisi imperiis fideliter oboedirent, saepius repetens :
« me », inquit, « me, si mentitus fuero, lapidate. » Itaque
tandem aliquando muris inuigilare compulsi, expleta
consueti operis in noctis principio psalmodia, cum cele-
berrimo coepissent uigilare concursu, aceruus faeni com-
minus positus facula baiuli nolentis accensus lumen, non
incendium reddidit ciuitati. 4. Qua occasione uociferanti-

---

a. Cf. Prov. 7, 9

---

1. *oppidi Lauriaci*. Cf. *VS* 18, 1 n. 1.

2. Constance est, avec Paulin (cf. *VS* 21, 2), le seul évêque du Norique
mentionné dans la *Vita Seuerini* ; il nous est connu également par la
Vita Antonii, composée en 506 par Ennode de Pavie (*MG AA* 5, 1895,
p. 185 s.). Le biographe du moine lérinien nous rapporte en effet que le
jeune Antoine fut recueilli à la mort de son père par l'*inlustrissimus uir
Seuerinus*. Après la disparition de son « tuteur », l'orphelin entra au
service de son oncle l'évêque Constance (*Vita Antonii*, c. 10, *loc. cit.*,
p. 186).

30. 1. Les citoyens de la ville de Lauriacum[1] et les réfugiés des bourgs situés en amont avaient envoyé des éclaireurs dans les lieux suspects pour se prémunir, autant qu'ils le pouvaient avec les ressources de la sollicitude humaine, contre les ennemis. Le serviteur de Dieu, mû par une inspiration divine, les prépara avec son esprit prophétique à mettre en sûreté derrière les murs de la ville tout ce qui suffirait à leur pauvre existence ; ainsi, l'ennemi, ne trouvant au cours de son équipée sauvage rien de ce qu'il faut à l'homme pour subsister, serait bientôt contraint de renoncer aux entreprises monstrueuses de sa cruauté. 2. Il les adjura ainsi quatre jours durant ; le jour baissait[a] déjà quand il envoya un moine nommé Valens au saint évêque du lieu, Constance[2], ainsi qu'à tous les autres habitants, pour leur dire ceci : « Cette nuit, postez des guetteurs[3] sur les murs comme d'habitude, mais soyez particulièrement vigilants et prenez garde aux attaques surprises de l'ennemi. » Mais ceux-ci soutenaient avec force que les éclaireurs n'avaient rien remarqué de dangereux. 3. Cependant, le serviteur de Dieu ne cessait pas de prodiguer ses avertissements et les faisait entendre de toute sa voix aux sceptiques ; il assurait qu'ils seraient faits prisonniers cette nuit-même s'ils n'obéissaient pas à ses ordres. Il répéta plusieurs fois : « Lapidez-moi, lapidez-moi, si je mens. » Aussi finirent-ils par se laisser convaincre de monter la garde sur les murs. Après l'office des psaumes, chanté comme à l'habitude au début de la nuit, alors qu'ils avaient commencé leur veille au milieu d'un grand concours de population, un tas de foin situé à proximité prit feu, un portefaix ayant laissé tomber une torche par mégarde, et éclaira la ville sans qu'il y eût d'incendie. 4. Cet incident

---

3. *dispositis... ex more uigiliis.* Cf. *VS*, 18, 1, n. 1.

bus cunctis hostes siluarum occultati nemoribus, subito splendore clamoreque perterriti, putantes se praecognitos quieuerunt ac mane facto circumdantes ciuitatem et ubique discurrentes, cum nihil uictualium repperissent, direpto animalium grege cuiusdam hominis, qui seruo dei praedicente contumax sua tutare contempserat, recesserunt. Illis autem abeuntibus ciues portas egressi haud procul a muris scalas iacentes inueniunt, quas ad urbis excidium praeparantes barbari uigilantium clamore turbati nocte iactauerant. 5. Quapropter memorati ciues ueniam a Christi famulo precabantur, humiliter confitentes corda sua lapidibus esse duriora[b], qui rebus praesentibus agnouerunt in sancto uiro gratiam uiguisse propheticam : isset nempe tunc plebs inoboediens uniuersa captiua, nisi eam liberam uiri dei consueta seruasset oratio, Iacobo apostolo protestante : « multum », inquit, « *ualet oratio iusti assidua*[c]. »

*

31. 1. Feletheus, Rugorum rex, qui et Feua, audiens cunctorum reliquias oppidorum, quae barbaricos euaserant gladios, Lauriaco se per dei famulum contulisse, assumpto ueniebat exercitu, cogitans repente detentos abducere et in oppidis sibi tributariis atque uicinis, ex quibus unum erat Fauianis, quae a Rugis tantummodo

---

b. Cf. Is. 46, 12. Ez. 3, 7 ; 11, 9   c. Jac. 5, 16 (*VL*)

---

1. *corda sua lapidibus esse duriora.* Cf. *VS*, 1, 2, n. 1.

souleva les clameurs de la foule et les ennemis, cachés au fond des bois, furent effrayés par cette lueur subite et par les cris des habitants ; ils crurent qu'ils étaient découverts et ne bougèrent pas. Au lever du jour ils encerclèrent la ville et se répandirent partout dans les environs, puis, comme ils ne trouvaient rien à manger, ils décampèrent, emmenant le troupeau d'un homme qui avait négligé de mettre ses biens en sécurité malgré les prédictions du serviteur de Dieu. Après leur départ, les citoyens sortirent par les portes de la ville et découvrirent, non loin des murs, des échelles que les Barbares avaient préparées pour l'assaut et qu'ils avaient abandonnées au cours de la nuit dans le trouble où les avaient jetés les cris des veilleurs. 5. Voilà pourquoi les citoyens en question demandèrent pardon au serviteur de Dieu et confessèrent humblement que leur cœur était plus dur[1] que la pierre[b] ; ils reconnurent par l'évidence des faits que la grâce prophétique avait agi dans le saint : car ce peuple désobéissant aurait été tout entier emmené en captivité si, comme à l'ordinaire, la prière de l'homme de Dieu ne lui avait pas conservé la liberté ; l'apôtre Jacques en témoigne lui-même : « la prière persévérante du juste a beaucoup de puissance[c]. »

*

31. 1. Le roi des Ruges Feletheus, qu'on appelle aussi Feva, apprit que les habitants de toutes les villes qui avaient échappé au glaive des Barbares s'étaient rendus à Lauriacum sur les conseils du serviteur de Dieu ; il se mit donc en marche avec son armée dans l'intention de s'emparer d'eux sans tarder et de les emmener pour les installer dans les villes voisines qui lui versaient un tribut et qui n'étaient séparées des Ruges que par le Danube ; parmi celles-ci se trouvait notamment Favianae. 2. Tous

dirimebantur Danuuio, collocare. 2. Quam ob rem grauiter uniuersi turbati sanctum Seuerinum adiere suppliciter, ut in occursum regis egrediens eius animum mitiga-
ret. Cui tota nocte festinans in uicesimo ab urbe miliario
matutinus occurrit. Rex ergo aduentum eius protinus
expauescens testabatur se illius fatigatione plurimum
praegrauatum : causas itaque repentinae occursionis in-
quirit. 3. Cui seruus dei : « pax », inquit, « tibi, rex optime. Christi legatus aduenio, subditis misericordiam
precaturus. Recole gratiam, diuina beneficia recordare,
quibus pater tuus se frequenter sensit adiutum. Nam
cunctis regni sui temporibus nihil me inconsulto gerere
praesumebat. Qui monitis salutaribus[a] non resistens crebris prosperitatibus recognouit, quanti ualeret oboedien-
tis animus quantumque triumphatoribus prosit suis non
tumere uictoriis. » 4. Et rex : « hunc », inquit, « populum,
pro quo beniuolus precator accedis, non patiar Alamannorum ac Thoringorum saeua depraedatione uastari uel
gladio trucidari aut in seruitium redigi, cum sint nobis
uicina ac tributaria oppida, in quibus debeant ordinari. »
5. Cui seruus Christi constanter ita respondit : « numquid
arcu tuo uel gladio[b] homines isti a praedonum uastatione
creberrima sunt erepti et non potius dei munere, ut tibi
paulisper obsequi ualeant, reseruati ? Nunc ergo, rex
optime, consilium meum ne respuas, fidei meae hos com-
mitte subiectos, ne tanti exercitus conpulsione uastentur
potius quam migrentur. Confido enim in domino meo,
quod ipse, qui me fecit horum calamitatibus interesse, in
perducendis eis idoneum faciet promissorem. » 6. His

---

a. Cf. Tob. 1, 15   b. Cf. Gen. 48, 22. Jos. 24, 12. IV Rois 6, 22

---

1. *pater tuus.* Il s'agit du roi Flaccitheus, mentionné au ch. 5, 1.

2. *Alamannorum ac Thoringorum saeua depraedatione.* Cf. *VS*,
19, 1, n. 3 ; 27, 3, n. 2.

étaient plongés dans l'inquiétude à cette perspective ; ils allèrent trouver Séverin pour le supplier de se porter à la rencontre du roi et de chercher à l'apaiser. Celui-ci chemina toute la nuit, sans perdre un instant, et au matin rencontra le roi à vingt milles de la ville. Le roi fut saisi de crainte en le voyant arriver et lui assura qu'il regrettait vivement la fatigue qu'il s'était donnée ; il lui demanda les raisons de cette visite imprévue. 3. Le serviteur de Dieu lui répondit : « La paix soit avec toi, roi très bon. Je viens à toi en ambassadeur du Christ pour implorer miséricorde en faveur de tes sujets. Rappelle-toi la grâce et souviens-toi des bienfaits divins dont ton père[1] souvent éprouva le secours. Car tant que dura son règne, il n'entreprit jamais rien d'important sans me consulter. Ne passant jamais outre à mes avis salutaires[a], il reconnut par de continuels succès combien est profitable un esprit d'obéissance et combien il est utile au vainqueur de ne pas s'enfler de ses victoires. » 4. Le roi répondit : « Je ne puis souffrir que ce peuple pour lequel tu viens me trouver en intercesseur bienveillant soit la victime des Alamans et des Thuringiens[2], pillé au cours de sauvages razzias, passé au fil de l'épée ou réduit en esclavage, alors que nous avons dans le voisinage des villes tributaires où ils devraient être répartis. » 5. Le serviteur du Christ reprit avec fermeté : « Est-ce par ton arc et ton épée[b] que ces hommes ont échappé aux pillages incessants des brigands ou n'est-ce pas plutôt par un bienfait de Dieu qu'ils ont été sauvés pour être soumis, quelque temps du moins, à ta loi ? Ne repousse donc pas mon conseil, roi très bon, confie ces sujets à ma garde, de peur que sous la pression d'une telle armée ils ne soient pillés au lieu d'être transférés d'un lieu à un autre. Je mets ma confiance dans le Seigneur ; c'est Lui qui m'a établi parmi eux au milieu des calamités et qui me permettra d'être un utile garant pendant leur voyage. » 6. Le roi, apaisé par

auditis ex modestis allegationibus mitigatus cum suo protinus remeauit exercitu. Igitur Romani, quos in sua sanctus Seuerinus fide susceperat, de Lauriaco discedentes pacificis dispositionibus in oppidis ordinati beniuola cum Rugis societate uixerunt. Ipse uero Fauianis degens in antiquo suo monasterio nec admonere populos nec praedicere futura cessabat, asserens uniuersos in Romani soli prouinciam absque ullo libertatis migraturos incommodo.

*

32. 1. Isdem temporibus Odouacar rex sancto Seuerino familiares litteras dirigens, si qua speranda duceret, dabat suppliciter optionem, memor illius praesagii, quo eum quondam expresserat regnaturum. Tantis itaque sanctus eius alloquiis inuitatus Ambrosium quendam exulantem rogat absolui. Cuius Odouacar gratulabundus paruit imperatis. 2. Quodam etiam tempore, dum memoratum regem multi nobiles coram sancto uiro humana, ut fieri solet, adulatione laudarent, interrogat, quem regem tantis praeconiis praetulissent. Respondentibus, « Odouacarem », « Odouacar », inquit, « integer inter tredecim et quattuordecim », annos uidelicet integri eius regni significans : et his dictis adiecit citius illos quod ipse praedixerat probaturos.

*

33. 1. Ab oppidaneis Comagensibus, apud quos primum quondam innotuerat, beatus Seuerinus suppliciter

---

1. L'auteur fait ici allusion à la prophétie que Séverin avait faite au jeune chef barbare venu lui rendre visite : cf. *VS*, 7 (« Va en Italie... bientôt tu répandras des largesses dont beaucoup profiteront »).

2. *apud quos primum quondam innotuerat.* Cf. *VS*, 1, 3, n. 3.

la modestie de ces déclarations, s'en retourna aussitôt
avec son armée. Les Romains quittèrent alors Lauriacum
pour être répartis dans les villes en vertu d'accords
pacifiques et vécurent dès lors en bonne intelligence avec
les Ruges. Mais le saint lui-même résidait dans son vieux
monastère de Favianae et ne cessait de lancer des avertissements ni de prédire l'avenir à la population ; il
assurait qu'ils émigreraient tous un jour dans une province du territoire romain sans aucun risque pour leur
liberté individuelle.

*

32. 1. À la même époque Odoacre devenu roi envoya
à saint Séverin une lettre amicale où il le suppliait de
choisir le souhait qu'il lui plairait de formuler ; il se
souvenait en effet qu'il lui avait annoncé autrefois par
une prophétie[1] qu'il règnerait un jour. Le saint répondit à
de telles invites en sollicitant la grâce d'un exilé du nom
d'Ambroise. Odoacre se fit une joie d'accéder à ses demandes. 2. Un jour, en présence du saint homme, beaucoup de nobles louaient le dit roi avec toute la flagornerie
dont les hommes sont coutumiers ; il leur demande alors
quel était le roi qu'ils portaient aux nues avec de tels
éloges. « Odoacre », répondent-ils ; « Odoacre ? », re-
prend-il, « On ne touchera pas à lui entre treize et quatorze », voulant signifier par là le nombre d'années pendant lesquelles on ne toucherait pas à son pouvoir ; et il
ajouta qu'ils vérifieraient bientôt l'exactitude de sa prédiction.

*

33. 1. Les habitants de Comagenae, chez qui il avait
jadis commencé à se faire connaître[2], l'en ayant supplié,

rogatus aduenit. Cuius comperta praesentia unus ex
optimatibus Felethei regis filium suum adolescentem
diuturno langore uexatum, cui iam parabat exequias,
traiecto Danuuio pedibus eius proiecit[a] et lacrimans :
« credo », inquit, « homo dei, te filio meo uelocem impe-
trare diuinitus sanitatem. » 2. Tunc data oratione qui
semiuiuus[b] allatus fuerat statim incolumis patre mirante
surrexit et perfecta protinus reuertitur sospitate.

*

34. 1. Elefantiosus etiam quidam, Teio nomine, de longinquis regionibus sancti Seuerini inuitatus uirtutibus
uenit, rogans eius oratione mundari. Accepto itaque ex
more praecepto iubetur deum, totius gratiae largitorem,
sine cessatione lacrimabiliter exorare. 2. Quid plura ?
Precibus beati uiri idem leprosus diuina opitulatione
mundatus, dum commutat mores in melius, mutare me-
ruit et colorem, regis aeterni magnalia tam suis quam
plurimorum uocibus longe lateque denuntians.

*

35. 1. Bonosus quoque, monachus beati Seuerini, barbarus genere, qui responsis eius inhaerebat, oculorum

---

a. Cf. Matth. 15, 30   b. Cf. Lc 10, 30

---

1. L'un des grands du roi Feletheus avait reçu la localité de *Comagenae* comme ville tributaire ; hypothèse avancée par W. Pohl, *art. cit.*,
p. 279.
2. Le terme d'*elephantiasis* (ἐλεφαντίασις en grec) désigne la vraie
lèpre, à la différence de *lepra* ; cf. G. Despierres, « Histoire de la lèpre »
dans *Histoire des grandes maladies infectieuses,* Institut d'Histoire
de la Médecine, Université de Lyon I, Lyon 1980, p. 78-79.

le bienheureux Séverin s'en vint les voir. Dès que fut connue sa présence, un des grands du roi Feletheus[1] traversa le Danube pour lui présenter son jeune fils, qui souffrait depuis longtemps de langueur et dont on préparait déjà les obsèques. Il le jeta à ses pieds[a] en pleurant et lui dit : « Je crois, homme de Dieu, que tu peux obtenir rapidement de Dieu la guérison de mon fils. » 2. On se mit en prières et celui qu'on avait amené à demi mort[b], aussitôt rétabli, se leva, à la grande surprise de son père ; et sans attendre il repartit en parfaite santé.

*

34. 1. Un homme gonflé par la lèpre[2], du nom de Teio, attiré par les vertus de saint Séverin, vint de fort loin pour lui demander de le purifier par ses prières. Selon l'usage consacré, il lui fut ordonné d'implorer sans cesse avec des larmes Dieu, le dispensateur de toute grâce. 2. À quoi bon en dire plus ? Ce lépreux fut purifié par les prières du saint homme avec l'assistance de Dieu ; et comme il avait changé sa vie en mieux, il obtint aussi de changer de couleur ; il allait partout proclamant par des paroles que beaucoup répétaient les merveilles du Roi éternel.

*

35. 1. Bonosus aussi, un moine du bienheureux Séverin, d'origine barbare[3], qui était très attaché à l'ensei-

---

3. *Bonosus... barbarus genere.* Cette précision montre que la communauté de Séverin était accueillante à tous et que la distinction faite par Eugippe n'entraînait pas de discrimination dans le traitement réservé aux moines. Séverin, à l'instar du Christ, ne fait donc pas acception de personne. Il est à remarquer que ce « barbare » porte un nom latin. Phénomène de mode, volonté d'intégration sociale, changement de nom lié au baptême ou à l'entrée dans une communauté monastique ? Il est difficile d'en décider.

imbecillitate plurimum praegrauatus medelam sibi praestari eius oratione poscebat, aegre ferens aduenticios et externos salutaris gratiae sentire praesidia sibique nullam remediorum opem aliquatenus exhiberi. 2. Cui seruus dei : « non tibi », inquit, « expedit, fili, corporeis luminibus aciem habere perspicuam et exterioribus oculis clarum praeferre conspectum : ora magis, ut optutus uegetetur interior. » Talibus igitur monitis informatus dedit operam corde magis uidere quam corpore meruitque absque ullo fastidio mirabiliter in orationis effici iugitate continuus et quadraginta fere annis in monasterii excubiis perseuerans eodem quo conuersus est fidei calore transiuit.

*

36. 1. In loco Boiotro superius memorato quosdam tres monachos sui monasterii doctor humilis superbiae foeditate respersos dum pro suis singulos excessibus increpatos durare in pernicie comprobasset, orauit, ut eos dominus, in adoptionem recipiens filiorum[a], paterno dignaretur flagello corripere[b]. Prius ergo quam orationem effusis lacrimis terminaret, uno momento idem monachi daemone corripiente uexati contumaciam sui pectoris

---

a. Cf. Rom. 8, 15-23   b. Cf. Hébr. 12, 6-7

---

1. Sur l'œil intérieur comme instrument de la connaissance de Dieu : cf. G. Schleusener - Eichholz, *s.v.* « Auge », *LexMA*, 1 (1979), col. 1208.

2. Le cœur, opposé au corps, est dans littérature patristique le lieu de la rencontre entre l'homme et Dieu : cf. A. Grillmeier, « Theologia cordis », *Theologie und Glauben,* 21 (1948), p. 332-351.

3. *Daemon* (cf. *VS*, 46, 6 : *daemonibus*) et *daemonius* (cf. *VS* 44, 2) sont des termes couramment employés en latin depuis Tertullien pour

gnement du saint, était fort accablé d'une maladie des yeux. Il réclamait que lui soit accordé quelque remède et s'irritait de voir des inconnus et des étrangers recevoir les secours d'une grâce salutaire et de ne bénéficier lui-même d'aucune grâce d'aucune sorte. 2. Le serviteur de Dieu lui dit alors : « Il ne te sert à rien, mon fils, d'avoir une grande acuité visuelle avec les yeux de la chair, et il ne te sert à rien non plus d'avoir une vue claire avec la vision extérieure : prie plutôt pour que se vivifie ton regard intérieur[1]. » Instruit par de telles paroles, Bonosus s'appliqua donc à voir plus avec son cœur[2] qu'avec son corps et obtint, sans en ressentir la moindre lassitude, de demeurer dans une étonnante prière perpétuelle. Il persévéra pendant près de quarante ans dans les exercices du monastère et avait à sa mort la même foi ardente qu'au moment de sa conversion.

*

36. 1. Dans la localité de Boiotro, déjà citée plus haut, il y avait trois moines de son monastère qui étaient atteints d'un abominable orgueil. Quand leur humble maître les vit persévérer dans le mal en dépit des réprimandes qu'il avait adressées à chacun d'eux pour ses excès, il pria le Seigneur de les adopter comme ses fils[a] et de daigner les amender par une correction paternelle[b]. Avant même que, le visage en larmes, il eût achevé sa prière, les moines furent au même moment tourmentés[3] par un démon[4] qui s'était saisi d'eux et confessèrent à

---

désigner des esprits mauvais : cf. P. VAN DER NAT, *s.v.* « Geister », *RAC*, 9 (1976), col. 716.

4. *Vexatus* est le terme employé par les Évangiles dans les cas de possession : *Matth.* 15, 22 ; *Mc* 5, 15, 18 ; *Lc* 6, 18 ; *Act.* 5, 16.

uocibus fatebantur. 2. Absit, ut cuiquam hoc crudele uideatur aut noxium, quia traditi sunt huiusmodi homines « *satanae in interitum carnis* », sicut docet beatus apostolus, « *ut spiritus saluus sit in die domini Iesu*ᶜ », cum beatus Ambrosius Mediolanensis episcopus seruum Stiliconis, auctorem falsarum epistolarum deprehensum, dixerit oportere tradi satanae, ne talia in posterum auderet admittere : quem eodem momento, cum adhuc sermo esset in ore sacerdotis, spiritus immundus arreptum coepit discerpereᵈ. 3. Seuerus quoque Sulpicius refert ex relatione Postumiani uirum quendam magnis uirtutibus signisque mirabilem ad expellendam de corde suo iactantiae uanitatem, quam incurrerat, exorasse, « ut permissa in se mensibus quinque diaboli potestate similis his fieret, quos ipse curauerat. » Idemque post pauca : itaque « correptus a daemone, tentus in uinculis, omnia illa, quae energumeni solent ferre, perpessus quinto demum mense curatus est, non tantum daemone, sed, quod illi erat utilius atque optatius, uanitate. » 4. Praedictos itaque monachos uir dei delegatos fratribus per dies quadraginta arduis abstinentiae remediis mancipauit. Quibus expletis data super eos oratione a potestate daemonis eruit nec solum sanitatem corporis, sed et mentis inpertiit. Quo

---

c. I Cor. 5, 5   d. Cf. Mc 1, 26

1. *seruum Stiliconis.* Cf. PAULIN DE MILAN, *Vie de saint Ambroise,* c. 43 (éd. M. Pellegrino, *Verba Seniorum,* N. S. 1, 1961, p. 114 ; éd. C. Mohrmann, *Vite dei santi,* 1975, p. 108-110. Le Vandale Stilicon, né vers 365, maître de la milice sous Théodose 1ᵉʳ, fut après 395 régent de l'Empire d'Occident jusqu'à son assassinat en 408.

2. SULPICE SÉVÈRE, *Dialogues,* I, 20, 7 (*PL* 20, 196-197). Postumien, un ami de Sulpice Sévère, est un des interlocuteurs des *Dialogues.*

haute voix l'endurcissement de leur cœur. 2. Que personne ne s'avise de trouver ce traitement cruel ou nuisible, car de tels hommes ont été livrés « à Satan pour la perte de la chair », comme le dit le bienheureux Apôtre, « pour que l'esprit soit sauvé au jour du Seigneur Jésus[c] » ; et le bienheureux Ambroise évêque de Milan, a également dit que le serviteur de Stilicon[1], reconnu coupable d'avoir falsifié des lettres, devait être livré à Satan, pour qu'il ne se permît plus de tels méfaits à l'avenir ; et à peine le prêtre avait-il prononcé ces paroles qu'un esprit impur se mit à torturer sa proie[d]. 3. Sulpice Sévère raconte aussi[2], sur la foi d'un récit de Postumien, qu'un homme réputé pour ses vertus et ses miracles cherchait à chasser de son cœur la vaine jactance dans laquelle il était tombé ; il supplia Dieu de « pouvoir être livré cinq mois au pouvoir du démon, devenant ainsi semblable à ceux qu'il avait lui-même guéris. » Et notre auteur ajoute peu après : ainsi « fut-il saisi par le démon et retenu dans ses liens ; il subit jusqu'au bout les épreuves habituellement réservées aux énergumènes et, finalement, au bout de cinq mois il fut guéri, non seulement du démon, mais aussi du péché d'orgueil, ce qui était le plus utile et le plus souhaitable pour lui. » 4. L'homme de Dieu confia donc les moines en question à leurs frères et les soumit pendant quarante jours au bienfaisant régime d'un jeûne sévère. Celui-ci une fois achevé, il prononça une prière sur eux et les arracha au pouvoir du démon[3], leur communiquant non seulement la santé du corps mais aussi celle de l'esprit. Cet événement ne fit qu'accroître la crainte révérentielle à l'égard

---

3. Nous avons ici le seul cas d'exorcisme attribué à Séverin de son vivant ; le saint avait par sa prière le pouvoir de commander au démon puisque dans le même épisode il appelle puis expulse celui-ci. Cf. K. THRAEDE, *s.v.* « Exorzismus », *RAC,* 7 (1969), col. 107.

facto et sancto uiro reuerentiae terror adcreuit et ceteros maior disciplinae metus optinuit.

*

37. 1. Marcianum monachum, qui postea presbyter ante nos monasterio praefuit, ad Noricum cum Renato fratre direxerat. Et cum dies tertius laberetur, ait fratribus : « orate, carissimi, quia grauis hac hora tribulatio Marcianum comprimit et Renatum, de qua tamen Christi liberabuntur auxilio. » 2. Tunc monachi quae ab eo dicta sunt protinus adnotantes, illis post menses plurimos redeuntibus diem horamque periculi, qua barbaros euaserant, indicantibus, sicut signauerant, approbarunt.

*

38. 1. Item beatissimus Seuerinus uni ex fratribus, nomine Urso, repente praecepit quadraginta dierum districtiore ieiunio uenturae calamitati, abstinentia ciborum et lamentis, occurrere, dicens : « imminet tibi corporale periculum, quod dei praesidio parui panis et aquae remediis expiabis. » Quadragesimo itaque die mortifera papula in brachio ieiunantis apparuit, quam mox ad ipsum ingressus suppliciter demonstrauit. 2. Cui sanctus dei famulus : « noli », inquit, « metuere praenuntiatum tibi ante dies quadraginta discrimen », statimque propria manu

---

1. La stratégie complexe mise en œuvre par Séverin pour punir les coupables a pour effet d'accroître la crainte de l'homme de Dieu, un des ressorts essentiels de l'autorité du supérieur sur sa communauté.

2. Sur le sens du terme *disciplina* : cf. W. DÜRIG, « *Disciplina*. Eine Studie zum Bedeutungsumfang des Wortes in der Sprache der Liturgie und der Väter », *Sacris Erudiri*, 4 (1952), p. 245-279, en part. p. 267-274.

de l'homme de Dieu[1] et inciter les autres à un plus grand respect de la discipline[2].

*

37. 1. Le moine Marcianus, qui fut plus tard en tant que prêtre notre prédécesseur à la tête du monastère, avait été envoyé en mission dans le Norique avec Renatus pour frère. Au soir du troisième jour le saint dit aux frères : « Priez, mes très chers frères, car en cette heure un grand malheur menace Marcianus et Renatus ; ils seront pourtant sauvés avec l'aide du Christ. » 2. Les moines notèrent aussitôt ses paroles et, lorsque les deux frères, de retour au bout de plusieurs mois, leur indiquèrent le jour et l'heure où ils avaient échappé au danger face aux Barbares, ils constatèrent l'exactitude de ce qu'ils avaient noté.

*

38. 1. De même, le très bienheureux Séverin ordonna subitement à un des frères, nommé Ursus, d'observer un jeûne très strict de quarante jours afin de prévenir par l'abstinence et les lamentations le mal qui le guettait. Il lui dit : « Une maladie du corps te menace, tu t'en purifieras, avec l'aide de Dieu, par le remède du pain et de l'eau en petite quantité. » De fait, au bout de quarante jours une tumeur mortifère apparut sur le bras du jeûneur et celui-ci courut chez le saint pour la lui montrer en implorant son aide. 2. Le saint serviteur de Dieu lui dit alors : « Ne crains pas ce danger que je t'avais annoncé il y a quarante jours. » Il traça de sa main le signe de croix[3] et

---

3. Sur le signe de croix comme moyen apotropaïque : cf. H. SCHAUERTE, *s.v.* « Kreuzzeichen », *LThK*, 6 (1961), col. 631.

signo crucis obducto mirantibus, qui aderant, papula
letalis euanuit. Hoc unum de domesticis sanitatibus narrasse sufficiat, prolixi operis fastidia declinando. Nam
saepius suorum aegritudines monachorum Christo sibi
reuelante praenuntians isdem quibus praeuidebat muneribus et sanabat.

*

39. 1. A discipulorum quoque suorum cellula spiritalis
doctor non longius habitabat, in orationibus uel abstinentia iugiter perseuerans : cum quibus tamen matutinas
orationes et propriam noctis principio psalmodiam sol-
lemniter adimplebat, reliqua uero orationum tempora in
paruo complebat oratorio, quo manebat. In quibus saepe
caelestibus firmatus oraculis multa futura per dei gratiam
praedicebat, multorum etiam occulta cognoscens, ut opus
erat, proferebat in medium et singulis remedia, prout
poscebat modus aegritudinis, prouidebat. 2. Stratus eius
unum erat in oratorii pauimento cilicium. Omni tempore
ipso quo uestiebatur amictu, etiam dum quiesceret, utebatur. Numquam ante solis occasum nisi certa soluit
festiuitate ieiunium. Quadragesimae uero temporibus una
per hebdomadam refectione contentus aequali uultus
hilaritate[a] fulgebat. Aliena quasi propria errata deflens
quibus poterat praesidiis temperabat.

*

a. Cf. Prov. 16, 15

1. Le terme de *cellula* désigne ici le monastère de *Fauianae,* qualifié
ailleurs de *monasterium* (cf. *VS* 4, 5 ; 23, 1). Il en est de même pour la
cellule monastique de *Boiotro,* tantôt *cellula* (cf. *VS* 22, 1) tantôt *monasterium* (cf. *VS* 36, 1).

aussitôt la tumeur mortelle disparut, à la grande surprise des assistants. Qu'il suffise d'avoir rapporté une seule de ces guérisons domestiques, pour éviter l'ennui que provoque une œuvre prolixe. En effet, il prévoyait souvent, en vertu de révélations que lui accordait le Christ, les maladies de ses moines ; et il les guérissait par cette même grâce qui les lui faisait prévoir.

*

39. 1. Le maître spirituel n'habitait pas loin de la cellule[1] de ses disciples et il persévérait sans interruption dans la prière et le jeûne. Avec eux, cependant, il célébrait les prières du matin et chantait les psaumes appropriés au début de la nuit ; quant aux autres temps de prière, il les passait dans le petit oratoire, où il habitait. Dans ces moments-là, la foi raffermie par des oracles célestes, il prédisait souvent l'avenir par la grâce de Dieu ; il connaissait les secrets d'un grand nombre et les dévoilait publiquement si besoin était ; et il prescrivait à chacun les remèdes qu'exigeait sa forme de maladie. 2. Son lit n'était qu'un cilice étendu sur le pavement de son oratoire. Il usait en tout temps du même vêtement pour s'habiller, y compris pour dormir. Jamais il ne rompit le jeûne avant le coucher du soleil, sauf en certains jours de fête. Pendant le carême, il se contentait d'un seul repas par semaine[2] mais son visage rayonnait d'une joie[a] toujours égale. Il déplorait les erreurs des autres comme si elles étaient les siennes et les redressait par tous les moyens en son pouvoir.

*

---

2. Les prouesses ascétiques rapportées par Eugippe à ce sujet n'excèdent pas les limites du genre. La littérature monastique orientale fournit d'innombrables exemples de jeûnes extraordinaires : cf. R. ARBESMANN, *s.v.* « Fasten », *RAC,* 7 (1969), col. 476.

40. 1. Deinde post multos agones et diuturna certamina, cum se idem beatus Seuerinus de hoc saeculo transiturum[a] deo reuelante sensisset, memoratum Rugorum regem Feuam cum uxore eius crudelissima nomine Giso ad se uenire commonuit. 2. Quem cum salutaribus exhortatus esset affatibus, ut ita cum sibi subiectis ageret, quo se iugiter cogitaret pro statu regni sui rationem domino redditurum, aliisque uerbis intrepide monuisset, protenta manu regis pectus ostendens reginam his interrogationibus arguebat : « hanc », inquit, « animam, Giso, an aurum argentumque plus diligis ? » Cumque illa maritum se diceret cunctis opibus anteferre, uir dei sapienter adiecit : « ergo », inquit, « desine innocentes opprimere, ne illorum afflictio uestram magis dissipet potestatem : etenim mansuetudinem regiam tu saepe conuellis. » 3. At illa : « cur », inquit, « nos sic accipis, serue dei ? » Cui ipse : « contestor », ait, « uos ego humillimus iam profecturus ad deum, ut ab iniquis actibus temperantes piis insistatis operibus. Huc usque regnum uestrum auctore domino prosperatum est : iam ex hoc uos uideritis. » His monitis rex cum coniuge sufficienter instructi ualedicentes ei profecti sunt. 4. Tunc sanctus non desinebat de suae migrationis uicinia suos alloqui dulcedine caritatis, quod quidem facere nec ante cessauerat. « Scitote », inquit, « fratres, sicut filios Israel constat ereptos esse de terra Aegypti[b], ita cunctos populos terrae huius oportet ab iniusta barbarorum dominatione liberari. Etenim omnes cum suis facultatibus de his oppidis emigrantes ad Romanam prouinciam absque ulla sui captiuitate peruenient. 5. Sed mementote praecepti sancti Ioseph patriarchae,

---

a. Cf. Jn 13, 1   b. Cf. Ex. 6, 13

40. 1. Ensuite, après bien des combats et des luttes incessantes, quand le bienheureux Séverin comprit par une révélation divine qu'il allait quitter ce monde[a], il fit venir le roi des Ruges Feva, dont nous avons déjà parlé, ainsi que son épouse, la très cruelle Giso. 2. Il l'exhorta par des paroles salutaires à traiter ses sujets en pensant toujours qu'il rendrait compte au Seigneur de l'état de son royaume, et lui adressa encore d'autres avertissements sans éprouver la moindre crainte ; puis, montrant de la main la poitrine du roi, il interrogea Giso non sans rudesse : « Giso, que préfères-tu, cette âme, ou bien l'or et l'argent ? » Et, comme la reine lui répondait qu'elle préférait son mari à toutes les richesses, il ajouta, plein de sagesse : « Eh bien ! cesse donc d'opprimer les innocents, de peur que leur malheur n'en vienne à provoquer la ruine de votre pouvoir ; car c'est toi qui souvent ébranles les bonnes résolutions du roi. » 3. Elle lui dit alors : « Pourquoi nous reçois-tu ainsi, serviteur de Dieu ? » Et lui de répondre : « Je vous conjure en toute humilité, moi qui suis sur le point de retourner à Dieu, oui, je vous conjure de mettre un terme à vos iniquités et de vous consacrer à des œuvres de piété ; jusqu'à présent, grâce au Seigneur, votre règne a été prospère, mais désormais à vous de voir. » Suffisamment instruits par ces avertissements le roi et la reine prirent congé du saint et s'en retournèrent. 4. Depuis lors le saint ne cessait de s'entretenir avec les siens de la proximité de sa « migration » ; et il parlait avec toute la douceur de sa charité, comme il l'avait toujours fait auparavant. « Sachez, mes frères, que, tout comme les fils d'Israël furent arrachés du pays d'Égypte[b], toute la population de ce pays sera, elle aussi, libérée de l'injuste domination des Barbares. Et tous émigreront de ces villes avec leurs biens pour rejoindre une province romaine sans le moindre risque de tomber en captivité. 5. Mais souvenez-vous du précepte du saint patriarche

cuius uos ego indignus et infimus attestatione conuenio :
' *uisitatione uisitabit uos deus : tollite ossa mea hinc
uobiscum*[c]. ' Quod non mihi sed uobis est profuturum.
Haec quippe loca nunc frequentata cultoribus in tam
uastissimam solitudinem redigentur, ut hostes aestimantes auri se quippiam reperturos etiam mortuorum sepul-
turas effodiant. » 6. Cuius uaticinii ueritatem euentus
rerum praesentium comprobauit. Leuari uero suum corpusculum pater sanctissimus pietatis prouidus argu-
mento praecepit, ut, dum generalis populi transmigratio
prouenisset, indiuisa fratrum, quos adquisierat[d], congregatio proficiscens optentu memoriae eius in uno societatis
sanctae uinculo permaneret.

*

41. 1. Diem etiam, quo transiturus esset idem beatissimus Seuerinus e corpore, ante duos seu amplius annos
hac significatione monstrauit. Epiphaniorum die, cum
sanctus se Lucillus presbyter abbatis sui sancti Valentini,

---

c. Gen. 50, 25 (*VL*)   d. Cf. Act. 20, 28

---

1. *abbatis sui*. Nous faisons nôtre ici la critique que F. LOTTER, *op.
cit.*, p. 182, a opposée aux conjectures de A. PFIFFIG, *art. cit.*, *UH*, 31
(1960), p. 100 et E. VETTER dans R. NOLL, *op. cit.*, p. 29 et 141. Rappelons
les principaux points de la controverse.
Les manuscrits des classes I et II portent tous la version suivante :
abbatis sui, à l'exception de K et G[1], qui offrent la variante *abbati sui*.
Certains érudits se sont autorisés de cette variante pour corriger le texte
et accorder le possessif au datif ; ils lisent le passage comme suit : *cum
sanctus se Lucillus presbyter abbati suo sancti Valentini... diem
depositionis... celebraturus... intimasset* (cf. éd. NOLL, *op. cit.*,
p. 106) : « comme le saint prêtre Lucillus était venu faire part à son abbé
du service solennel qu'il célébrerait... pour l'anniversaire de la mort de
saint Valentin ». Ce serait donc là le seul endroit dans la *Vita* où Séverin
serait expressément qualifié d'*abbas*, terme qu'Eugippe ignore totale-

Joseph, dont moi, malgré mon indignité et ma petitesse, j'emprunte les mots pour m'adresser à vous : « Dieu vous visitera de sa visite, emportez mes os avec vous[c]. » Et cela, vous le ferez non dans mon intérêt mais dans le vôtre. Car ces lieux aujourd'hui peuplés d'habitants seront transformés en une solitude si ravagée que l'ennemi, dans l'espoir de trouver de l'or, fouillera même les tombes des morts. » 6. La suite des événements jusqu'à présent a prouvé la vérité de cette prophétie. Notre très saint père, dans un souci de piété, a ordonné d'emporter son corps, pour que, au moment de la grande migration du peuple, la congrégation de frères qu'il s'était acquise[d] ne se séparât pas à l'instant du départ et restât, fidèle à son souvenir, unie par le seul bien d'une communauté sainte.

*

41. 1. Le jour même où le très bienheureux Séverin devait quitter son corps, il l'annonça plus de deux ans à l'avance par l'indication que voici. Le jour de l'Épiphanie, comme le saint prêtre Lucillus était venu lui faire part du service solennel qu'il célébrerait le lendemain pour l'anniversaire de la mort de son père spirituel[1] saint Valentin,

---

ment par ailleurs. On conçoit les réserves que suscite légitimement une conjecture aussi fragile. Il nous semble plus simple de conserver pour ce passage le texte de Mommsen : *abbatis sui sancti Valentini*, en expliquant les variantes des manuscrits K et G[1] par la « chute » d'un s devant *sui*.

Quant au terme d'*abbas*, il n'avait pas encore le sens exclusif qu'il prendra plus tard, celui de supérieur d'une communauté monastique (= abbé) ; il conservait sa signification première de « père spirituel » : cf. H. EMONDS, *s.v.* « Abt », *RAC*, 1 (1950), col. 51 s. Il n'y a donc pas de raison particulière d'inférer de l'emploi de ce terme à l'existence d'une communauté monastique fondée par l'évêque Valentin ; il pourrait tout aussi bien s'agir d'une communauté de type canonial, liée au culte public et aux basiliques et dirigée elle aussi par un *abbas* : cf. J. GRIBOMONT, *s.v.* « abbas », *DIP*, 1 (1974), col. 24.

Raetiarum quondam episcopi, diem depositionis annua
sollemnitate in crastinum celebraturum sollicitus intimasset, idem famulus dei ita respondit : « si beatus Valen-
tinus haec tibi celebranda sollemnia delegauit, ego quoque
tibi in eodem die uigiliarum mearum studia obseruanda
migraturus e corpore derelinquo. » Ille his sermonibus
tremefactus cum se magis, utpote homo decrepitus,
enixius commendaret quasi primitus transiturus, adiecit :
« hoc erit, sancte presbyter, quod audisti, nec domini
constitutum humana uoluntate praeteriet. »

*

42. 1. Praeterea Ferderuchus a fratre suo Rugorum
rege Feua ex paucis, quae super ripam Danuuii remanserant, oppidis unum acceperat Fauianis, iuxta quod sanctus Seuerinus, ut retuli, commanebat. Ad quem cum idem
Ferderuchus ex more salutaturus accederet, coepit ei
Christi miles[a] iter suum enixius indicare, sub contestatione haec proloquens : « noueris me », inquit, « quantocius ad dominum profecturum et idcirco monitus prae-
caueto, ne me discedente aliquid horum, quae mihi com-
missa sunt, attaminare pertemptes et substantiam pauperum captiuorumque contingas, indignationem dei, quod
absit, tali temeritate sensurus. » 2. Sed Ferderuchus ins-
perata commonitione perculsus : « cur », inquit, « hac

---

a. Cf. II Tim. 2, 3

---

1. Eugippe ne savait pas quel siège occupait l'évêque Valentin ; il peut
simplement indiquer la province où celui-ci exerçait sa charge : les *Raetiae*, c'est-à-dire la *Raetia secunda* (cf. *VS* 3, 3 n. 3). Nombre de
chercheurs ont revendiqué pour Valentin le siège de *Bataua*, mais il est
tout de même remarquable que l'auteur ne fasse pas une seule fois
allusion à la présence d'un évêque au cours des séjours de Séverin dans

ancien évêque de Rétie[1], Séverin lui répondit : « Si le
bienheureux Valentin t'a désigné pour célébrer cette
solennité, moi aussi, je te laisse le soin de célébrer mes
vigiles le même jour quand je serai sorti de ce corps. »
2. Lucillus fut saisi de tremblement à ces mots et protesta
énergiquement que c'était à lui en quelque sorte de partir
le premier vu l'état de décrépitude où il se trouvait.
Séverin ajouta alors : « Il en sera comme tu l'as entendu,
saint prêtre, et les décrets du Seigneur ne seront pas
abolis par quelque volonté humaine que ce soit. »

*

42. 1. En outre, Ferderuchus avait reçu de son frère
Feva, le roi des Ruges, une des rares villes qui tenaient
encore sur la rive du Danube, celle de Favianae ; saint
Séverin, comme je l'ai rapporté plus haut, habitait tout
près. Un jour que Ferderuchus lui rendait visite pour le
saluer, comme à son habitude, le soldat de Dieu[a] commença par lui annoncer avec intensité son prochain
voyage, puis il lui adressa cet appel pressant : « Tu sais
que je vais bientôt m'en retourner vers le Seigneur ; aussi,
je tiens à t'avertir, prends garde après ma mort de
présumer de ce qui m'a été confié en dépôt et de toucher
au bien des pauvres et des captifs, sinon pour le prix
d'une telle témérité tu ressentiras, le ciel t'en préserve,
les effets de la colère divine. » 2. Mais Ferderuchus,
ébranlé par cette mise en garde inattendue, lui dit :

---

cette localité ; et cette dénomination de *Raetiarum episcopus* aurait été
bien étrange, à moins de supposer que cette ville servait de lieu de
résidence à l'unique et dernier pasteur de la Rhétie, ce qui resterait à
démontrer. En fait, force est bien de constater avec K. REINDEL, *art. cit.*,
MIÖG, 72 (1964), p. 294, que toutes les tentatives faites pour identifier
ce Valentin et lui attribuer un siège ont jusqu'ici échoué. Dans le même
sens : R. NOLL, *op. cit.*, p. 141.

contestatione confundimur, cum non optemus tantis or-
bari praesidiis et sanctae largitioni tuae, quae omnibus
nota est, conferre nos aliquid deceat, non auferre, quatenus solita, sicut et pater noster Flaccitheus, tua merear
oratione muniri, qui experimento didicit sanctitatis tuae
meritis se fuisse semper adiutum ? » Et ille : « qualibet »,
inquit, « occasione cellulam meam uolueris laedere, et hic
statim probabis et in futuro solues quam non opto uindic-
tam. » 3. Tunc Ferderuchus promittens se Christi famuli
monita seruaturum remeauit ad propria. Doctor uere
dulcissimus non cessabat suos alloqui per momenta disci-
pulos dicens : « confido de gratia domini mei Iesu Christi,
quia uobis in opere suo durantibus et meae memoriae
pacata societate coniunctis aeternae uitae bona tribuet
nec praesentium solacia denegabit. »

*

43. 1. Nonis itaque Ianuariis coepit tenuiter lateris
dolore pulsari. Quo durante per triduum medio noctis
tempore fratres adesse praecepit, quos de corpore suo
commonens et paterna informatione corroborans, instan-
ter ac mirabiliter talia prosecutus aiebat : 2. « Filii in
Christo carissimi, scitis, quod beatus Iacob de saeculo
recessurus condicione mortis instante filios suos adesse
praecipiens et propheticae benedictionis affatibus singulos quosque remunerans mysteriorum arcana prodidit
futurorum[a]. Nos uero infirmi ac tepidi tantaeque impares

---

a. Cf. Gen. 49, 1-28

« Pourquoi nous confondre par ces appels pressants, alors
que nous ne souhaitons pas être privés de ta protection
si efficace et qu'il est de notre devoir d'ajouter et non de
retrancher quelque chose à tes saints bienfaits, aujour-
d'hui connus de tous ? Je veux ainsi mériter tes prières
habituelles, comme notre père Flaccitheus, qui apprit par
l'expérience de quels secours furent toujours pour lui les
mérites de ta sainteté. » Mais Séverin lui répondit : « À la
première occasion que tu auras, tu viendras violer ma
cellule, mais ici même aussitôt tu verras ce qu'il en est et
dans l'avenir tu subiras le châtiment que je ne te souhaite
pas. » 3. Ferderuchus promit alors de tenir compte des
avertissements du serviteur de Dieu et s'en retourna chez
lui. Le maître, dans sa grande douceur, ne cessait d'enseigner les siens de temps en temps ; il disait à ses disciples :
« J'ai confiance dans la grâce de mon Seigneur Jésus-
Christ ; si vous restez à son service et demeurez unis par
mon souvenir dans une société où règne la paix, il vous
accordera les biens de la vie éternelle et ne vous refusera
par les consolations de la vie présente. »

*

43. 1. Le jour des nones de janvier il commença à
ressentir une légère douleur au côté. Au bout de trois
jours de cette souffrance, il fit venir les frères au milieu
de la nuit, leur fit ses recommandations au sujet de son
corps et les réconforta par des exhortations paternelles
en leur adressant ces paroles aussi pressantes qu'admirables : 2. « Très chers fils dans le Christ, vous savez que
le bienheureux Jacob, sur le point de quitter cette terre
et sous le poids de sa condition mortelle, fit venir ses fils,
les combla chacun à leur tour de bénédictions prophéti-
ques et leur révéla les secrets et les mystères de l'avenir[a].
Pour nous, si faibles, si tièdes et si éloignés d'une telle

pietati hanc praerogatiuam nostris usurpare uiribus non audemus, unum tamen, quod humilitati congruit, non tacebo, mittens uos ad exempla maiorum, *quorum intuentes exitum conuersationis imitamini fidem*[b]. Abraham namque uocatus a domino fide oboediuit, ut exiret in locum, *quem accepturus erat in possessionem, et exiit nesciens, quo uenturus esset*[c]. 3. Huius igitur beati patriarchae imitamini fidem, imitamini sanctitatem, terrena despicite, patriam caelestem semper inquirite[d]. Confido autem in domino, quod mihi de uobis aeterna lucra prouenient. Video enim uos gaudium meum feruore spiritus ampliasse[e], amare iustitiam, fraternae caritatis uincla diligere, castitati operam dare, humilitatis regulam custodire : haec, quantum ad hominis spectat intuitum, laudo confidenter et approbo. 4. Sed orate, ut quae humanis aspectibus digna sunt aeternae discretionis examinatione firmentur, quia non, sicut uidet homo[f], uidet deus. Ille siquidem, sicut diuinus sermo denuntiat, ' *omnium corda scrutatur et omnes mentium cogitationes anteuenit*[g] '. Assiduis ergo precibus hoc sperate, ut *oculos cordis uestri deus inluminet*[h] *eosque,* sicut optauit beatus Heliseus, *aperiat*[i], quo possitis agnoscere, quanta nos circumstent adiumenta sanctorum, quanta fidelibus auxilia praeparentur. Deus enim noster simplicibus appropinquat. 5. Non desit militantibus deo iugis oratio ; non pigeat agere paenitentiam, quem non puduit

---

b. Hébr. 13, 7   c. Hébr. 11, 8 [La *Vetus Latina* donne le texte suivant : *quem accepturus erat in possessionem, et exiuit, nesciens ubi ueniret* (SABATIER, III, col. 925). La citation est donc remaniée : 1. *quo*, plus correct, remplace *ubi* ; 2. le participe futur conjugué avec l'auxiliaire *sum* au temps voulu par la concordance (conjugaison dite périphrasée) a été substitué au subjonctif imparfait *ueniret*.   d. Cf. Hébr. 11, 14   e. Cf. Jn 15, 11   f. Cf. I Sam. 16, 7   g. I Chr. 28, 9 ; [Vulgate : « *omnia enim cordia scrutatur Dominus et universas mentium cogitationes intellegit* » (éd. WEBER, t. 1, p. 584)]

piété, nous n'osons pas prétendre à ce privilège par nos propres forces ; mais il y a une chose cependant que, parce qu'elle est conforme à l'humilité, je ne vous cacherai pas en vous renvoyant à l'exemple de nos anciens, « considérant la fin de leur existence, imitez leur foi[b]. » En effet, « Abraham, appelé par le Seigneur, obéit dans la foi pour partir vers un lieu qu'il devait recevoir en possession, et il partit sans savoir où il irait[1c]. » 3. Imitez donc la foi de ce bienheureux patriarche, imitez sa sainteté, méprisez ce qui est terrestre et aspirez toujours à la patrie céleste[d]. J'ai confiance dans le Seigneur : grâce à vous il me sera donné en partage une récompense éternelle. Je vois en effet que vous m'avez rempli de joie[e] par votre ferveur spirituelle, que vous aimez la justice, que vous chérissez les liens de la charité fraternelle, que vous gardez la chasteté, que vous observez la règle de l'humilité. Tout cela, je le constate, pour autant qu'un homme puisse le percevoir, je le loue de tout cœur et l'approuve. 4. Mais priez pour que ce qui apparaît digne aux yeux des hommes soit confirmé à la balance du Jugement éternel, car Dieu ne voit point comme voit l'homme[f]. Celui-ci, en effet, comme le dit la parole divine, « sonde tous les cœurs et prévient les desseins de tous les esprits[g]. » Priez donc assidûment et mettez votre espoir dans ces prières, pour que « Dieu illumine les yeux de votre cœur[h] » et qu'« il les ouvre » comme le demande le bienheureux Élisée[i], afin que vous puissiez reconnaître quels appuis les saints mettent autour de nous, quels secours sont préparés pour les fidèles. Notre Dieu en effet se révèle aux simples. 5. Que les combattants de Dieu ne négligent pas la prière continuelle, que personne ne répugne à faire pénitence s'il

---

h. Éphés 1, 18   i. IV Rois 6, 17 : *cumque orasset Heliseus ait Domino aperi oculos eius.** La citation a été modifiée pour s'intégrer à la phrase (éd. WEBER, t. 1, p. 511)

facinus perpetrare ; non dubitetis lugere peccantes[j], si quo modo offensa diuinitas uestrarum lacrimarum inundatione placetur, quia spiritum contribulatum suum dignatus est uocare sacrificium[k]. Simus igitur corde humiles, mente tranquilli, delicta omnia praecauentes ac diuinorum semper memores mandatorum[l], scientes non prodesse nobis humilitatem uestis, nomen monachi, uocabulum religionis, speciem pietatis, si circa obseruantiam mandatorum degeneres inueniamur et reprobi. 6. Mores igitur, filii mei carissimi, proposito suscepto consentiant : grande nefas est peccata sectari etiam hominem saecularem, quanto magis monachos, qui blandimenta saeculi quasi atrocem bestiam fugientes Christum cunctis affectibus praetulerunt, quorum incessus et habitus uirtutis creditur esse documentum ? Sed quid uos ultra demoror, filii carissimi, longi sermonis affatu ? 7. Superest, ut beati apostoli ultima oratione uos prosequar ita dicentis : ' *et nunc commendo uos deo et uerbo gratiae eius, qui potens est conseruare uos et dare hereditatem in omnibus sanctificatis*[m] '. Ipsi gloria in saeculo saeculorum. » 8. Post huiusmodi igitur aedificationis alloquium cunctos per ordinem ad osculum suum iussit accedere et sacramento communionis accepto fleri se penitus prohibet totumque corpus signo crucis extenta manu consignans, ut psallerent imperauit. Quibus maeroris suffu-

---

j. Cf. II Cor. 12, 21   k. Cf. Ps. 50, 19   l. Cf. Jn 14, 15   m. Act. 20, 32 ; [Vulgate : « *et nunc commendo vos deo et verbo gratiae ipsius, qui potens est aedificare et dare hereditatem in sanctificatis omnibus* » (éd. WEBER, t. 2, p. 1734)]

---

1. Dans la plupart des textes nous voyons les fidèles se signer le front, les yeux, la bouche ou même le cœur, mais rarement le corps tout entier. Ce passage d'Eugippe porte sans doute témoignage d'un usage monasti-

n'a pas eu honte de commettre le péché ; n'hésitez pas à pleurer sur ceux qui pèchent[j], si la divinité ainsi offensée peut se complaire au flot de vos larmes, car c'est un esprit broyé qu'elle a daigné appeler son sacrifice[k]. Soyons donc humbles de cœur, sereins d'esprit, gardons-nous de tout manquement et rappelons-nous toujours les commandements divins[l], en sachant bien que l'humilité du vêtement, le nom de moine, le mot de religion, les dehors de la piété ne servent de rien, si nous sommes jugés indignes et malhonnêtes quant à l'observance des commandements de Dieu. 6. Que vos mœurs, mes très chers fils, s'accordent avec le genre de vie que vous avez choisi ; qu'un homme vivant dans le siècle se laisse entraîner au péché, c'est déjà un grand malheur, mais n'en est-ce pas un plus grand encore pour des moines qui ont fui les séductions du monde comme une bête monstrueuse et qui ont préféré le Christ à toutes les passions et dont la conduite et l'habit passent pour une preuve de vertu ? 7. Mais pourquoi vous retenir, très chers fils, par le fil d'un long discours ? Il ne me reste plus qu'à vous rappeler en guise d'adieu les dernières paroles du bienheureux Apôtre : « Et maintenant je vous recommande à Dieu et à la parole de sa grâce, Lui qui a le pouvoir de vous garder et de donner l'héritage en tous les sanctifiés[m]. » « Gloire Lui soit rendue dans tous les siècles des siècles. » 8. Quand il eut fini de parler pour leur édification, il les fit s'approcher chacun à leur tour pour les embrasser, reçut le sacrement de communion et leur interdit formellement de verser des larmes sur lui ; il étendit la main, fit sur son corps un grand signe de croix[l] et leur demanda de psalmodier. Comme l'émotion qui les pénétrait les faisait hésiter, il entonna lui-même le psaume : « Louez le Seigneur dans ses

que qui se répandit ensuite dans tout l'Occident. Cf. H. Leclercq, art. « Signe de croix », *DACL*, 3 (1948), col. 3139-3144, en part. 3143.

sione cunctantibus ipse psalmum protulit ad canendum :
« *Laudate dominum in sanctis eius ... omnis spiritus
laudet dominum*[n]. » Sexto itaque iduum Ianuariarum die
in hoc uersiculo nostris uix respondentibus quieuit in
domino. Quo sepulto credentes omni modo seniores nostri, quae de transmigratione praedixerat, sicut et multa
alia praeterire non posse locellum ligneum parauerunt,
ut, cum praenuntiata populi transmigratio prouenisset,
praedictoris imperata complerent.

*

44. 1. Ferderuchus uero beati Seuerini morte comperta, pauper et impius, barbara cupiditate semper im-
manior, uestes pauperibus deputatas et alia nonnulla
credidit auferenda. Cui sceleri sacrilegium copulans cali-
cem argenteum ceteraque altaris ministeria praecepit
auferri. 2. Quae cum imposita essent sacris altaribus nec
auderet directus uilicus ad tale facinus suas manus ex-
tendere, quendam militem Avitianum nomine compulit
diripere memorata. Qui quamuis inuitus praecepta perfi-
ciens, mox tamen incessabiliter uexatus omnium tremore
membrorum daemonio quoque corripitur. Is ergo uelociter consilio meliore correxit errata. Suscepto namque
professionis sanctae proposito in insulae solitudine armis
caelestibus mancipatus militiae commutauit officium.
3. Ferderuchus autem immemor contestationis et praesagii sancti uiri abrasis omnibus monasterii rebus parie-

n. Ps. 150, 1-6

1. Nous avons choisi la leçon *nostris* (les nôtres) que donnent les
manuscrits de la classe II. On trouve un usage comparable dans l'Épître
à Tite (3, 14) pour désigner la communauté.

saints ... que tout esprit loue le Seigneur[n]. » 9. Les nôtres[1] ne répondant qu'à peine à ce verset, il s'endormit dans le Seigneur ; c'était le sixième jour avant les ides de janvier. Quand il fut enseveli, les moines les plus âgés parmi les nôtres, persuadés que l'émigration, comme tous les autres événements qu'il avait prédits, ne pouvait pas ne pas se produire, firent préparer un cercueil en bois pour exécuter les ordres du prophète, quand l'heure de l'émigration annoncée serait arrivée pour le peuple.

*

44. 1. Quand Ferderuchus eut appris la mort du bienheureux Séverin, cet homme pauvre en son impiété, toujours plus porté à la démesure par une barbare cupidité, crut pouvoir s'emparer des vêtements destinés aux pauvres et d'autres biens encore. Et ajoutant à ce crime le sacrilège, il donna l'ordre de s'emparer du calice d'argent et de tous les autres objets du culte. 2. Comme ces objets étaient placés sur des autels consacrés et que l'intendant mandé pour cela n'osait prêter la main à un tel forfait, il obligea un soldat du nom d'Avitianus à rafler les objets en question. Celui-ci a beau n'avoir exécuté les ordres qu'à contre-cœur, il est bientôt agité d'un tremblement irrépressible de tous les membres et le voilà en plus saisi par le démon. Il s'empressa donc de redresser son erreur par un dessein meilleur. Il adopta en effet le propos de la profession parfaite et, enrôlé dans la solitude d'une île sous les armes du ciel, il changea de milice[2]. 3. Mais Ferderuchus, oublieux des prières pressantes et des prédictions du saint, pilla tous les biens du monastère, ne laissant que les murs, qu'il ne pouvait pas emporter

---

2. Sur la vie monastique comme milice au service du Christ : cf. J. AUER, art. « *militia Christi* », *DSp* 10 (1980), col. 1215-1216.

tes tantum, quos Danuuio non potuit transferre, dimisit.
Sed mox in eum ultio denuntiata peruenit : nam intra
mensis spatium a Frederico, fratris filio, interfectus
praedam pariter amisit et uitam. 4. Quapropter rex
Odouacar Rugis intulit bellum. Quibus etiam deuictis et
Frederico fugato, patre quoque Feua capto atque ad
Italiam cum noxia coniuge transmigrato, post audiens
idem Odouacar Fredericum ad propria reuertisse statim
fratrem suum misit cum multis exercitibus Onoulfum,
ante quem denuo fugiens Fredericus ad Theodericum
regem, qui tunc apud Nouas ciuitatem prouinciae Moesiae
morabatur, profectus est. 5. Onoulfus uero praecepto
fratris admonitus uniuersos iussit ad Italiam migrare
Romanos. Tunc omnes incolae tamquam de domo seruitu-
tis Aegyptiae[a], ita de cotidiana barbarie frequentissimae
depraedationis educti sancti Seuerini oracula cognoue-
runt. Cuius praecepti non immemor uenerabilis noster
presbyter tunc Lucillus, dum uniuersi per comitem Pie-

---

a. Cf. Ex. 13, 3. 14 ; 20, 2 ; Deut. 5, 6 ; 6, 13 ; 7, 8 ; 8, 14 ; 13, 10 etc.

---

1. Eugippe présente l'expédition d'Odoacre comme la conséquence
d'une « vendetta » dans la famille royale ruge. En réalité le maître de
l'Italie ne fit que lancer une attaque préventive contre un peuple que
l'empereur d'Orient Zénon poussait à descendre dans la péninsule pour
mettre fin à son pouvoir. Une première campagne au cours de l'hiver
487 lui permit de capturer le roi Feletheus et la reine Giso ; mais leur fils
Frédéric put s'échapper et revenir dans le pays des Ruges l'année
suivante. Il envoya alors son frère Onoulf pour briser toute résistance ;
Frédéric, une nouvelle fois vaincu, se réfugia auprès de Théodoric et
partagea désormais avec ses derniers fidèles le sort des Ostrogoths. Cf.
A. LIPPOLD, s.v. « Zeno », PW, II Hbd 19 (1972), col. 190-191.
2. Sur Onoulf : cf. A. NAGL, s.v. « Onoulf », PW, 18 (1939),
col. 526-527.
3. Théodoric l'Amale (vers 456-526), roi des Ostrogoths depuis 471,
alors établi sur le Bas-Danube, devait envahir l'Italie en 489 et vaincre
définitivement Odoacre au bout de quatre ans de guerre. Cf. W. ENSSLIN,
Theoderich der Große, 2e éd. Munich 1959, p. 58-73.

au-delà du Danube. Mais le châtiment annoncé ne tarda
pas à s'abattre sur lui : car, un mois après, il fut tué par
Frédéric, le fils de son frère, perdant ainsi en même temps
son butin et sa vie. 4. C'est pour cette raison que le roi
Odoacre partir en guerre contre les Ruges[1]. Ils furent
vaincus et Frédéric mis en fuite ; de plus, son père Feva
fut fait prisonnier et déporté en Italie avec sa méchante
femme. Lorsque, par la suite, Odoacre apprit que Frederic
était revenu dans son pays, il envoya aussitôt son frère
Onoulf[2] à la tête d'une armée nombreuse ; devant lui, une
fois de plus, Frederic prit la fuite et se réfugia auprès du
roi Théodoric[3] qui séjournait alors près de la ville de
Novae[4] dans la province de Mésie. 5. Mais Onoulf, sur les
injonctions de son frère, donna l'ordre à tous les Romains
d'émigrer en Italie[5]. Dès lors tous les habitants, délivrés,
comme de la maison de servitude d'Égypte[a], de la barbarie quotidienne que représentaient des pillages incessants, constatèrent ce qu'avait prédit Séverin. Et son
ordre ne fut pas oublié par notre vénérable prêtre d'alors,
Lucillus. Pendant que tous les habitants étaient
contraints par le comte Pierius[6] de partir, après avoir

---

4. *Nouae* : camp et ville sur le Danube, dans la province de *Moesia
secunda*, à l'est de la ville moderne de Svištov en Bulgarie ; lieu de
résidence de Théodoric jusqu'en 488.

5. Quelle a été l'ampleur de ce transfert de population ordonné par
Odoacre ? À ce sujet H. KOLLER, « Der Donauraum swischen Linz und
Wien im Frühmittelalter », *Historisches Jahrbuch der Stadt Linz*,
1960, p. 11-53, a émis une hypothèse originale appuyée sur l'archéologie
et la toponymie ; l'ordre d'évacuation donné par Odoacre n'aurait
intéressé qu'une zone comprise entre la Traun et le Wienerwald (donc,
à peu de choses près, la zone soumise à l'influence politique des Ruges,
au sud du Danube), mais dans cette région la population aurait été
évacuée *dans sa totalité*.

6. Le titre de *comes* (*domesticorum*) faisait de ce personnage un des
plus hauts responsables militaires du « royaume » d'Italie. Sur Pierius :
cf. A. NAGL, *s.v.* « Pierius », *PW*, 20/1 (1941), col. 1220.

rium compellerentur exire, praemissa cum monachis
uespere psalmodia sepulturae locum imperat aperiri.
6. Quo patefacto tantae suauitatis fragrantia omnes nos
circumstantes accepit, ut prae nimio gaudio atque admi-
ratione prosterneremur in terra. Deinde humaniter aestimantes ossa funeris inuenire disiuncta, nam annus sex-
tus depositionis eius effluxerat, integram corporis com-
pagem repperimus. Ob quod miraculum inmensas gratias
retulimus omnium conditori, quia cadauer sancti, in quo
nulla aromata fuerant, nulla manus accesserat condientis,
cum barba pariter et capillis usque ad illud tempus
permansisset inlaesum. 7. Linteaminibus igitur immuta-
tis in loculo multo ante iam tempore praeparato funus
includitur, carpento trahentibus equis inpositum mox
euehitur, cunctis nobiscum prouincialibus idem iter agen-
tibus, qui oppidis super ripam Danuuii derelictis per
diuersas Italiae regiones uarias suae peregrinationis sor-
titi sunt sedes. Sancti itaque corpusculum ad castellum
nomine Montem Feletrem † Mulsemensis regionis appor-
tatum est.

*

45. 1. Per idem tempus multi uariis occupati langoribus et nonnulli ab spiritibus immundis oppressi medelam

---

1. L'incorruption du corps, tout comme l'odeur suave, était considé-
rée comme un signe évident de sainteté : cf. B. Kötting, « Wohlgeruch der
Heiligkeit », dans *Jenseitsvorstellungen in Antike und Christentum,
Gedenkschrift für A. Stuiber, JbAC,* Erg.Bd. 9 (1982), p. 174-175.

2. Le terme d'*Italia,* quand il n'est pas accompagné d'un déterminant
comme *tota* ou *omnis,* désigne presque toujours à l'époque l'*Italia
annonaria,* c'est-à-dire l'Italie du Nord.

3. *ad castellum nomine Montem Feletrem + Mulsemensis regionis.*
Le texte de ce chapitre est corrompu en plusieurs endroits et la localisa-

chanté les psaumes du soir avec les moines, il fait ouvrir
la sépulture. 6. La tombe une fois ouverte, nous tous qui
étions là, nous fûmes saisis d'une odeur si suave que, ne
pouvant contenir notre joie et notre émerveillement, nous
nous prosternâmes face contre terre. Humainement nous
nous attendions alors à trouver les os disjoints de la
dépouille — il s'était en effet écoulé six ans depuis son
inhumation —, mais nous découvrîmes la totalité du
corps intacte. Pour ce miracle nous rendîmes infiniment
grâce au créateur de toute chose, car le cadavre du saint,
qui n'avait pas reçu d'herbes aromatiques et qui n'avait
pas été touché par la main de l'embaumeur, s'était
conservé sans dommage[1] jusqu'à ce jour avec la barbe et
les cheveux. 7. On change les linges, on renferme la
dépouille dans un cercueil préparé de longue date et on la
charge sur un chariot tiré par des chevaux qui bientôt
l'emportent. Tous les autres habitants de la province
nous accompagnaient par la même route ; ayant quitté les
villes situées sur la rive du Danube, ils reçurent en
partage diverses terres de séjour dans des régions variées
de l'Italie[2]. C'est ainsi que le corps du saint fut transporté
jusque dans le bourg de Monte Feltre dans la † région de
Mulsemensis[3].

*

45. 1. En ce temps-là nombreux furent ceux qui, atteints des maladies les plus diverses et parfois même
habités par des esprits impurs, trouvèrent la guérison

---

tion du *Mons Feleter* pose quelques difficultés. Nous nous rangeons à
l'opinion de Mommsen, qui situe le *Mons Feleter* près de la localité
moderne de S. Leo, au sud-ouest de Saint-Marin : cf. éd. Mommsen, *MG
SRG,* 26, p. VII. Mais cette identification reste provisoire tant que le
terme de + *Mulsemensis* n'aura pas été correctement restitué : cf.
E. VETTER dans R. NOLL, *op. cit.,* p. 32, n. 1.

diuinae gratiae sine ulla mora senserunt. Tunc et mutus quidam ad id castellum suorum miseratione perductus est. Qui dum in oratorium, quo sancti uiri corpusculum super carrum adhuc positum permanebat, alacer peruenisset ac sub eo clauso oris sui ostio in cordis cubiculo[a] supplicaret, ilico lingua eius in oratione soluta laudem dixit altissimo. 2. Cumque, reuersus ad hospitium, quo suscipi consueuerat, interrogantis fuisset ex more nutu signoque pulsatus, et orasse et laudem se deo obtulisse clara uoce respondit. Quo loquente pauefacti qui eum nouerant, ad oratorium cum clamore currentes sancto Lucillo presbytero simulque nobis, qui cum illo eramus, ignorantibus quod euenerat, indicarunt. Tunc omnes exultantes in gaudio diuinae clementiae gratiarum retulimus actionem.

*

46. 1. Igitur illustris femina Barbaria beatum Seuerinum, quem fama uel litteris cum suo quondam iugali optime nouerat, religiosa deuotione uenerata est. Quae post obitum eius audiens corpusculum sancti in Italiam multo labore perductum et usque ad illud tempus terrae nullatenus commendatum, uenerabilem presbyterum nostrum Marcianum, sed et cunctam congregationem litteris

---

a. Cf. Matth. 6, 6

---

1. *illustris femina Barbaria.* Barbaria était la veuve d'un sénateur de rang « illustre », c'est-à-dire ayant exercé de hautes fonctions classées comme *illustres.* Était-elle la veuve d'Oreste (cf. *supra Ep. Eug.,* 8 n. 2) et la mère du dernier empereur d'Occident ? Cette hypothèse, avancée notamment par T. Hodgkin au siècle dernier (*Italy and Her Invaders,* t. 3, Londres 1885, p. 190-191), se fonde sur le fait que le *castellum Lucullanum* était à la fois le lieu d'exil de Romulus Augustule et la résidence de Barbaria, la fidèle admiratrice de Séverin. En

sans délai par la grâce de Dieu. Ainsi, il y eut un muet que les siens, pris de pitié, amenèrent au bourg. Il eut vite fait d'entrer dans l'oratoire où reposait encore sur le chariot le corps du saint ; dessous, la porte de sa bouche fermée, il suppliait dans la chambre de son cœur[a]. Soudain sa langue se délia au milieu de sa prière et il rendit grâces au Très Haut. 2. De retour à l'hospice, où l'on avait coutume de le recevoir, on lui posa des questions en le bousculant par des gestes et des signes comme à l'ordinaire ; et il répondit d'une voix claire qu'il avait prié et chanté les louanges de Dieu. En l'entendant parler, ceux qui le connaissaient furent saisis de frayeur et coururent avec de grands cris à l'oratoire pour tout raconter au saint prêtre Lucillus et à nous, qui étions avec lui et ne savions rien de ce qui était arrivé. Alors tous nous exultâmes de joie et nous répandîmes en action de grâces à la bonté de Dieu.

*

46. 1. Une femme de haute naissance, Barbaria[1], avait voué au bienheureux Séverin — elle l'avait fort bien connu autant par sa réputation que par une correspondance entre lui et feu son mari — une respectueuse et religieuse dévotion. Quand elle apprit que, après sa mort, le corps du saint avait été transporté en Italie avec bien des difficultés et qu'il n'avait pas encore été enseveli, elle invita plusieurs fois par lettre notre vénérable prêtre Marcianus ainsi que toute la communauté à venir la

---

dehors de cette proximité géographique, on peut encore invoquer la correspondance que Séverin entretenait avec l'époux de Barbaria, ce qui s'accorderait très bien avec les origines du patrice Oreste. Mais Eugippe ne nous donne pas le nom de l'homme en question et l'identification proposée, si elle n'est pas invraisemblable, reste tout de même bien fragile. Cf. M.A. WES, *op. cit.*, p. 145-146.

frequentibus inuitauit. 2. Tunc sancti Gelasii sedis Romanae pontificis auctoritate et Neapolitano populo exequiis
reuerentibus occurrente in castello Lucullano per manus
sancti Victoris episcopi in mausoleo, quod praedicta femina condidit, collocatum est. 3. Qua celebritate multi
langoribus diuersis afflicti, quos recensere longum est[b],
receperunt protinus sanitatem. Inter quos quaedam uenerabilis ancilla dei Processa nomine ciuis Neapolitana, cum
grauissimum aegritudinis pateretur incommodum, sancti
funeris prouocata uirtutibus in itinere properanter occurrit et ingressa sub uehiculo, quo corpus uenerabile
portabatur, statim caruit omnium langore membrorum.
4. Tunc et Laudicius quidam caecus, inopinato psallentis
populi clamore perculsus, sollicite suos quid esset interrogat. Respondentibus, quod cuiusdam sancti Seuerini
corpus transiret, compunctus ad fenestram se duci rogat,

---

a. Cf. Jn 20, 30

---

1. *Sancti Gelasii sedis Romanae pontificis.* Le pape Gélase occupa
le siège romain de 492 à 496.

2. Dans le dernier chapitre de la *Vita*, Eugippe décrit les deux actes
qui mettent un point final à la translation des reliques du saint : l'entrée
solennelle dans la ville de Naples (*ingressus* : entrée, *VS*, 46, 6) et la
déposition du corps dans le mausolée (*depositio* : déposition, *VS*, 46, 5).
La réception qui est faite aux reliques s'accompagne d'un grand
concours de population ; la ville entière s'est sans doute mise en
mouvement, évêque en tête, pour accueillir dignement le nouveau saint.
Il est à remarquer que le verbe *occurrere* est un terme technique qui
renvoie au cérémonial de l'*aduentus* monarchique : cf. O. NUSSBAUM, *s.v.*
« Geleit », *RAC,* 9 (1977), col. 1034 et surtout N. GUSSONE, « Adventus-
Zeremoniell und Translation von Reliquien. Victricius von Rouen, *De
laude sanctorum* », *Frühmittelalterliche Studien,* 10 (1976),
p. 125-133, en part. p. 130-131.

3. Au VIe siècle le *castellum Lucullanum* n'était pas seulement un
ouvrage fortifié ; il abritait entre ses murs, sinon une ville au sens
propre du terme, comme le voulait M. BÜDINGER, *art. cit.*, *SB AWW*, 91
(1878), p. 801 s., du moins un bourg correspondant en gros à la zone de
Pizzofalcone, dominée par le Monte Echia, à Naples : cf. G. PANE, « La

rejoindre. 2. Sur ce, avec l'autorisation de saint Gélase[1], évêque du siège romain, et en présence du peuple de Naples, accouru[2] au bourg de Lucullanum[3] pour ces augustes funérailles, le corps fut déposé par les mains du saint évêque Victor dans le mausolée que la femme en question avait fait construire. 3. À l'occasion de cette fête solennelle, nombreux furent ceux qui, atteints de diverses maladies, recouvrèrent aussitôt la santé ; il serait trop long de les citer[a]. Parmi eux il y avait une vénérable servante de Dieu, qui portait le nom de Processa et qui était citoyenne de Naples. Comme elle souffrait d'un mal très grave, elle se sentit appelée par les vertus miraculeuses de la dépouille sainte et se hâta d'aller à la rencontre du convoi ; elle se jeta sous le char qui portait le corps vénérable et aussitôt elle fut délivrée des douleurs qu'elle ressentait dans tous les membres. 4. Il y eut encore un aveugle, un certain Laudicius, qui, frappé d'entendre le peuple chanter des psaumes sans que rien ne le laissât prévoir, demanda avec insistance aux siens ce qui se passait. On lui répondit que c'était le corps d'un certain saint Séverin qui passait et lui, touché de componction, les pria de le conduire à la fenêtre, il se

---

villa Carafa e la storia urbanistica di Pizzofalcone », *Napoli nobilissima*, n.s. 4 (1964), p. 134-135 ; R. ZINNHOBLER-E. WIDDER, *Der heilige Severin. Sein Leben und seine Verehrung*, Linz 1982, p. 58 (photo n° 40). Parmi les propriétés ce « bourg » il en était une qui appartenait à Barbaria, cette femme de haute naissance qui recueillit la communauté monastique repliée du Norique et fit déposer dans un mausolée le corps de Séverin.

Plus de quatre cents ans après cet événement, au début du IXe siècle, devant la menace d'une attaque des Sarrasins, les reliques furent mises en lieu sûr à l'intérieur des murs de Naples. Le corps de Séverin resta environ 900 ans au monastère de S. Severino avant de connaître une ultime translation à Fratta Maggiore (diocèse d'Aversa) à une dizaine de kilomètres de Naples. Il repose aujourd'hui dans l'église S. Sosio e S. Severino, dans cette même localité : cf. R. ZINNHOBLER - E. WIDDER, *op. cit.*, p. 60 (photos n°s 50-52).

de qua poterat a sanis eminus multitudo psallentium atque uehiculum sancti corporis contemplari. Cumque fenestrae nixus incumberet et oraret, protinus uidit, singillatim demonstrans omnes notos atque uicinos. Quo facto cuncti, qui audierant, gratias deo lacrimantibus gaudiis retulerunt. 5. Marinus quoque, primicerius cantorum sanctae ecclesiae Neapolitanae, cum sanitatem post immanissimum langorem recipere pro incessabili capitis dolore non posset, caput uehiculo credens apposuit et mox a dolore liberum subleuauit memorque beneficii semper in die depositionis eius occurrens uoti sacrificium deo cum gratiarum actione reddebat. 6. Verum multis plura scientibus sufficiat tria de innumeris, quae in ingressu eius gesta sunt, beneficiorum uirtutumque retulisse miracula. Monasterium igitur eodem loco constructum ad memoriam beati uiri hactenus perseuerat, cuius meritis multi obsessi a daemonibus sunt curati et diuersis obstricti langoribus receperunt ac recipiunt operante dei gratia sanitatem ; cui est honor et gloria in saecula saeculorum. Amen.

Habes, egregie Christi minister, commemoratorium, de quo opus efficias tuo magisterio fructuosum.

pencha, dit une prière et aussitôt il recouvra la vue, désignant par leur nom chacun de ses voisins et chacune de ses connaissances. Sur ce, tous ceux qui l'avaient entendu rendirent grâces à Dieu au milieu des larmes de joie. 5. Il y eut aussi Marinus, le premier des chantres de la sainte Église de Naples, qui ne pouvait recouvrer la santé après une terrible maladie en raison de maux de tête incessants : avec foi, il posa la tête sur le char et la releva aussitôt, délivrée de ses douleurs. En souvenir de cette grâce, il ne manquait jamais de venir pour le jour de la déposition du saint et rendait à Dieu le sacrifice promis par un vœu dans l'action de grâce.

6. Certes, nombreux sont ceux qui en savent plus encore, mais, parmi les innombrables miracles qui se sont produits au moment de l'entrée du saint, qu'il suffise de citer ici ces trois bienfaits. Le monastère construit en ce lieu à la mémoire du bienheureux homme existe encore aujourd'hui ; par ses mérites, nombreux sont les possédés du démon qui ont été guéris et les victimes de diverses maladies qui ont recouvré et recouvrent encore aujourd'hui, avec l'aide de Dieu, la santé ; à Lui honneur et gloire dans les siècles des siècles. Amen.

Voici, excellent ministre du Christ, le mémoire dont tu feras, de main de maître, une œuvre profitable à tous.

INDEX

INDEX SCRIPTURAIRE

Les citations explicites sont indiquées par des chiffres en *italique* ; les citations implicites, les renvois et allusions sont en romain. Pour la *Vita Severini* le premier chiffre renvoie au chapitre, le second au paragraphe. Pour l'*Epistula Eugipii* (*Ep. Eug.*) et l'*Epistula Paschasii* (*Ep. Pasch.*) les chiffres renvoient aux paragraphes. Les lettres *VL* entre parenthèses signalent un emprunt à la *Vetus Latina*.

CITATIONS ET ALLUSIONS BIBLIQUES[1]

Abréviations utilisées dans ce tableau :
expl. = citation explicite
impl. = citation implicite
text. = citation textuelle
quasi text. = citation quasi textuelle (souvent tronquée)
mod. = citation modifiée (par combinaison de deux passages : ex. VS 12, 2 b, ou remaniements plus importants : ex. VS 43, 2 c)
réf. v = référence vague
réf. p. = référence précise
Vulg. = texte conforme à la Vulgate
renvoi = renvoi évident (premier niveau de référence au texte biblique)
all. = allusion (deuxième niveau de référence au texte biblique)

Texte	origine biblique	expl.	impl.	text.	quasi text.	mod.	réf. v.	réf. p.	Vulg.	renvoi	all.
Ep. Eug. 3 a	Nombr. 20, 11										—
Ep. Eug. 3 b	I Cor. 2, 13		—		—				—		
Ep. Eug. 3 c	Deut. 32, 13										—
Ep. Eug. 9 a	2 Tim. 2, 21	—	—						—		
Ep. Eug. 9 b	Matth. 25, 33										—
Ep. Eug. 9 c	Éph. 2, 19										—
Ep. Pasch. 4 a	I Pierre 5, 3	—			—		—				
Ep. Pasch. 4 b	I Tim. 4, 12	—			—			—			
Ep. Pasch. 4 c	Hébr. 11										—
Ep. Pasch. 5 d	I Macc. 2, 49										—
Ep. Pasch. 5 e	II Macc. 8, 18										—
	II Macc. 8, 24										—
Ep. Pasch. 5 f	Apoc. 2, 9										—

---

1. Les allusions et réminiscences (niveau 2) sont signalées dans les notes par l'abréviation cf.

INDEX DES NOMS DE PEUPLES
ET DE PERSONNES

INDEX GÉOGRAPHIQUE

INDEX ANALYTIQUE DES MOTS LATINS

Le présent index offre un large choix de mots, retenus en fonction de leur intérêt théologique, spirituel, monastique, liturgique ou, tout simplement, lexicographique. Une place a été faite également aux réalités politiques, économiques et sociales. En revanche, ont été écartés systématiquement les mots inclus dans des citations ou allusions bibliques.

Nous avons recensé à part, dans une annexe intitulée *Seuerinus,* les qualificatifs attribués à Séverin ainsi que les périphrases servant le plus souvent à le désigner. Tous ces termes figurent dans l'index alphabétique et sont affectés d'un renvoi à l'annexe.

La lettre c. suivie d'un chiffre renvoie aux divisions du sommaire (*capitula*). Les chiffres se rapportent aux numéros des chapitres et des paragraphes de la Vita ou des deux lettres qui la précèdent dans cette édition. Lorsqu'un même mot apparaît plusieurs fois dans un paragraphe avec le même sens, le fait est signalé entre parenthèses avec le nombre d'occurrences (x2).

SEVERINUS

beatus : Ep. Eug. 1 ; 10 ; Ep.
Pasch. 2 ; c. 1 ; 4, 6 ; 17, 1 ; 19,
1 ; 22, 1 ; 27, 1 ; 29, 1 ; 30, 1 ; 35,
1 ; 40, 1 ; 44, 1 ; 46, 1
beatissimus : 3, 2 ; 5, 1 ; 5, 4 ;
38, 1 ; 41, 1
uir beatus : Ep. Eug. 10 ; c. 39 ;
16, 4 ; 21, 1 ; 22, 2 ; 28, 3 ; 34, 2 ;
46, 6

doctor : dulcissimus : 42, 3
humilis : 36, 1
piissimus : 19, 3
spiritalis : 39, 1

famulus : Christi famulus : 22, 5 ;
23, 2 ; 28, 5 ; 30, 3 ; 30, 5 ; 42, 3
famulus dei : fidelissimus : Ep.
Eug. 6 ; c. 16 ; c. 28
sanctissimus : 1, 1 ; 1, 3 ; 1, 4 ;
1,5 ; 4, 3 ; 4, 4 ; 6, 5 ; 9, 1 ; 12, 3 ;
16, 3 ; 17, 4 ; 19, 3 ; 24, 2 ; 31, 1
sanctus : 38, 2 ; 41, 1

homo dei : 1, 5 ; 3, 1 ; 8, 3 ; 9, 3 ;
12, 6 ; 14, 2 ; 15, 4 ; 16, 4 ; 16, 5 ;
27, 2 ; 33, 1

legatus : Christi legatus : 31, 3

miles : Christi miles : 6, 6 ; 16, 2 ;
18, 2 ; 42, 1

pater : beatissimus pater : Ep.
Eug. 9
tantus pater : 10, 1
pater sanctissimus : 40, 6

sanctus : Ep. Eug. 3 ; c. 8 ; c. 27 ;
8, 1 ; 10, 1 ; 11, 1 ; 12, 1 ; 13, 2 ;
14, 3 ; 15, 2 ; 16, 6 ; 18, 1 ; 19, 2 ;
19, 4 ; 20, 2 ; 21, 1 ; 22, 3 ; 22, 4 ;
26, 1 ; 28, 1 ; 31, 6 ; 32, 1 (x2) ;
32, 2 ; 34, 1 ; 40, 4 ; 42, 1 ; 44, 5 ;
44, 6 ; 44, 7 ; 46, 1 ; 46, 4
sanctissimus : 23, 1
uir sanctus : 2, 2 ; 6, 1 ; 8, 1 ; 11,
2 ; 14, 1 ; 16, 6 ; 22, 3 ; 25, 1 ; 26,
1 ; 27, 2 (x2) ; 30, 5 ; 36, 4 ; 44,
3 ; 45, 1
seruus : Christi seruus : 8, 5 ; 16,
3 ; 31, 5
seruus dei : Ep. Eug. 9 ; c. 13 ;
c. 15 ; c. 19 ; c. 32 ; 3,3 ; 8, 2 ; 8,
4 ; 8, 5 ; 23, 1 ; 24, 3 ; 25, 1 ; 29,
4 ; 30, 1 ; 30, 4 ; 31, 3 ; 35, 2 ; 40,
3
seruus domini : 8, 4
fidelis seruus : 28, 3

uir dei : Ep. Eug. 9 ; c. 6 ; c. 9 ;
c. 14 ; c. 18 ; c. 29 ; c. 33 ; 2, 1 ;
4, 1 ; 5,2 ; 5, 3 ; 6, 2 ; 6, 3 ; 7 ; 8,
2 ; 9, 2 (x2) ; 10, 2 ; 11, 2 ; 11,
3 ; 12, 7 ; 13, 1 ; 16, 1 ; 17, 3 ; 17,
4 ; 22, 3 ; 24, 1 ; 24, 3 ; 25, 2 ; 26,
2 ; 27, 2 ; 28, 2 ; 29, 2 ; 30, 5 ; 36,
4 ; 40, 2
uir propheticus : 25, 3

LE NORIQUE à l'époque de Séverin *

* Carte réalisée d'après celle de R. NOLL, op. cit. 1963

RHETIE II

NORIQUE RIVERAIN

NORIQUE MÉDITERRANÉEN

PANNONIE I

- - - - - - : limite de province
● LAVRIACVM : localité mentionnée dans la *Vita*
○ VINDOBONA : autre localité
○ *Krems* : localité moderne

0   50   100 km

Ratisbonne
QVINTANAE
Danube
BATAVA
Inn
BOIOTRO
IVAO
Salzach
CVCVLLAE
IOVIACO
LAVRIACVM
Enns
Radstädter Tauern Pass
AGVNTVM
TIBVRNIA
VIRVNVM
FLAVIA SOLVA
POETOVIO
Drave
Mur
Krems
FAVIANAE
CETIVM
COMAGENAE
ASTVRAE
VINDOBONA
CARNVNTVM
SCARABANTIA
SAVARIA

TABLE DES MATIÈRES

SOURCES CHRÉTIENNES

Fondateurs : H. de Lubac, s.j.
† J. Daniélou, s.j.
† C. Mondésert, s.j.
Directeur : D. Bertrand, s.j.
Directeur-adjoint : J.-N. Guinot

Dans la liste qui suit, dite « liste alphabétique », tous les ouvrages sont rangés par nom d'auteur ancien, les numéros précisant pour chacun l'ordre de parution depuis le début de la collection. Pour une information plus complète, on peut se procurer deux autres listes au secrétariat de « Sources Chrétiennes » — 29, rue du Plat, 69002 Lyon (France) — Tél. : 78 37 27 08 :

1. La « liste numérique », qui présente les volumes et leurs auteurs actuels d'après les dates de publication ; elle indique les réimpressions et les ouvrages momentanément épuisés ou dont la réédition est préparée.
2. La « liste thématique », qui présente les volumes d'après les centres d'intérêt et les genres littéraires : exégèse, dogme, histoire, correspondance, apologétique, etc.

LISTE ALPHABÉTIQUE (1-374)

SOUS PRESSE

Les Apophtegmes des Pères, tome I. J.-C. Guy.

ATHÉNAGORE : **Supplique au sujet des chrétiens** et **Traité de la Résurrection.** B. Pouderon.

CÉSAIRE D'ARLES : **Œuvres monastiques,** tome II : **Œuvres pour les moines.** A. de Vogüe, J. Courreau.

GRÉGOIRE DE NAZIANZE : **Discours** 42-43. J. Bernardi.

LACTANCE : **Institutions divines,** tome IV. P. Monat.

ORIGÈNE : **Commentaire sur le Cantique des Cantiques,** tome I. L. Brésard.

PROCHAINES PUBLICATIONS

BASILE DE CÉSARÉE : **Homélies morales.** É. Rouillard, M.-L. Guillaumin.

BERNARD DE CLAIRVAUX : **Livre du libre arbitre.** F. Callerot. **Traité du précepte et de la dispense.** A. Lemaire et M. Standaert.

HERMIAS : **Moquerie au sujet des païens.** R.P. C. Hanson (†).

JEAN DAMASCÈNE : **Écrits sur l'Islam.** R. Le Coz.

Également aux Éditions du Cerf

LES ŒUVRES DE PHILON D'ALEXANDRIE

publiées sous la direction de
R. Arnaldez, C. Mondésert, J. Pouilloux.
Texte original et traduction française.